雄略天皇の古代史

志学社選書

005

雄略天皇の古代史　目次

第二部 埼玉稲荷山古墳出土鉄剣銘文から描く雄略天皇とその時代 221

第三部　『宋書』倭国伝から知られる倭王武とその治世

《本書の記述について》

雄略天皇については、史料の僅少な古代史にあって関連史料が比較的多く、一般にも関心が高いと思われる。本書では問題を矮小化せず、独断を避けて、幅広い視点から傍証を記した。こうした学問的水準は維持しつつも、読み下し文・意訳文やルビを多用するなどして、できるだけ平易な表現を心がけた。そのため、引用史料を除き、本文では氏《うぢ》名の表記について、臣《おみ》・連《むらじ》などの姓《かばね》は原則割愛した。引用史料は、旧かな遣いの読み下し文・現代語訳などで掲載し、旧字体は新字体に改めた。『古事記』・『日本書紀』・『万葉集』・『風土記』は日本古典文学大系本、『続日本紀』・『日本霊異記』は新日本古典文学大系本、『新撰姓氏録』は佐伯有清『新撰姓氏録の研究』考證篇、『釈日本紀』は新訂増補国史大系本、『宋書』倭国伝は岩波文庫本と講談社学術文庫本、『三国史記』・『三国遺事』は朝鮮史学会編本を使用したが、他の刊本を参照し改変した箇所もある。その他の引用史料の読み下し文・現代語訳およびルビなどは、筆者による。また引用史料内の〈 〉は、原文が割書分註であることを示す。『日本書紀』応神天皇以前の紀年のあとの（ ）に記した西暦は修正を加えたもの、仁徳天皇以降はそのまま西暦をあてているが、いずれも暫定である。なお、本文中の西暦は史料との区別を明瞭にするため、敢えてアラビア数字で表記した。「天皇」号の使用については、本文中で述べる。本文中の〈 〉の氏名・機関名は、末尾の参考文献を参照されたい。

序論　なぜ雄略天皇か　―課題と、それに向き合う基本的立場―

はじめに

倭国《わこく》と呼ばれていた五世紀の日本は、各地で大規模な前方後円墳が盛んに築造された時代としても知られている。巨大な墳墓の築造に多くの資力を傾注した躍動的な社会であったが、政治的には激しい権力抗争が繰り返された、激動の時代でもあった。

この時代、倭国には、後世の国家には必須である官司（役所）や官僚（役人）、常備軍は未だ存在せず、国内統治権や対外交渉権は、倭王（のちの天皇）を中心にして各地の豪族が帰属、連合して形成されたヤマト王権（倭王権、ヤマト政権などとも称される）が握っていたが、各部門の権限は王権の成員である王族や豪族により分掌、執行されていた。

さて、ヤマト王権の時代には未だ成文法は存在せず、伝統を重視する慣習法による王位の継承と王権の運営が行なわれていたために不安定さは否めず、有力豪族による王権の権力分掌とも相俟って、内部抗争の発生する余地が大きかった。実在が確かな二十一代雄略天皇（大泊瀬幼武《おおはつせのわかたける》天皇／大長谷若建命）は、仁徳《にんとく》天皇の孫、允恭《いんぎょう》天皇の子で、母は応神《おうじん》天皇の孫の忍《おし》坂大中姫命《さかおおなかつひめのみこと》と伝えられるが、その治世の五世紀後半はそれが頂点に達した時期であった。

雄略天皇とその治世については、古代史の基本史料である『古事記』・『日本書紀』（以下『記』・『紀』）だけでなく、ほぼ同時代史料といえる埼玉県行田市稲荷山古墳出土の鉄剣金象嵌《きんぞうがん》（金《きん》錯《さく》）銘文や、中国の南朝・宋の歴史書である『宋書』（梁《りょう》の沈約《しんやく》が五世紀末に撰述）倭国伝などが存在することから、それ以前の時代よりもより豊かな歴史像を描き出すことが可能な状況にある。

ところで、その分析と考察を進めるに際して留意するべき点がある。それは、雄略朝《ゆうりゃくちょう》（天皇の治世をこのように称する）はヤマト王権が専制的王権に発展した画期であると歴史的に評価されていることである。これは、雄略朝からヤマト王権が専制的王権として変貌するという、いわば進化論的古代史観であるが、この歴史的評価の妥当性の検討がここでの主たる課題となる。それは雄略天皇が亡くなった後の王位継承をめぐる混乱と、傍系王族出身である二十六代継体《けいたい》天皇即位の歴史的評価にも繋がる、古代史研究の問題であるからである。すなわち、これは五世紀後半から六世紀前半に至る間の、日本古代史上の大きな変転期を何時に設定し、歴史的にどのように評価するのかということでもある。

『記』は雄略天皇の崩年干支《ほうねんかんし》（殁年の干支《えと》）を己巳《きし》年（４８９）と記し、『紀』は二十三年間在位の後（４７９）に亡くなったと伝える。いずれが正しいのか定かではないが、その後を『記』・『紀』から素描すれば、雄略天皇のあとは子の二十二代清寧《せいねい》天皇が継承するが子供がなく、播磨《はりま》国に難を逃れていた、十七代履中《りちゅう》天皇の孫、市辺押磐《いちのへのおしは》皇子の子、すなわち二世王である二十三代顕宗《けんぞう》天皇（弟）と二十四代仁賢《にんけん》天皇（兄）の弟兄が続いて即位した。この顕宗天皇には子供がなく、仁賢天皇の子の二十五代武烈《ぶれつ》天皇が位を継承したという。しかし、武烈天皇にも子がなく王統が絶えたので、十五代応神《おうじん》天皇の五世孫という傍系王族を迎えて５０７年に即位したのが継体天皇であると伝える。

雄略天皇亡きあとの展開が右の通りであったか、確定することは容易でないが、この間が平穏に推移したとは考えられない。また、仁徳天皇系の王族に後継男子がいなくなること、すなわち五世紀の王統が無嗣《むし》の状況になったと伝えられることの事実関係の可否と、継体天皇即位の際の旧王権側との交渉の有無の検討、継体天皇系王権による新政策施行を見極めることと、それらにかかる歴史的評価が必要である。

これらの問題については以前に若干の私見を述べたが〈平林章仁j／l〉、そのことに関わり、その前に位置する雄略天皇の実像と時代の実態の解明が重要な課題となる。要するに、雄略朝は、五世紀後半から六世紀半ばに大きく変貌するヤマト王権の、古代史像復原の要に位置しているのである。

課題に向き合う基本的な立場

言い換えるならば、『記』・『紀』、埼玉稲荷山古墳の鉄剣銘文、『宋書』倭国伝という三種の基本史料から、どのような雄略天皇像とその時代を描き出すことができるかということでもある。稲荷山古墳出土の鉄剣銘文と『宋書』倭国伝は、文字量としては決して多いものではないが、この二つの史料から描かれる歴史像と、『記』・『紀』の所伝を照応させることができるならば、より豊かで動的な古代史像を復原することが可能となる。ただし、この作業の前には、埼玉稲荷山古墳の鉄剣銘文に関する解釈が必ずしも一致しているわけではないこと、『宋書』倭国伝から知られる中国南朝・宋との交渉がヤマト王権内部に及ぼした影響についての評価が一定していないこと、さらには、ほぼ同時代である二つの史料に比べて『記』・『紀』の成立が雄略朝より二百数十年も後のことであるから記事の信憑性に疑義が唱えられていること、などの問題が存在している。

こうしたことから、『宋書』倭国伝から描かれる対外交渉を契機とするヤマト王権の動きと、『記』・『紀』から描出されるこの時期のヤマト王権像には、まま乖離も窺われる。また、稲荷山古墳出土鉄剣銘文の解釈や、そこから復原される歴史像にも、研究者間で異論が存在する。安易に三史料を結びつけるのではなく、まず三史料の特性を考慮した分析を進め〈塚口義信c〉、その上で総合的に考察することが求められているが、そのことの実践は容易でない。

そこで、本論に入る前に、信憑性において問題視されることのある『記』・『紀』に向き合う、筆者の基本的立場について記しておこう。理解を容易にするために具体例を挙げて述べるならば、雄略朝以降の歴史展開について、次の説がある〈山尾幸久a〉。

雄略天皇の子である清寧天皇は、仁徳天皇の三世孫にあたる顕宗・仁賢両天皇の即位を正当化するため、また仁賢天皇の子の武烈天皇は応神天皇五世孫の継体天皇の登場を導くために置かれた、架空の一代に過ぎない。それは、欽明天皇を〝近代〟の始まりとして特別な位置に据えた、蘇我氏領導下の七世紀前期における〝修史〟と不可分であった。

要するに、顕宗・仁賢両天皇と継体天皇の即位の正当性を主張するするために、清寧天皇と武烈天皇は捏造された架空の天皇であるという主張である。しかし、継体天皇即位の正当性を主張するなら、わざわざ「武烈天皇という架空の一代」を創作しなくても、継体天皇を応神天皇の二世王か三世王、あるいは世代が近い十九代允恭天皇の二世王か三世王という系譜を創作した方が、はるかに容易であったろう。『紀』における武烈天皇の、暴虐非道な行為の列記は、まさに意図的な創作記事に当たる。『紀』における記事の文飾と、人物や事実の実在性は、必ずしも直結するものではない。

疑問は、清寧天皇や武烈天皇に子がいなかったとする点にこそ、向けられるべきであろう。また、清寧天皇の一代を創作するよりも、雄略天皇に後継者がいなかったと改変した方が、顕宗・仁賢両天皇の登場の説明が容易となる。それが為されていないのは、当初からそれが考えられていなかったからか、もしくはできない十分な理由が存在したからに他ならない。

そもそも、三十三代推古《すいこ》天皇の二十八年（620）に行なわれたという「天皇記・国記」などの編纂に際して、大臣《おおおみ》（執政官）の蘇我馬子《そがのうまこ》がそれを領導したとはいえ、廏戸皇子《うまやとのみこ》（聖徳太子）と共同の事業と伝えられることから、蘇我氏の一存で恣《ほしいまま》に一代を加除することの可能性については、大いに疑問である。そうした歴史の創作で、蘇我氏はどのような利益を得たというのであろうか。この世には蘇我氏しか存在しなければ「歴史の創造」は自在であろうが、現実はそうではない。

『紀』記事の文飾については、すでに指摘があるように、古書の文をとって新たに文を修することは古代の作文の常道であり、それは事実を矯《た》めるとか、史実を蔽《おお》うという意図とは別次元のことであった〈坂本太郎b〉。『紀』には紀年の引き延ばしをはじめ、権威的な文章を作るための文飾も当然施されており、部分的な不整合や矛盾点も散在する。とくに五世紀末までの紀年には、問題が大きいことは事実である。

また、『記』・『紀』それぞれが一定の意図にもとづいて編纂されていることは、『記』における「日下《くさか》」「帯《たらし》」の表記を『紀』では「草香《くさか》」「足《たらし》」に置き替え、『記』に採録される倭《やまと》建命《たけるのみこと》・仁徳天皇・雄略天皇を「日の御子《みこ》」と称える歌謡を『紀』が載録拒否していることなどから、解することができる。

しかし、これらの差異は『記』・『紀』の背景の存在する思想性に由来することであり、天皇や有力氏族には不都合や不名誉なことでも厭わずに記載している場合が少なくない。それは、大臣蘇我馬子宿禰による崇峻《すしゅん》天皇殺害を例示するだけで十分であろう。特に『紀』は、ある事柄について異伝が存在すればできるだけ掲載する方針であったことは、神話を載せる神代紀を一瞥《いちべつ》すれば明瞭である。これは、異伝を排除せずできるだけ多くの所伝を採録しようとする編纂方針の結果であろうが、その理由は『紀』が学問的な編纂態度であったから〈三品彰英a〉ではなく、異伝を排除できなかったヤマト王権の権力構造とその歴史に由来する〈平林章仁h／i〉。

また、継体天皇の死後においても、継体天皇の歿年（531）と安閑天皇の即位年（534）の間に三年の空位が存在することや、百済からの仏教公伝年次を欽明天皇十三年壬申《じんしん》（552）とする『紀』と、欽明天皇七年戊午《ぼご》（538）とする『上宮《じょうぐう》聖徳《しょうとく》法王《ほうおう》帝説《ていせつ》』・『元興寺《がんごうじ》伽藍縁《がらんえん》起《ぎ》并《ならびに》流記《るき》資財帳《しざいちょう》』の異伝が存在することなどを論拠として、辛亥年（531）に継体天皇が亡くなると母系が異なる二十七代安閑《あんかん》天皇・二十八代宣化《せんか》天皇（母は尾張連目子媛《おわりのむらじめのこひめ》）の兄弟と二十九代欽明天皇（母は手白香皇女《たしらか》）の二つの王権に分裂して抗争した「辛亥の変《しんがい》」が発生したという説が唱えられており〈喜田貞吉／林屋辰三郎〉、支持する論者も少なくない〈直木孝次郎ａ／本位田菊士／大橋信彌ｂ／仁藤敦史ａ〉。ただしこの「辛亥の変」説も、『紀』の信憑性に対する疑問から発するところもあるが、これが成り立たないことも前著に述べたのでそれに譲る〈平林章仁ｊ／ｌ〉。

要するに、ここでは『記』・『紀』の六世紀以前の所伝については、史実性については検討が必要であるが、後世の何人かによる歴史の捏造・陰謀に基づいた創作・改変であるとみなす視点から、史料に向き合うことはしない。史料批判はどのような史料においても必須であるが、ここでは『記』・『紀』、鉄剣銘文、海外史料など性格こそ違え、それぞれに独自に史料価値を有するものとみなす立場に立つ。これまでの通説的な論の上に私見を構築するのではなく、それらの検討を含めて幅広い視点からの古代史像の復原につとめたい。できる限り拠り所を示して論を進めるために、やや煩瑣な記述もやむを得ないところであり、この点での理解をお願いする。

ちなみに、ここで扱う時代の天皇（倭王）名の表記について、誤解を避けるために記しておこう。以下の本文で取りあげる埼玉県稲荷山《いなりやま》古墳出土鉄剣と熊本県江田船山《えたふなやま》古墳出土大刀の銘文に「獲加多支鹵《わかたける》大王」とあることから、「天皇」号使用以前の倭王の称号が「大王」であったとみなして、〝雄略大王〟や〝継体大王〟と表記することが研究者の間でも行なわれている。

しかし、雄略や継体など二字表記の古代天皇名は、漢風諡号《かんふうしごう》と称される中国風の死後の贈り名であり、この時代には未だ存在しない。それは、鎌倉時代末ごろに卜部《うらべ》兼方《かねかた》が撰述した『日本書紀』の註釈書『釈《しゃくに》日本紀《ほんぎ》』述義五の記載から、天平宝字六年（762）か八年のころに大友《おおとも》皇子の曾孫で文人官僚として知られる淡海御船《おうみのみふね》が撰定したものと考えられている。

「天皇」号の成立時期についても明瞭ではないが、大宝令（701）にその規定があったことは間違いない。天武《てんむ》天皇十年（681）二月に編纂が始められ、持統《じとう》天皇三年（689）六月に諸司に班布された飛鳥浄御原令《あすかきよみはらりょう》は今日に伝わらないが、そこにも存在した可能性は高いと考えられる。要するに、天皇号は七世紀後半の天武・持統朝頃から使用されたとみられる。

したがって、『記』・『紀』の編纂時には、漢風諡号に天皇号を付して表記することはなかった。それが行なわれるようになったのは、奈良時代半ば過ぎ以降のことであり、以来今日までそれが踏襲されて来た。要するに、ここで述べる時代に「天皇」号は未だ用いられていなかったが、混乱を避けるために天皇号を付して表記を統一した。その時代に、天皇号の存在を認めているわけではない。

なお、〝雄略大王〟や〝継体大王〟というような漢風諡号に「大王」号を付した表記は、史料的には全く存在しなかったものであり、木に竹を接いだような強い違和感を覚える。

第一部

『記』・『紀』が伝える雄略天皇とその治世

第一章　雄略天皇の即位　―葛城氏とライバルの王族を滅ぼす―

雄略天皇の在位期間

まず、『記』・『紀』に伝えられる雄略天皇像とその治世の復原から取り組むが、雄略天皇は競争相手の有力王族や有力豪族を次々と滅ぼして、泊瀬朝倉《はつせのあさくら》（『記』は長谷朝倉宮）に即位したという。大和川の上流、初瀬《はせ》川流域の幅３００ｍほどの河谷に位置する、奈良県桜井市脇本の脇本遺跡からは古墳時代中期（五世紀後半）、古墳時代後期（六世紀後半）、飛鳥時代（七世紀後半）の三時期に亘る大型掘立柱建物や柵列、池や護岸の石積などの遺構が検出されている。泊瀬朝倉宮は、その古墳時代中期の遺構に比定されている〈白石太一郎ｅ〉。

雄略天皇とその時代について述べるにあたり、最初に雄略天皇の在位期間を確かめておこう。『紀』は、雄略天皇元年を「丁酉《ていゆう》」と干支を記しているが、西暦では４５７年にあたる。ただし雄略天皇の即位は、前年十一月甲子《かっし》（十三日）とあるが、これは即位した次の年を元年と数える方法を採用していることによる。在位は二十三年で、その八月丙子《へいし》（七日）に病気で亡くなったとあり、４７９年にあたる。

系図1　天皇と葛城氏の略系図

※数字は歴代天皇
※★印は同一人物

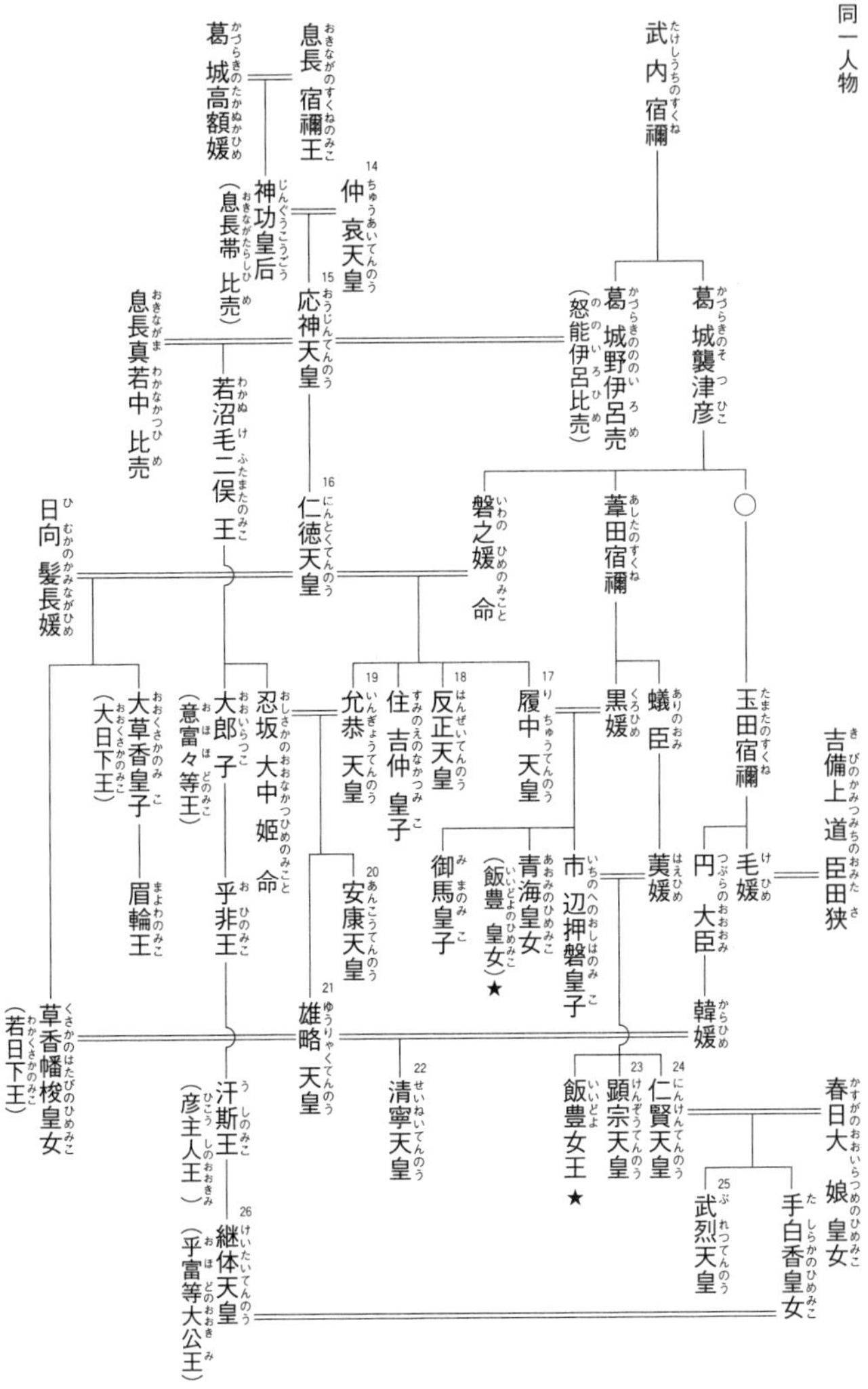

一方、『記』には即位年や在位期間の記載はないが、その死去については「己巳《きし》年八月九日に崩《かむあが》りましぬ」という分註がある。いわゆる崩年干支であるが、その記載のない天皇もあることから、崩年干支の信憑性とともにこの分註が『記』本来のものか否か、議論がある。早くに『古事記傳』〈本居宣長〉が述べているように、これは『記』を撰述した太安万侶《おおのやすまろ》が編纂の最終段階で加えた可能性もある。己巳年は489年にあたるから、『紀』とは10年の差がある。根拠のない二者択一的な判断は避けるべきであるが、それが太安万侶の加えたものとすれば、何らかの典拠が存在したとも考えられる。

次に、埼玉県行田市の稲荷山古墳出土鉄剣に金象嵌された115文字の銘文〈埼玉県教育委員会〉の問題点と歴史的意義については第二部で述べるが、それは「辛亥《しんがい》年七月中記」で始まり、「獲加多支鹵《わかたける》大王」の代のこととある。獲加多支鹵大王が雄略天皇にあたることは周知のことであるから、辛亥年は471年となり、この時に雄略天皇がその位にあったことは確かである。

これも第三部で述べるが、『宋書』倭国伝などによれば、421年から478年までの間、倭国の讃《さん》・珍《ちん》・済《せい》・興《こう》・武《ぶ》の五人の王、いわゆる「倭の五王」が順次、中国・南朝の宋に使者を派遣したことも事実と見てよい。478年に遣使した倭王武が雄略天皇に、462年に遣使した倭王世子《せいし》興が安康天皇にあてられることもほぼ確かである。世子とは後継者の意であるが、君主が在世の時の世子と、君主はすでに死歿している場合の世子がある。世子興は後者とみられるが、ここから倭王済亡き後の政治的混乱を読み取る説もある〈井上光貞d〉。477年に遣使した倭王の名は詳らかではないが、雄略天皇であった可能性が高い。ちなみに、世子興の存在は、具体的な形式は詳らかではないが、倭国ではすでに王位継承儀礼が執り行われていたことを物語っている。

要するに、『宋書』倭国伝から、『紀』が即位したと記す４５７年は未だ雄略天皇の治世ではなかったことが知られるから、その即位は４６２年から４７１年の間に求めるべきである〈加藤謙吉ａ〉。４６０年に宋へ遣使したのが興だとすれば、安康天皇は僅か即位三年目に眉輪《まよわ》王（目弱王）に殺害されたとあるから、雄略天皇は４６３年頃には即位していたと思われる。その在位が二十数年だとすれば、４８０年代半ば頃には亡くなったと推察される。

日下宮王家と葛城氏の滅亡

『記』・『紀』によれば、雄略天皇はその競争相手を次々と武力で蹴落として王位を手中に収めたと伝えられる。順次、その状況を摘記するが、それは兄の安康天皇が日向《ひゅうが》系日下宮《けいくさかのみや》王家《おうけ》の大草香《おおくさか》皇子（大日下王）を滅ぼすことから始まった。

日下宮王家とは、五世紀に河内国河内郡日下（大阪府東大阪市日下）を拠地とした、女系において九州の日向（宮崎県・鹿児島県）にさかのぼる有力王族で、仁徳天皇と日向の諸県君牛《もろかたのきみうし》（諸県君牛諸《うしもろ》）の娘の髪長媛《かみながひめ》の間に生まれた大草香皇子と妹の草香幡梭《くさかのはたび》皇女（若日下王）、および大草香皇子の子の眉輪《まよわ》王（眉弱王／母は長田大娘《ながたのおおいらつめ》皇女・中蒂《なかし》姫《ひめ》皇女ともいう）に至る王家である。

ちなみに、髪長媛の出た諸県君氏の拠地である日向諸県地域は、律令制下の郡域では今の宮崎県宮崎市（旧倉岡村）・東諸県郡・西諸県郡・小林市・えびの市・北諸県郡・都城《みやこのじょう》市、さらに鹿児島県曾於《そお》郡志布志町・松山町・有明町・大隅町・財部《たからべ》町・末吉町と、古代に南九州の異族的集団とされた熊襲《くまそ》の「襲」＝噌唹《そお》（大隅国曾於郡）、いわゆる大隅隼人《おおすみはやと》の拠地を

系図2　日向系日下宮王家の略系図

※★・◆印は同一人物

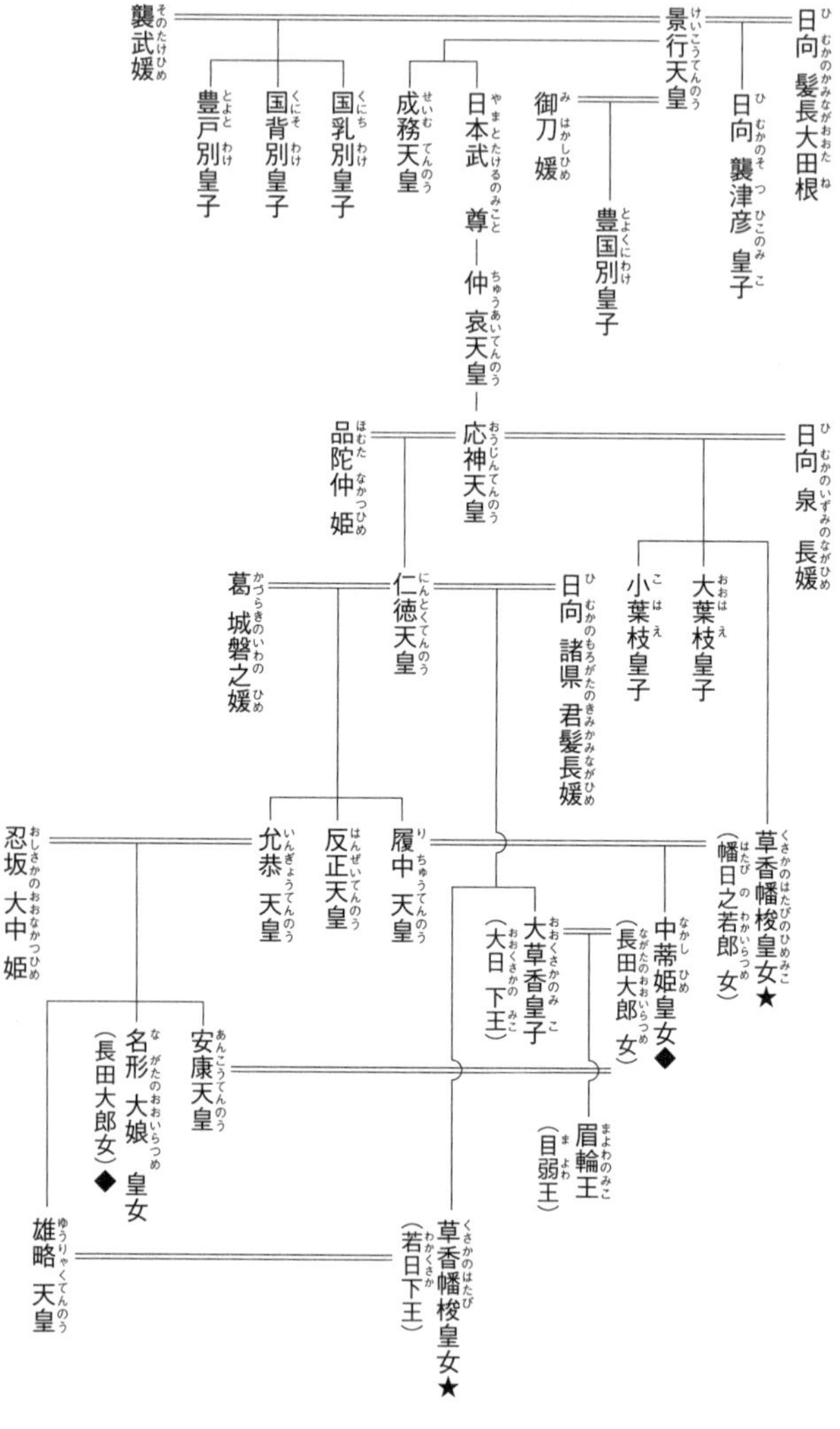

包含する広大な地域におよんでいた（『国史大辞典』一三）。明治十二年に東・西・南・北諸県郡に四分割したのも、領域の広大さからみて頷ける。

さて、『記』・『紀』によれば、五世紀の王位は仁徳天皇のあと、その子の履中・反正・允恭天皇と兄弟で継承される。続いて允恭天皇の子の安康・雄略天皇の兄弟が即位するが、変事はその時に起こったという。『記』・『紀』の間では所伝内容に若干の違いがあるも基本的な展開は等しいので、ここでは『紀』の概要から事件の展開を追ってみよう。

安康天皇は弟の大泊瀬《おおはつせ》皇子（雄略天皇）の妃に草香幡梭皇女を迎えようとして、坂本臣らの祖である根使主《ねのおみ》を大草香皇子のもとに派遣した。大草香皇子は求婚受諾の礼物として押木珠縵《おしきのたまかづら》を安康天皇に奉献したが、見事な珠縵に目がくらんだ根使主は大草香皇子が求婚を拒否したと讒言《ざんげん》した。それを信じた安康天皇は怒って大草香皇子を殺害し、彼の妻である中蒂《なかし》姫《ひめ》皇女を奪って皇后にし、草香幡梭皇女を大泊瀬皇子の妻にした（即位後に立后する）。

その後、安康天皇が山宮の高殿《たかどの》で午睡をしていた際、皇后の中蒂姫皇女に「お前とは睦まじいが、私は眉輪王を恐れている」と、つい本音を漏らした。御殿の下でそれを漏れ聞いた眉輪王は、安康天皇を殺害した。事を知った大泊瀬皇子は、眉輪王の行為を放置した兄の八《や》釣白彦《つりのしろひこ》皇子を殺害、続いて兄の坂合黒彦《さかいのくろひこ》皇子と眉輪王を詰問したところ、二人は葛城円大臣《かづらきのつぶらのおおみ》の宅に逃げ込んだ。大泊瀬皇子は軍を派遣して二人を匿った葛城円大臣宅を取り囲むと、円大臣は贖罪《しょくざい》に葛城宅七区と娘の韓媛《からひめ》を差し出したが許されず、円大臣・坂合黒彦皇子・眉輪王はともに焼き殺された。

右は五世紀の雄族である葛城氏の衰退に連なる事件であるが、「葛城宅七区」は、『記』には「五処《いつところの》屯宅《みやけ》＝葛城之五村《いつむらの》苑人《そのひと》」とあるが、後にこれが王家の所領「葛木御《かづらきのみ》県《あがた》」となり、さらに忍海評《おしぬみのこおり》（忍海郡／奈良県葛城市忍海を中心とする東西・南北約7×2㎞）になることなどは以前に述べた〈平林章仁g／j〉。

結果、即位後に雄略天皇は日下宮王家の草香幡梭皇女を皇后に立て、また葛城円大臣の娘である韓媛を妃とした。皇后の草香幡梭皇女には子がなく、妃の韓媛は二十二代清寧《せいねい》天皇と稚足姫《わかたらしひめ》皇女を儲けたとある。雄略天皇は、河内日下と葛城の二人の女性をキサキにしたことで、王位につくことができたとも言えよう。

ちなみに、葛城氏は五世紀のヤマト王権の中枢を編成した大豪族であり、葛城襲《そ》津《つ》彦《ひこ》が対外交渉で活躍し、その娘の磐之《いわの》媛《ひめ》は仁徳天皇の皇后となり、履中天皇・住吉仲《すみのえのなかつ》皇子・反正天皇・允恭天皇らを儲けたと伝えられる。ヤマト王権内での葛城氏の勢威は、他の豪族をはるかに凌駕するものであったが、その衰滅はヤマト王権自身の勢威にも大きな影響を与えたと思われる。

このように、大泊瀬皇子は兄の八釣白彦皇子・坂合黒彦皇子、優勢を誇る日向系日下宮王家の眉輪王、ヤマト王権の執政官の葛城円大臣（葛城襲津彦の曾孫）らを次々と滅ぼしたと伝えられる。葛城氏と日下宮王家は連携関係にあったと思われるが、彼らを滅ぼした大泊瀬皇子は、王位には近づいたものの直ちにそれを掌中にしたわけではなかったようである。

石上市辺宮王家の解体

雄略天皇即位前紀によれば、安康天皇は以前から市辺押磐《いちのへのおしは》皇子（履中天皇の子）に王位を継承させる所存であったと伝えられる。そのことを恨んだ大泊瀬皇子は、虚言を弄して市辺押磐皇子を近江の来田綿《くたわた》の蚊屋野《かやの》（滋賀県東近江市、もしくは愛知《えち》郡愛荘町辺り）の狩猟に誘い出し、射殺《いころ》したとある。その際、市辺押磐皇子の弟の御馬《みま》皇子も、不意の伏兵に攻撃され殺されたという。

市辺押磐皇子の宮は、顕宗天皇即位前紀によれば石上《いそのかみ》神宮（大和国山辺郡の名神大社石上《いそのかみに》坐《います》布都御魂《ふつのみたま》神社／奈良県天理市布留町）に近い石上市《いそのかみのいち》（式内社の石上市神社が鎮座／天理市石上町）に近接する石上市辺《いそのかみのいちのへ》宮であった。この宮に拠った王族を石上市辺宮王家と仮称するが、安康天皇がどうして市辺押磐皇子に王位を継承させようとしたのかは分明でない。ただ、安康天皇の王宮も石上神宮に近い石上穴穂《あなほ》宮と伝えられることから、石上市辺宮王家とは地縁的に親しい関係にあったとみられる。石上市辺宮王家がここを拠地としたのは、履中天皇の石上における拠地を継承したものであり、さらにそれは市辺押磐皇子の子の仁賢天皇に伝領されて、彼の王宮である石上広高《ひろたか》宮が営まれた。石上を拠地とした天皇や王族についてはこれまで注目されることはなかったが、王権に関わる石上神宮や布留《ふる》遺跡（大和川支流の布留川両岸1,4㎞四方に広がる古墳時代中心の複合遺跡）の存在とも関わり、その特異性に留意する必要がある〈平林章仁m〉。

市辺押磐皇子が即位前の大泊瀬皇子に殺害され、子の弘計《おけ》（後の顕宗天皇）・億計《おけ》（後の仁賢天皇／母はともに葛城蟻臣《ありのおみ》の娘荑媛《はえひめ》）は、難から逃れて播磨赤石《あかいし》郡の縮見屯倉《しじみのみやけ》（兵庫県三木市）に隠棲を余儀なくされたことで、石上市辺宮王家は一時的に解体した。

これにより、漸く大泊瀬皇子が泊瀬朝倉宮で雄略天皇として即位することが可能となり、同時に平群臣《へぐりのおみ》真鳥《まとり》を大臣、大伴連《おおとものむらじ》室屋《むろや》と物部連《もののべのむらじ》目《め》を大連《おおむらじ》（執政官）に任命したと伝える。それは、日下宮王家の眉輪王、葛城円大臣、兄の八釣白彦皇子と坂合黒彦皇子、石上市辺宮王家の市辺押磐皇子・御馬皇子らを滅ぼして得たものであった。

眉輪王の事件は虚構か

ところで、眉輪王をめぐる一連の出来事は創作された虚構であると否定的に捉えるむきもあることから、これについて少し触れておこう。

それは、「葛城円大臣は眉輪王による安康天皇殺害に何ら関与していないのに、雄略天皇に焼き殺されてしまうのは矛盾している。雄略天皇が葛城円大臣を殺す話は、もとは眉輪王とは無関係の独立的な伝承であって、その所伝は信じられない」という説である〈山尾幸久a〉。しかし、この説には、いつ、だれが、なぜ、そうした物語に改変したのかについて、十分な説明がない。それを行なって、だれがどのような利益を得たのかについても明らかでなく、説得力に乏しい。

また、「眉輪王による安康天皇殺害は、実は雄略天皇による安康天皇殺害であった」という主張もあるが〈黒田達也〉、天皇殺害という重大事件の首謀者を軽々と改変できたのであれば、行き着くところ古代の歴史書は意のままに改変・創作することが可能だったことになるが、それでは「邦家之経緯《ほうかのけいい》・王化の鴻基《おうけのこうき》」（国家の根本的組織・天皇統治の基礎／『記』序文）と位置づけられた歴史書としての権威は失墜するであろう。

さらに、兄の安康天皇が王位を市辺押磐皇子に継承させる意図があったので雄略天皇が市辺押磐皇子を殺害したと伝えられることに関わり、「安康天皇と雄略天皇には兄弟間の対立があり、安康天皇を殺害したのは弟の雄略天皇で、眉輪王は父の大草香皇子とともにすでに安康天皇に殺害されていた」という説がある〈北郷美保〉。これを承けて、「眉輪王の物語は安康天皇殺害の事実を隠蔽する目的で創作された」とする論もある〈加藤謙吉a〉。

しかし、実際に雄略天皇が安康天皇を殺害したならば、どうしてそれを隠蔽しなければならないのだろうか。『記』・『紀』ともに雄略天皇による兄の八釣白彦皇子・坂合黒彦皇子の殺害を隠すことなく記載しているのだから、理由もなく安康天皇のことだけを隠蔽したとするのは、些か不審である。隠蔽しなければならない必要性の存在について、説明がなく説得力に欠ける。

眉輪王による安康天皇の殺害は、『記』・『紀』ともに記している。もしこれが捏造ならば、安康天皇の殺害者として眉輪王が選ばれた理由について、納得できる説明が必要である。さらに、眉輪王が父の大草香皇子とともに殺害されたことを示す所伝も、何ら存在しない。葛城円大臣の殺害は眉輪王が逃げ込んだことが契機と伝えられるが、眉輪王がすでに殺害されていたならば、葛城円大臣の殺害の理由、歴史的背景について改めて解明しなければならないが、それが可能であるとは考えられない。

ついには、「眉輪王は葛城氏との系譜関係を持たないことから、葛城円大臣殺害による葛城氏本宗の滅亡と所領献上は眉輪王の事件はまったく無関係であり、二世王である顕宗・仁賢両天皇の即位を正当化するための虚構である。それは、雄略天皇を大悪天皇とし、彼に殺される顕宗・仁賢両天皇の父市辺押磐皇子を聖人として顕彰する立場からなされた。実際は、葛城氏に擁立された市辺押磐皇子が安康天皇を殺害し、雄略天皇が市辺押磐皇子を打倒した事実を隠蔽するために眉輪王の事件を創作した」という説まである〈大橋信彌a〉。

しかしながら、眉輪王の事件が虚構なら、どうしてそのような複雑な構成になっているのか、よく理解できない。虚構の物語を意図的に創作するのなら、もっと単純で明解な構成にしたほうが、意図するところをより明瞭に示すことができたはずである。また、雄略天皇が市辺押磐皇子を殺害したことは『記』・『紀』ともに伝えているから、いまさら何を隠蔽する必要があったのかも判然としない。加えて『紀』より成立時期が早く、詳細な顕宗・仁賢の流離伝承を載せている『播磨国風土記』においても、「市辺押磐皇子による安康天皇の殺害」を思わせる記述が一切見られないのは、どうしてだろうか。

何よりも、顕宗・仁賢天皇即位を正当化しようとするならば、彼らが播磨の縮見屯倉で見出される物語などまったく不要である。さらに、雄略天皇を故意に「大悪天皇」と記したいのなら、眉輪王の事件を創作しなくとも他に幾らでも手法があったことは、『記』にはない残酷な行状でうめ尽くされている武烈天皇紀を見れば瞭然である。加えて、雄略天皇紀四年二月条の葛城の一事主神顕現物語には「有徳天皇」と相反する評価記事もあり、『紀』における雄略天皇像が必ずしも大悪天皇観のみで貫かれているわけでないことは、後章でも述べる。『紀』編者らには、眉輪王と葛城氏の関係は、殊更に説明は要しないと考えられていたのであろう。

史料の批判的分析による史実の探究はもちろん必要であるが、今日の我々には理解が困難であるという理由から、徒にそれらを捏造、創作記事と否定的に評価することが、古代史研究の在り方として妥当であるとは思われない。史実に迫る方途を、それとは別に探るべきであると考える。

葛城氏と眉輪王がともに滅ぼされた真の理由

大草香皇子の妻で眉輪王の母、のちに安康天皇の皇后となる履中天皇の娘の中蒂《なかし》姫《ひめ》皇女（長田大娘皇女、母は草香幡梭皇女）に関わり、『記』は大日下王の妻である長田大郎女の出自は示さない。これとは別に、允恭天皇と大后《おおきさき》忍坂之《おしさかの》大中津《おおなかつ》比《ひ》売命《めのみこと》（忍坂大中姫命）の間に生まれた長田大郎女《ながたのおおいらつめ》（『紀』は名形大娘《なかたのおおいらつめ》皇女）という同名の皇女がみえるため、さらなる問題もある。つまり、両者が同名異人なのか同一人物なのか判然としないが、もしこの二人が同一人物ならば、安康天皇と長田大郎女は両親が同じで姉弟婚となるから、近親相姦《きんしんそうかん》の禁忌《きんき》（タブー）に抵触することになる。この禁忌侵犯の結末は重く、古代日本では「死」であった〈平林章仁k〉。なお、長田大娘皇女の母の草香幡梭皇女も、大草香皇子の妹の草香幡梭皇女＝若日下王とは同名であるが、これは同名の別人であり、『記』に応神天皇の娘とある幡日之《はたびの》若郎女《わかいらつめ》にあてられる。

問題の二人の長田大郎女は同名異人なのか、あるいは同一人物だが系譜に混乱がある、もしくは後世に改変が加えられたのか、一連の物語の信憑性とともに議論のあるところだが〈吉井巌／菅野雅雄〉、関連史料がほとんどないなかで判断を下すのは容易でない。

例えば、二人は同一人物で「近親相姦を隠蔽するために『紀』は中蒂姫皇女という人物を創作、加上した」とみるむきもあるが〈鷺森浩幸〉、それならば長田大郎女の系譜を付け替えるだけで事がすむわけで、やはりその存在を簡単に否定することは出来ないだろう。また、『記』・『紀』には父母が同じ有力王族による近親相姦の禁忌侵犯として、十代崇神《すじん》天皇の子である沙穂彦《さほひこ》と沙穂姫《さほひめ》、允恭天皇の子（雄略天皇の同母兄姉）である木梨軽《きなしのかる》皇子と軽大娘《かるのおおいらつめ》皇女などの兄妹相姦が載録されており、近親相姦だとしても特別に隠蔽する必要は存在しなかったと考えられることから、隠蔽説も説得力に欠ける。

眉輪王殺害問題について論究したものではないが、「天皇の皇女婚は大后成立と絡んで継体天皇以降の新しい時代に集中的に要請された形態であり、八田《やた》皇女・草香幡梭皇女・長田大郎女・中蒂姫皇女らの皇女婚は、そうした意識を反映して王統譜整備作業の中で生み出されたものである」という説もある〈荻原千鶴〉。これも安康天皇を殺害したのは雄略天皇だったという主張と大同小異であり、そうした意識だけで支配層にも共有されていた王統系譜を易々と書き換えることができたのか、その必要性がどこにあったのか、そのことで誰がどのような利益を受けるのか、等々についての説明がないことから従うことはできない。

古代系譜は、伝承過程での錯簡、混乱は否定できず、十全の信頼を寄せることはできないものも存在する。ただし、古代には王族内部で名前（の一部）が継承されることが珍しくないことも、後述するように事実である。それだけ扱いが容易でないということだが、五世紀以降の天皇や王族に関わり、七世紀後半以降の歴史書編纂に際して既存の系譜に創作や捏造を加除することは、古代系譜の社会的重さ〈系譜意識の強さと文字化の意欲〉からみて、困難ではなかったかと考えられる。

要するに、大草香皇子の妻の長田大娘皇女〈長田大郎女〉＝中蒂姫皇女は雄略天皇即位前紀の分註通り履中天皇の娘であり、允恭天皇の娘の長田大郎女は同名の別人とみて何の矛盾もない。

眉輪王の事件については、込み入った系譜上の問題点もあって、その統一的な理解に困惑してきたところである。関係の系譜をたどるならば、眉輪王は父系だけでなく、母系でも日下宮王家にさかのぼる。彼が雄略天皇に滅ぼされる理由の一つは、実はここにあったと考えられる。権力闘争の原因は複合的で単純には割り切れないが、今これを王統系譜に限って言うならば、母系が日向系である日下宮王家と葛城氏の連合〈塚口義信b〉、それに対する非日下宮王家・非葛城氏連合の抗争と捉えるならば、前後をも含めて事の流れが比較的容易かつ整合的に理解され、五世紀史への位置付けも明確になる。

すなわち、眉輪王と葛城円大臣が共に殺害されることは、日下宮王家の眉輪王を王位継承権者、葛城氏を日下宮王家の庇護者と位置づけることによって説明が可能である〈平林章仁ｈ〉。

第二章 「日の御子」と称えられた雄略天皇

古代の天皇は「日の御子」であったか

古代史研究者の間で、古代の天皇は「日の御子《ひのみこ》」であった記されることが多いことから〈岡田精司a／井上光貞c／吉田孝b／義江明子c〉、一般にもそうした見方が流布しているのではないかと思われる。しかし、こうした記述が史料的検証に裏付けられているかといえば、実際にはそうではなく、ある種の思い込みに因るのではないかと思われる節がある。それは、「日の御子」の意味が、「日神《ひのかみ》の子〈裔〉」か、それとも「日である貴い御方《おかた》」なのか、ということについても同じである。

これらのことは、王家における太陽神信仰の始原、祖神である天照大神《あまてらすおおみかみ》の奉斎にも関わる問題であるから、見過しにはできない。すなわち、それは古代天皇の本質にも関わる事柄であり、その使用実態と意味の考察は古代史研究における重要な課題である。

さて、『記』は『紀』よりも多くの歌謡や物語を載録していることで知られているが、「日の御子」の称辞も『記』の歌謡だけに見られるものである。『紀』がこの称辞を含む歌謡の存在を知っていながら、意図的に採録していないのは、その思想性にかかわる問題である〈遠山一郎〉。ただし、『記』でもこの称辞が用いられているのは、倭建命《やまとたけるのみこと》・仁徳天皇・雄略天皇の三名だけであることも注目される。「日の御子」は決して古代天皇を広く称えた表現ではなく、きわめて限定的に用いられた特別な称辞であったことを知るべきである。ここでは、雄略天皇を中心に、この問題について述べよう。

「日の御子」ワカタケル

大泊瀬幼武（大長谷若建命）が実名に基づいていることは、後述する埼玉稲荷山古墳の鉄剣銘文や熊本江田船山古墳出土の大刀銘文に、「獲加多支鹵大王」とあることから確認できる。中国南朝・宋の歴史書『宋書』倭国伝には昇明二年（478）に倭王武が長大な上表文を認めて遣使朝貢したとあるが、この「武」もタケルの漢訳表記とみられる。

雄略天皇記は、長谷朝倉宮近くで収穫祭である新嘗《にいなめ》の豊楽《とよのあかり》（宴会）を催した際に歌われたという天語歌《あまがたりうた》三首を載せるが、その中の二首に問題の「日の御子」の詞句がみえる。少し長くなるが、その概要と歌謡を記そう。

雄略天皇が長谷の百枝槻《ももえつき》の下で豊楽を催した時、近侍していた伊勢国の三重采女《みえのうねめ》（三重郡采女郷出身か／三重県四日市市采女町辺り）が、槻の葉が盞《さかづき》に浮かんでいるのに気付かないで献上した。それを見て怒った天皇は采女を斬り殺そうとしたが、彼女は次の長歌《ちょうか》を奉って詫《わ》びたので許したという。

纒向《まきむく》の　日代《ひしろ》の宮は　朝日の　日照る宮　夕日の　日がける宮　竹の根の　根垂《ねだ》る宮
木《こ》の根の　根蔓《ねば》ふ宮　八百土《やほに》よし　い築《きづ》きの宮　真木《まき》さく　檜《ひ》の御門《みかど》　新嘗屋《にひなめや》に　生《お》ひ
立《だ》てる　百足《ももだ》る　槻《つき》が枝《え》は　上枝《ほつえ》は　天《あめ》を覆《お》へり　中つ枝は　東《あづま》を覆へり　下枝《しづえ》は　鄙《ひな》
を覆へり　……三重の子が　指挙《ささが》せる　瑞玉盞《みづたまうき》に　浮きし脂《あぶら》　落ちなづさひ　水《みな》こをろ
こをろに　是《こ》しも　あやに恐《かしこ》し　高光る　日の御子　事《こと》の　語言《かたりごと》も　是《こ》をば

これをうけて日下宮王家出身の大后若日下《わかくさか》王（大日下王の妹、『紀』は草香幡梭皇女）も、次のように歌った。

倭の　この高市《たけち》に　小高《こだか》る　市《いち》の高処《つかさ》　新嘗屋に　生ひ立てる　葉広《はびろ》　五百箇真椿《ゆつまつばき》
其《そ》が葉の　広《ひろ》り坐《いま》し　その花の　照り坐す　高光る　日の御子に　豊御酒《とよみき》　献らせ　事
の　語言も　是をば

これに対して、天皇も左の歌で応じたので、事はめでたく収まったという。

ももしきの　大宮人《おほみやひと》は　鶉鳥《うづらとり》　領巾《ひれ》取り懸《か》けて　鶺鴒《まなばしら》　尾《を》行《ゆ》き合へ　庭雀《にはすずめ》　うずすま
り居て　今日もかも　酒《さか》みづくらし　高光る　日の宮人　事の　語言も　是をば

右の三首の大意は、次の通りである。

・纒向日代宮は、朝日や夕日が照り輝く宮、竹や木の根が延び張っている宮、地面を築き固めた宮、檜造りの新嘗屋の側に繁っている槻の枝は、天をはじめ東や遠くの地域を覆うほどであり、その下枝の葉が三重采女の捧げた盞に、水音がコロコロとするように落ち浮かんだのです。「高光る（多加比加流）日の御子（比能美古）」よ、事の次第の語り言《ごと》としてこれを語ります。

・倭の小高い市にある新嘗屋の側に繁っている神聖な椿の花のように照り輝いている、「高光る（多加比加流）日の御子に（比能美古爾）」、美酒を差し上げて下さい。事の次第の語り言としてこれを語ります。

・天皇の宮殿に仕える人たちは、肩にかける儀式用の白布である領巾を鶉のようにかけ、鶺鴒のように衣の裾を交え、庭の雀のように集まって、今日は酒盛りをしているらしい、「高光る（多加比加流）日の宮人（比能美夜比登）」たちは。事の次第の語り言としてこれを語ります。

三重采女と若日下王が、ともに歌謡で雄略天皇を「高光る　日の御子」と称えていることに注目されるが、天皇も彼女らを「高光る　日の宮人」と応え称えている。

この三首は新嘗の物語歌として記されているが、歌謡そのものは雄略天皇と直接的関係を示す内容ではない。おそらく、本来は宮廷の新嘗の豊楽で歌われてきた歌謡であり、また太陽神への崇敬も見られるが、所縁を雄略天皇に求めて語り伝えられてきたのであろう。「高光る　日の御子」と歌われた雄略天皇は、高くに光り輝くヤマトの王者と称えられている。

『紀』は「日の御子」の歌謡の存在を知っていながら一切載録しておらず、また『万葉集』には柿本人麻呂関連の和歌に「日の皇子」の詩句が用いられているが、それらに係る諸問題については別に論じたのでここでは控えておく〈平林章仁h／i〉。「日の御子」と称えた『記』の雄略天皇像の歴史的背景については、以降の記述で徐々に見えてくると考える。

二人のタケル王　―ワカタケルとオオタケル―

三重采女については第六章でも触れるが、采女は古代の豪族が王権に帰服した際に、そのことの証《あかし》として天皇に妹や娘を差し出したことに起源する、天皇に近侍した女性である。右の歌謡で、三重采女が遥か先代である十二代景行《けいこう》天皇の纏向日代宮（奈良県桜井市三輪山の西北、旧纏向村辺り）を褒《ほ》め称えることから歌い始めていることにも理由があり、そこに太陽神を崇敬する思潮を読み取ることもできる。

景行天皇の子のヤマトタケル（『紀』は日本武尊／『記』は倭建命）は、天皇の命令で異族視された南九州の熊襲《くまそ》（熊＝熊本県球磨《くま》川流域の人吉《ひとよし》盆地の肥人《くまひと》。襲＝鹿児島県大隅《おおすみ》半島の後にいう大隅隼人）や東北地方の蝦夷《えみし》らの征圧に奔走した後に亡くなる、悲劇の英雄と伝えられる人物である。この倭建命が「日の御子」と称えられている最初の人物である。

景行天皇記には、倭建命が尾張の美夜受比売《みやづひめ》から歌で「日の御子」と称えられたあと、霊剣草那芸剣《くさなぎのつるぎ》を比売のもとに置いたまま伊服岐能山《いぶきのやま》（伊吹山）の神の正身《むざね》（神自身）を見誤り、打ち惑わされて「吾が足は三重の勾《まがり》の如くして甚疲《いとつか》れたり」と語ったので三重と名づけた、とある。要するに、三重は地名起源が倭建命の事蹟に絡めて伝えられる土地であり、三重采女からは倭建命のことが想起されたのである〈神野志隆光〉。

また、日代宮が営まれた纏向はヤマト王権草創の地であり、歌謡は景行天皇の昔にさかのぼることで、雄略天皇が王位の正統な後継者であることを主張するとともに、王権の伸張にかかわる物語を王権の始原に投影し、回顧しているのである〈辰巳和弘〉。

要するに、ここではヤマトタケルとワカタケルの照応関係において、ヤマトタケルの活躍した景行天皇の世と纏向日代宮を称えることから歌い始め、それがワカタケルにおいて帰結することを称えているのである。倭建命と雄略天皇の照応関係の具体相については、古代の名前の継承と歴史観との関連を含めて、次に述べよう。

古代の名前の継承

そこでまず、古代の名前の継承と歴史観の結びつきについて、具体的な事例を示して説明しよう。左に示した王族名（『紀』・『記』の順）の傍線の部分は、後述するようにそれぞれが照応関係にある。

(Ⅰ)日本武尊・倭建命＝景行天皇の子
・もとの名は小碓命《おうすのみこと》。ヤマトタケルという名は、景行天皇紀二十七年十二月条には熊襲《くまそ》の川上梟帥《かわかみのたける》から、景行天皇記でも熊曾《くまそ》建《たける》二人から、献じられたとある。
(Ⅱ)大鷦鷯尊《おおさざきのみこと》・大雀命《おおさざきのみこと》＝仁徳天皇
・仁徳天皇紀元年正月己卯条には、武内宿禰《たけしうちのすくね》の子の平群木菟《へぐりのつく》宿禰と、応神天皇の子の大鷦鷯尊が、互に名を取り替えたという易名《えきめい》伝承が記されている。
・応神天皇記には、大和の吉野川流域（奈良県吉野町辺り）に住んでいた国主《くず》（国栖）は、大《おお》雀　命《さざきのみこと》への献歌で「品陀《ほむた》の　日の御子　大雀　大雀…」と称えており、それについて「大贄《おほにへ》を献る時時、恒《つね》に今に至るまで詠《なが》む歌なり」と記している。
・仁徳天皇記には、日女島《ひめじま》（大阪市西淀川区姫島付近もしくは守口市・門真市辺り）で雁が産卵したことについて問われた際、建内宿禰が「高光る　日の御子　諾《うべ》しこそ　問ひたまへ…」と献歌で応えたとある。

(III)大泊瀬幼武天皇・大長谷若建命＝雄略天皇
・『宋書』倭国伝に、倭王武とある。
・埼玉県行田市の稲荷山古墳出土鉄剣銘文に、「辛亥年…獲加多支鹵大王」とある。
・熊本県和水町の江田船山古墳出土大刀銘文にも、「獲加多支鹵大王」とある。

(IV)小泊瀬稚鷦鷯天皇・小長谷若雀命＝武烈天皇（在位499〜506年）
・ここで五世紀の仁徳天皇系王統が断絶し、応神天皇五世孫という継体天皇が迎えられる。

(V)泊瀬部《はつせべ》天皇・長谷部若雀《はつせべのわかさざき》命＝三十二代崇峻《すしゅん》天皇（在位588〜592年）
・大臣蘇我馬子らに殺害される。

(VI)雀　部臣《さざきべのおみ》氏の成立：これについては説明を要するから、次に『続日本紀』天平勝宝三年（751）二月己卯条を引用して、少し解説を加えよう。

典膳《てんぜん》正六位下雀部朝臣真人《まひと》ら言《まう》さく、「磐余玉穂宮《いはれのたまほのみや》・勾金椅宮《まがりのかなはしのみや》に御宇《あめのしたしらしめ》しし天皇の御《み》世《よ》に、雀部朝臣男人《をひと》、大臣《おほおみ》として供奉《つかへまつ》りき。而《しか》れども誤りて巨勢《こせ》男人大臣と記せり。…巨勢・雀部、元同祖《もとおなじきおや》なりと雖《いへど》も、姓《うぢ》を別《わか》ちて後、大臣に任《にむ》せらる。…望み請はくは、巨勢大臣を改めて、雀部大臣として、名を長き代に流《つた》へ、栄《さかえ》を後胤《のちのすゑ》に示さむことを」とまうす。大納言《だいなごん》従二位巨勢朝臣奈弖麿《なてまろ》も亦、その事を証明《あきらか》にす。是に治部《ぢぶ》に下知《げぢ》して、請《こひ》に依りて改め正さしむ。

要するに、継体天皇（磐余玉穂宮、在位５０７〜５３１年）と子の安閑《あんかん》天皇（勾金椅宮、在位５３４〜５３５年）の世に大臣であったという巨勢男人の氏名《うぢな》は誤りで、巨勢男柄《おから》（許勢小柄）宿禰の裔として同祖であるが、実は雀部男人であった。「名を長き代に流へ、栄を後胤に示」すためにもこれを雀部大臣と改めてほしいと、雀部朝臣真人らが申請した。巨勢氏の氏上《うぢのかみ》であった巨勢朝臣奈弖麿もこれを認めたので、氏姓《うぢかばね》のことを掌る治部省に指示して記録を改めさせたという。奈良時代半ばにおいても、氏族の祖の「名を長き代に流へ」ることに重い意味があると観念され、名への強い拘りがみられる点でも興味深い。

ここに見える「雀部」とは名代《なしろ》であり、雀部臣氏は雀部の管理、統率を職務とした伴《ともの》造《みやつこ》である。名代とは、武烈天皇以前の主に五世紀の王族や后妃に係る名を冠した「部《べ》」（労働と生産物を貢納した王権支配下の集団）であり、継体天皇以降の王族に名代の名が付けられ、その王族は名代部から人的・物的貢納を受領した。右の(V)に見える泊瀬部（長谷部）もその一例であるが、このようにして前代の王族の名と王統譜が後世に伝えられたのである。なお、雀部のもとになった人物は、大鷦鷯尊（大雀命／仁徳天皇）である。

ところで、右の所伝に関わり、巨勢（許勢）男人の大臣就任自体が疑問であり、『紀』の所伝は巨勢氏が祖先伝承を飾るために創作した伝承に過ぎないという主張がある〈直木孝次郎c／日野昭〉。具体的には、巨勢氏が蘇我氏らと同じ建内宿禰の後裔氏族に組み込まれた段階で、その子孫に相応しい執政官氏族に巨勢氏を位置付けるため、もしくは蘇我氏への対抗意識から、大臣就任の祖先伝承を創作したのである。その際、氏族に仮託する人物がいなかったため、同族の雀部男人を巨勢氏の大臣として振り当てたのである、と説明する。

しかし、所伝を創作する上で巨勢氏側に適切な人物がいないなら、その人物までも捏造すれば事が済む。そうすれば、雀部氏の祖を取り込む必要はなく、後に異論が出される心配もない。また、大臣の経歴を詐称したのならば、他の氏族はそれを抵抗感なく許容しただろうか。そうした行為が易々と容認されたならば、『記』・『紀』所伝のほとんどが虚偽、創作ではないかと疑わなくてはならない。それらの所伝は、ヤマト王権を構成する氏族らに、共有されてきた王権の歴史であることを忘れてはならない。一氏族の恣意的な変更や加除が、容易《たやす》くなし得る情況にあったか否か、よく考えなくてはならない。

要するに、巨勢氏が男人の大臣就任記事を思うように捏造し、『紀』に載録されることが可能であったとは考えられない。雀部氏の主張には根拠があったのだろうが、今日では詳らかではない。『紀』は巨勢男人大臣が継体天皇二十三年（529）九月に死亡したと記し安閑朝には生存していないが、右の『続日本紀』では雀部男人は継体朝から安閑朝まで大臣だったとあるから、それぞれの依拠した原史料が異なっていたことを示唆している。

さらに留意されるのは、雀部氏の異論が継体朝に大臣であったという男人に対して唱えられていることである。男人が巨勢氏か、それとも雀部氏かという問題を敷衍すれば、巨勢男柄宿禰を祖とする集団が巨勢・雀部・軽部の三氏に分かれ、各氏の名の確定したのがこの時である、という認識を導くことができる。このことは、名代の設置時期を示すものでもある。こうした氏族の範囲と氏の名の確定は、巨勢男柄宿禰の後裔集団だけでなく、当時の氏族全体に押し広げてのことであったと思われる。この動きは、新たな王統である継体天皇系王権による、王権構成員としての氏族の範囲や王権内での職掌に関わる氏の名と姓《かばね》の確定という、新たな施策の一つであったと考えられる。

名前の継承と古代の歴史観

さて、ここで右の(I)から(VI)の王族名の分析と考察から導かれる、古代における名の継承とそれに関わる歴史観について摘記しよう。

A同じ名に冠せられる称辞「大」・「小」・「幼・稚・若」について、「大」を冠せられた人物名が先に、「小」・「幼・稚・若」を冠せられた名は後に現われるのが原則で、これが逆転することはない。このことは、ここに例示した以外の王族名においても確認できる。

B五世紀の王統の最後に位置する(IV)の名は、ここで王統が断絶することを示すために、五世紀の王統の最初に位する(II)と王権を強化したと評されている(III)を合わせて創作されたもので、実在も疑わしいと説くのは容易であるが、こうした考えの成否はいずれ明らかとなろう。

C(VI)から、継体朝には名代（部）の雀部（鷦鷯部）や軽部が設定されていたこと、ひいては雀（鷦鷯）や軽の名を持つ王族が王統譜に定着していたことが知られる。ちなみに、軽を名とする王族は允恭天皇の子の木梨軽皇子と軽大娘皇女である。

D(VI)名代（部）の雀部（鷦鷯部）が、(V)の崇峻天皇ではなく、(II)もしくは(IV)の王族名を伝えるためのものであることは(VI)より明白であるが、ほぼ(II)に対応するとみて間違いない。

E(V)の崇峻天皇が誕生したと目される欽明朝の初め頃までには、名代（部）の泊瀬部（長谷部）が設定され、泊瀬（長谷）の名を持つ王族、(III)もしくは(IV)が王統譜に定着していたことは確かであるが、これもほぼ(III)に対応するとみて間違いない。

F(IV)の名が定まった時には、(II)・(III)の名が確定していたことも確かである。大ハツセの名が先にあって小ハツセ、大サザキの名が先に存在してワカサザキと名付けられる。大サザキが当初から大サザキと呼ばれていたことは、『記』の吉野国主の献歌に「品陀の日の御子　大雀　大雀…」とあることから推察される。

G(III)の名が定着した時には、(I)の名と人物像についての所伝が存在していた可能性が高い。偉大な（大）タケルと崇められる王族が先に存在して、後の王族がワカタケルと名付けられる。

こうした古代王族の名継承の実態に関わる課題は、名が継承された理由の解明である。それは(VI)の雀部臣氏の「名を長き代に流へ、栄を後胤に示さむ」という主張や、孝徳天皇紀大化二年（646）八月癸酉条の「部」廃止の詔における「祖の名、借《か》れる名、滅《き》えぬ」という危惧は無用であるという記載などから、明らかである。

要するに、名を継承するは、その名にまつわる歴史を継承することと観念されていたのである。したがって、名代の設置は、先の王統の王族名と王統譜、それが負う歴史を伝え顕彰することでもあった。これは、名を継承して先の王統の歴史を伝えることが継承者の正統性を示すことになるという、古代の歴史観に基づいた営みであったことを示している。

王族の名は王統譜を核にした歴史であり、王族の名を継承して後世に伝えることは、その歴史を継承し伝承することであった。それが継承者の正統性の保証になると考えられた時代があり、『記』・『紀』・『風土記』に描かれる世界は、まさにそうした歴史観の生きていた社会であった。

名前とともに伝えられた歴史

ワカタケルの時にはすでにヤマトタケルの名前が伝えられていたことは右述の通りであるが、このことはヤマトタケル物語がワカタケルの事績によって部分的に潤色されている可能性はあるものの、ヤマトタケル伝承がワカタケルの事績をもとに創作されたと単純に決めつけることはできないことを示している〈吉田孝a〉。したがって、打ち負かした相手である熊襲からヤマトタケルの名前が献上される物語も、ワカタケルの治世以前にしか成立し得ないものである〈吉村武彦a〉。ワカタケルの名前が成立した時には、すでにヤマトタケル物語の根幹が成立していたのである。

つまり、景行天皇と纒向日代宮はヤマトタケルの事蹟と一体的に伝えられて、父子のことが合わせて想起される状況にあった。かつ偉大なタケルと観念されたヤマトタケルの名を継承したのが他ならないワカタケルであったことから、纒向日代宮を褒め称えることでヤマトタケルを顕彰し、同時に雄略天皇をも称揚すると観念されたのである。

また、王権の歴史で重い位置を占める二人のタケルに関わり、（大）タケルだけでなくワカタケルにも太陽神への崇敬が見られることは、二人のタケルが王権史上で照応関係にある存在であったことにも対応している。

ちなみに、『記』の「日の御子」の歌謡五首について、尾張氏出身の美夜受比売と三重采女の登場から、伊勢地方で行なわれていた日を崇める思想が「高光る　日の御子」という詞句を生み出したと解する説もある〈戸谷高明〉。しかし、仁徳天皇記の二首と雄略天皇記のあと一首は伊勢とは無関係であり、個人名にこの称辞が冠せられることで注目される「品陀の日の御子　大雀」の歌謡も伊勢地方とは何ら繋がりが見られないことなどから、この詞句を用いた頌歌が伊勢地方との関係において生みだされたとは考えられない。

『記』における「日の御子」の用例からは、倭建命・仁徳天皇・雄略天皇が特別な存在とする歴史意識の存在を読み取ることができる。また名の継承からは、タケルの名を継承した雄略天皇は、ヤマト王権の偉大な英雄、倭建命に匹敵する偉大な王者と位置づけられていたことも理解される。必要なことは、そうした歴史観の形成と背景となった史実の解明である。

ちなみに、「日の御子」という称辞の真の意味は、それが冠された個人名「大雀」と一体的に理解するべきだと考えるが、吉野国主の献歌に見える「品陀の　日の御子　大雀」の詞句から、応神天皇と仁徳天皇の実在、さらには『記』・『紀』の帝紀的記事に対する疑義が提示されているから、少し触れておこう。

一般には、これは「品陀和気命《ほむたわけのみこと》（応神天皇）の御子である大雀命（仁徳）」、すなわち「応神天皇の後継者たる大雀命の立場を高らかに歌い上げている」と解されてきた。しかし、吉井巌氏は「品陀の　日の御子」と「大雀」は同格の関係であり「品陀の　日の御子　大雀」で大雀をさすと解するべきであるとして、「仁徳もホムタの名で呼ばれており、ホムタワケ（応神天皇）は仁徳天皇の分身的虚像もしくは仁徳朝の支配者たちを象徴する虚像であった」と説き、応神天皇の存在に疑問をなげかけた〈吉井巌〉。

　また直木孝次郎氏は、「ホムタとサザキは本来、ひとりの天皇の二つの名であったが、後にそれぞれの名をもつ二人の天皇として分化、伝承されたもの」で、「応神天皇伝承は神の子として誕生した河内政権の始祖王の物語だった」と説き、その実在を否定した〈直木孝次郎d／e〉。さらに、「応神天皇の原像は住吉大神から天下統治を約束された幼童神にあり、仁徳天皇は応神天皇の延長であり、同体異名の存在である」という理解もある〈前田晴人〉。

　これらの説は、『記』・『紀』から王位継承の系譜的一系性を読み取ろうとすることへの疑問に発する部分もあり、五世紀の王統譜の信憑性と王権の実態をめぐる問題でもある。だが、右述の王族名に係る理解から、諸説が成り立たないことは明白である。要するに、仁徳天皇（大鷦鷯尊／大雀命）の父はもちろん応神天皇（誉田別尊／品陀和気命）であり、かつ母は品陀《ほむた》真《ま》若王《わかおう》の娘の中日《なかひ》売命《めのみこと》（仲姫）であるから、「日の御子　大雀」に冠せられた品陀は、大雀命が父母両系において品陀に遡源することを称えているのであり、この歌謡を用いて応神天皇や仁徳天皇の実在について議論することは妥当でない。

第三章　雄略天皇と葛城の一言主神　―有徳天皇か―

雄略天皇と一言主神　―悪事も一言、善事も一言―

『記』・『紀』・『風土記』の神話などに登場し、かつ延長五年（927）に成立した『延喜式《えんぎしき》』神名帳に登載される神々の多くは、村落（地縁共同体）や氏族（擬制《ぎせい》的血縁共同体）などの集団から奉斎《ほうさい》されていた。奉斎集団が推定できる神々が少なくない中で、それがまったく分明になっていない神に大和国葛上郡鎮座の名神大社《みょうじんたいしゃ》、葛木坐一言主神社《かづらきにいますひとことぬし》（奈良県御所《ごせ》市森脇）に祀られる一言主神（一事主神）がある。この神については、葛城氏との関係が想定されてきたものの、両者の結びつきは史料にまったく現れないことから除外される。

『記』・『紀』ともに、一言主神は雄略天皇の時に名を現わしたと記しているにも拘らず、その奉斎集団のことは一切見えないのである。また、一言主神が土左国（高知県）に追放されたという解釈もあって、この神に関する混乱が倍加している。加えて、葛城で奉斎された味耜高彦根《あぢすきたかひこね》神や高鴨《たかかも》神、類似した神格とみられる事代主《ことしろぬし》神などとの習合説や分化説でもって一言主神が突然に顕現したことの説明が行なわれるという、混沌とした状況にある。

しかしながら、この一言主神にこそ、雄略天皇と葛城地域（大和国葛上郡）の関係についての謎をとく鍵が秘められていると考えられる。これまで葛城地域の神々の問題が紛々として解けなかったのは、これらの神に対する神祇信仰的、かつ歴史的情況への理解が十分ではなかったことに由ると思われる。ここではその足掛かりとして、謎に包まれた一言主神の奉斎集団の解明に取り組むことにする。

一言主神は、『記』・『紀』の神代（神話）には一切みえず、雄略天皇が葛城山（高天《たかま》山とも呼ばれた今日の金剛山、標高１１２５ｍ）で狩猟を行なった際に、初めて現われたという。歴史的な現われ方において、一言主神に対する『記』・『紀』の認識は共通している。また、雄略天皇による葛城山狩猟が二度行なわれたと記されていることでも『記』・『紀』は等しいが、内容に若干の差異も存在する。それは、突然に怒猪《いかりい》が出てきて天皇が榛《はり》の樹上に逃げ登る物語と、一言主神が顕現する物語が、『紀』では記載順が『記』と反対になっていることと、嗔猪《いかりい》の出現で榛の上に逃げ登るのが舎人《とねり》であることが異なる。なお、『記』の一言主神顕現伝承では天皇の狩猟が表面化していないが、怒猪突出伝承との関係から、その目的は儀礼的狩猟にあったと考えられる。

ただ、いずれにしても『記』・『紀』ともに、雄略天皇による二度の葛城山での狩猟記事を載録していることは、それ以前に二種の原所伝の存在したことを示している。実際に雄略天皇が二度葛城山に出向いたのか、それとも一度のことが主題を別にする二つの物語として伝えられたのか、また怒猪により天皇が榛の樹上に逃げ登る物語は何を意味しているのか等の問題もあるが、まずは雄略天皇記の二度目の葛城山巡狩・一言主神顕現伝承から見ていこう。

又一時《あるとき》、天皇葛城山に登り幸《い》でましし時、百官《もものつかさ》の人等、悉に紅《あか》き紐著《つ》けし青《あを》摺《ずり》の衣服《きもの》を給《たま》はりき。彼《そ》の時其の向へる山の尾より、山の上に登る人有りき。既に天皇の鹵簿《みゆきのつら》に等しく、亦其の装束《よそひ》の状《さま》、及人衆《ひとかず》、相似て傾《かたよ》らざりき。爾《ここ》に天皇望《みさ》けまして、問はしめて曰《の》りたまひしく、「玆《こ》の倭国《やまと》に、吾を除《お》きて亦王《きみ》は無きを、今誰《たれ》しの人ぞ如此《かく》て行く」とのりたまへば、即ち答へて曰《まを》す状《さま》も、亦天皇の命《みこと》の如くなりき。是に天皇大《いた》く忿《いか》りて矢刺《やざ》したまひ、百官の人等悉に矢刺しき。爾に其の人等も亦皆矢刺しき。故、天皇亦問ひて曰りたまひしく、「然《しか》らば其の名を告《の》れ。爾に各名を告りて矢弾《はな》たむ」とのりたまひき。是に答へて曰《まを》しけらく、「吾先に問はえき。故、吾先に名告《なの》りを為《せ》

葛木坐一言主神社

む㋑吾は悪事《まがこと》も一言《ひとこと》、善事《よごと》も一言、言ひ離《はな》つ神、葛城の一言主大神ぞ」とまをしき。天皇是に惶畏《かしこ》みて白《まを》したまひしく、「恐《かしこ》し、㋺我が大神、宇都志意美《うつしおみ》有らむとは、覚《さと》らざりき」と白して、大御《おほみ》刀《たち》及《また》弓矢を始めて、百官の人等の服《け》せる衣服を脱がしめて、拝《をろが》みて献りたまひき。爾に其の一言主大神、手打ちて其の捧げ物を受けたまひき。故、天皇の還り幸《い》でます時、其の大神、満《み》山の末より長谷《はつせ》の山口に送り奉りき。故、是の一言主の大神は、彼《そ》の時に顕《あらは》れたまひしなり。

物語は、「またある時、雄略天皇が葛城山へ行幸した際、天皇だけでなく百官の紅紐の著いた青摺の衣服まで同じ鹵簿と出くわした。互に矢を番《つが》えてあわや一戦という直前に、相手が『吾は悪事も一言、善事も一言、言ひ離つ神、葛城の一言主大神ぞ』と名告りあげたことで、その一団が人ではなく、葛城の一言主神だと判明した。一言主神を畏怖した雄略天皇は、自分の大刀や弓矢だけでなく、臣下に衣服を脱がせて献上した。それを嘉納した一言主神は、長谷朝倉宮に帰る雄略天皇を、長谷山口（奈良県桜井市初瀬辺り）まで送って行った。一言主大神はその時に顕現されたのである。」という概要である。

さて、この所伝にはいくつかの問題も存在するが、本論の目的に関わる要点を列記しよう。

(Ⅰ)雄略天皇と一言主神の関係は、最初は危機的であったが、一言主神の素姓を表明した名告り「吾は悪事も一言、善事も一言、言ひ離つ神、葛城の一言主大神ぞ」により、協調的な関係に転じ、友好的関係で結ばれている。

(II)名告りの内容は、人に憑《よ》りついてお告げをする託宣神《たくせん》という、この神の性格を現わしている。あるいはこの時に、一言主神が天皇に関する悪事・善事を一言で言い放ったとも推考されるが、『記』は何も記していない。

(III)「是の一言主の大神は、彼の時に顕れたまひしなり」とあることから、一言主神は雄略朝に顕現した新しい神と認識されていた。

(IV)雄略天皇と一言主神の協調的、友好的関係は、この神の奉斎集団に読みかえて解することも可能であるが、ここにその集団は記されていない。

ちなみに、傍線部㋺の「我が大神、宇都志意美有らむとは、覚らざりき」〈原文は、「恐我大神、有宇都志意美、不覚」〉とある読み下し文〈日本古典文学大系本〉を現代語訳すれば、「恐れ多いことでございます。わが大神が、現し身《うつみ》をお持ちだとは、存じませんでした」となる。すなわち、一言主神を人の姿で顕現する現人神《あらひとがみ》と解するものであり、日本思想大系本『古事記』の読み下し文も同じ立場にある。

しかしながら、わが国古代の神祇信仰では、あの世の存在である神は、夜に人・動物・呪物・樹木や巨岩などに憑《よ》りついてその存在を示し、「其の神常に昼は見えずして、夜のみ来る」〈崇神天皇紀十年九月是後条〉もので、昼間には存在を示さないと観念されていた。現人神の観念は五世紀には相当に特異な存在であり〈津田左右吉〉、右の読み下し文は『紀』の影響を受けたもので疑問が残る。その問題は後述し、先に雄略天皇紀の所伝を見てみよう。

現人神・一事主神と有徳天皇・雄略天皇

雄略天皇が葛城山での狩猟の際に、嗔猪の突出で舎人が榛の樹上に逃げ登る物語は、雄略天皇紀五年二月条に載るが、一事主神の顕現はその一年前、雄略天皇紀四年二月条に記されている。

> 天皇、葛城山に射猟《かり》したまふ。忽《たちまち》に長《たきたか》き人を見る。来《きた》りて丹谷《たにかひ》に望《あひのぞ》めり。面貌容儀《かほすがた》、天皇に相以《とうば》れり。天皇、是神なりと知しめせれども、猶故《なほことたへ》に問ひて曰《のたま》はく、「何処《いづこ》の公《きみ》ぞ」とのたまふ。長き人、対《こた》へて曰はく、「現人之神《あらひとがみ》ぞ。先づ王《きみ》の諱《みな》を称《なの》れ。然《しか》して後に導《い》はむ」とのたまふ。天皇、答へて曰はく、「朕《おのれ》は是、幼武尊《わかたけるのみこと》なり」とのたまふ。長き人、次《つぎて》に称りて曰はく、「僕《やつかれ》は是、一事主神《ひとことぬし》なり」とのたまふ。遂に与《とも》に遊田《かり》を盤《たのし》びて、一《ひとつ》の鹿《しし》を駈逐《お》ひて箭《や》発《はな》つことを相辞《こもごもゆづ》りて、轡《うまのくち》を竝《なら》べて馳騁《は》す。言詞《ことことば》恭《ゐやゐや》しく恪《つつし》みて、仙《ひじり》に逢《あ》ふ若《ごと》きこと有《ま》します。是に、日晩《く》れて田罷《かりや》みぬ。神、天皇を侍送《おく》りたてまつりたまひて、来目水《くめのかは》までに至《まういた》る。是の時に、百姓、咸《ことごとく》に言《まう》さく、「徳《おむおむ》しく有《ま》します天皇なり（有徳天皇也）」とまうす。

ここに見える「丹谷」や「仙に逢ふ若きこと」などの表現は、清浄な山岳で修業して俗世を超脱し、不老長生や神通力を獲得して変幻自在の存在になることを求める古代中国の神仙思想に基づいた文飾である〈和田萃c〉。「現人之神ぞ」という一事主神の名告り記事についても、こうした視点から考える必要があり〈上田正昭c〉、ここには雄略天皇を神仙と等しい存在に描くという意図があったとみられる〈下出積與〉。一事主神が雄略天皇を来目水（橿原市の畝傍山西麓を北流する高取川）まで送っていったので、人々は「有徳天皇」と称えたというのも、同じ意図から出た文飾である。

また、一事主神が雄略天皇を送って行ったという来目水、『記』では長谷山口とあることを、この神を奉斎した集団の勢力範囲を示していると解するのは妥当ではない〈丸山顕徳〉。ただ単に、神が王宮近くまで送ったということで、一事主神と雄略天皇の友好関係を述べているに過ぎない。「有徳天皇」記事に関わり、雄略天皇紀二年十月是月条には天皇が誤って多くの人を殺《あや》めたので人々は、「大《はなは》だ悪《あ》しくまします天皇なり（大悪天皇也）」と誹謗したとある。これらは、後世の天皇評価記事の一つである。『紀』における同様な天皇評価記事は、のちの敏《び》達《たつ》・用《よう》明《めい》・皇極《こうぎょく》・孝徳《こうとく》天皇について仏教や神祇信仰などに関わり散見されるところである。

もちろん、そうした天皇評価記事の背景には、その根拠となる歴史実態が存在していたのであり、拠り所のない虚偽の評価ではない。雄略天皇が「大悪天皇」と記されたのは、他の天皇に比して武力を用いた擅断《せんだん》な振る舞いが過ぎていたからあり、また「有徳天皇」と評されたのは、新神の一言主神との関係が友好的に終わったからである。

いずれにしても、雄略天皇紀における葛城の一事主神顕現記事には神仙思想的雰囲気が強く漂っているが、斉明《さいめい》天皇紀元年（655）五月庚午朔条には、葛城山をめぐる神秘的な出来事が伝えられる。

空中《おおぞらのなか》にして龍に乗れる者有り。貌《かたち》、唐人《もろこしびと》に似たり。青き油の笠を着て、葛城嶺より、馳《は》せて膽《い》駒山《こまのやま》に隠れぬ。午《うま》の時に及《い》至《た》りて、住吉《すみのえ》の松嶺の上より、西に向ひて馳せ去《い》ぬ。

また、次に引く天武天皇紀九年（680）二月辛未条からも、葛城山に対する異教世界的な見方、宗教的雰囲気が窺われる。

人有りて云はく、「鹿角を葛城山に得たり。其の角、本二枝にして末合ひて宍《しし》有り。宍の上に毛有り。毛の長さ一寸。則ち異《あやし》びて献る」とまうす。蓋《けだ》し驎角《りんのつの》か。

「宍」とは肉のことだが、乙巳の変（645）で退位した皇極天皇が、斉明天皇として二度目の即位をするという史上最初の重祚《ちょうそ》に際して、事実としては有り得ない記事を、なぜ採録したのだろうか。そこに葛城嶺が語られることの社会的背景も考えなければならないが、そこには龍や驎という古代中国の空想上の霊獣が出現する、神仙的世界とみなす聖域観も垣間見える。一言主神の顕現も、これまでは人の目には見えないと観念されていた存在が、目前に人の姿で現われたとする点で、これらと共通する観念の上にある。

その神が雄略天皇とともに歩みを進めたというのは、雄略天皇が一言主神と同等の存在であることを示すとともに、その祭祀と奉斎集団の活動を認知し、彼らと友好的な関係を結んだということでもある。

一言主神は新しい神

さて、『紀』が雄略天皇の葛城山での狩猟に際し一事主神が顕現して「現人之神ぞ」と名告ったと伝えることは、『記』における関連記事の傍線部㋺の「我が大神、宇都志意美有らむとは、覚らざりき」という読み下し文とその解釈にも影響している。遅れて成立する『紀』の表記に引きつけて、『記』の記事を読み下すのは適切ではない。

そうしたことから新編日本古典文学全集本『古事記』は、「恐し、我が大神。うつしおみに有れば、覚らず」と読み下している。その現代語訳は、「恐れ多いことです。わが大神よ。私は現身《うつしみ》の人間なので、あなたが神であることに気づきませんでした」となる。

ところで、八世紀以前の古代日本語の表記には、「き・ひ・み・け・へ・め・こ・そ・と・の・よ・ろ・も」にあてる十三の仮名に甲・乙の二類があり、濁音「ぎ・げ・ご・ぞ・ど・び・べ」にも適用されて交ることがなかったという特別な仮名の使用、上代特殊仮名遣《じょうだいとくしゅかなづかい》が行われていたとされる〈橋本進吉〉。この上代特殊仮名遣に基づいて、「宇都志意美」を「現し御身」あるいは「現し身」と解する説に対して、「宇都志意美」の「美」は甲類のミの音であり、乙類に分けられる「身」とは音が違うことから、「美」を「身」と解することはできないと説かれている〈武田祐吉〉。

これに加えて、『紀』の「現人之神ぞ」は一事主神の名告り、神自身の言であるのに対して、新編日本古典文学全集本『古事記』の読み下し「恐し、我が大神。うつしおみに有れば、覚らず」は天皇自身が自分について語った言葉であるから、その対象が異なる句を引きつけて解することも妥当ではない。

ただし、傍線部㋺の読み下しの問題についてはすでに指摘があり〈毛利正守〉、また古代天皇神格化説について論じた際に述べたように〈平林章仁m〉、新編日本古典文学全集本『古事記』の「恐し、我が大神。うつしおみに有れば、覚らず」という読み下しは妥当であるが、その現代語訳は「恐れ多いことです。わが大神よ。私は現《うつ》し臣《おみ》＝この世の臣（神に対して謙《へりくだ》った表現、臣下）であるから、一言主神の存在には不覚にも気づきませんでした」とするのが良いと考えられる。この部分は先に名告った一言主神に対する雄略天皇の名告りであるから、天皇自身のことについて述べていると解さなくてはならない。要するに、『記』では一言主神は人の姿で顕現しているが、「現人之神」と記す『紀』ほどに現人神化が進行していないということである。

ちなみに、意美＝臣については安康天皇記に「都夫良意美《つぶらおみ》・都夫良意富美《つぶらおほみ》」（『紀』は円大臣）の用例がある。いずれにしても、一言主神は葛城山での狩猟に際して、人の姿で顕現して雄略天皇が初めて認知した新しい神ということである。

『土左国風土記』逸文の一言主神

それでは、一言主神と雄略天皇、葛城地域とヤマト王権の間には、どのような関係が存在したのであろうか。奉斎集団としては葛城氏を想定するのが一般的であり〈井上光貞ａ／直木孝次郎ｆ／門脇禎二ｂ／塚口義信ｃ〉、かつて筆者も同様に考えたが〈平林章仁ｃ〉、よく考えてみれば葛城氏は雄略天皇の即位前に円大臣が滅ぼされ、その中枢勢力は衰亡していたとみられるから、この解釈に妥当性はない〈田中卓ａ／並木宏衛・伊藤典久〉。

『記』・『紀』は、なぜ一言主神の奉斎集団を記さなかったのだろうか。『記』・『紀』編者や当時の支配層には、殊更に記さなくても周知のことであったのだろうか。

ところで、一言主神は土左国（高知県）に追放されていたと説かれることもある。それは次の『土左国風土記』（『釈日本紀』所引）逸文の所伝に関係する。

土左《とさ》の郡《こほり》。郡家《こほりのみやけ》の西に去《さ》ること四里《さと》に土左の高賀茂《たかかも》の大社《おほやしろ》あり。其の神のみ名を一言主尊《ひとことぬしのみこと》と為《な》す。其のみ祖《おや》は詳《つまびら》かならず。一説《あるつたへ》に曰《い》へらく、大穴六道《おほなむぢの》尊《みこと》のみ子《こ》、味鉏高彦根尊《あぢすきたかひこねのみこと》なりといへり。

ここにいう土左高賀茂大社とは土左国土左郡に鎮座する式内大社、都佐坐《とさにいます》神社（高知市一宮）である。『延喜式』神名帳では祭神は一柱であり、それが一言主尊（神）であることは確かである。

ただし、『土左国風土記』の所伝をめぐっては、「一説」や土左高賀茂大社という神社名とも関わり、祭神をめぐる解釈が一定せず、一言主神についての理解をより困難なものとしている現状がある。まず、祭

都佐坐神社（土佐神社）

神の問題から述べよう。

都佐坐神社（土左高賀茂大社）の祭神に関する混乱の原因は、まず土左高賀茂大社という神社名にあり、ここから当社の祭神を高鴨阿治須岐《あぢすき》託彦根命《たかひこねのみこと》と解する説がある〈土橋寛〉。これが当たらないことは、その神社名が見える『土左国風土記』逸文から明白であるが、さらに混迷を深めているのが「一説に曰へらく、大穴六道尊のみ子、味鉏高彦根尊なりといへり」という異伝の内容である。

大穴六道尊とは、出雲国出雲郡に鎮座する名神大社の杵築《きづき》大社（出雲大社／島根県出雲市）に祭られる大己《おおな》貴《むち》神（大国主神）、味鉏高彦根尊は大和国葛上郡鎮座の名神大社の高鴨阿治須岐託彦根命神社（葛上郡神戸郷／奈良県御所市鴨神）に祭られるアヂスキタカヒコネ神であり、『記』・『紀』の天若日子《あめのわかひこ》（天稚彦）神話に雷神的神格の刀剣神として登場する周知の神である。

すなわち、件の部分は都佐坐神社の祭神についての「一説」であると解して〈二宮正彦〉、一言主神とアヂスキタカヒコネ神が習合していた〈秋本吉郎〉、あるいは葛城地域で賀茂氏に祭られた事代主《ことしろぬし》神とアヂスキタカヒコネ神が習合して一言主神が成立した〈横田健一b〉、さらには葛城賀茂神（もしくは高鴨神）が一言主神・アヂスキタカヒコネ神・事代主神に分化した〈青木紀元／渡里恒信〉などと様々に解釈され紛々とした情況にあるが、この縺《もつ》れを解きほぐす私見は後章に述べよう。

いま問題の『土左国風土記』逸文の件の記事は、都佐坐神社の主祭神についての異説ではなく、主祭神である一言主尊（神）の祖神についての記述であることは、文脈からみて明白である。つまり、ここは「祭神である一言主尊の祖は詳らかではないが、アヂスキタカヒコネ神とする異伝もある」という意である。この「一説」は、一言主神の顕現が雄略朝と新しく、神統譜には未だ定着していなかったことに関連している。したがって、新編日本古典文学全集『風土記』〈植垣節也〉が514頁頭注で「祭神一言主尊の祖は味鉏高彦根尊とある」という意と記しているのは妥当だが、同書513頁頭注で「都佐坐神社の祭神もこの味鉏高彦根尊である」と述べているのは失当であり、解釈に混乱がみられる。

一言主神は土左に追放されたか

問題の『土左国風土記』逸文を載せる『釈日本紀』は、鎌倉時代末期に卜部兼文《うらべかねふみ》の行なった講義をもとに、子の卜部兼方《かねかた》が関連の史料を集大成して撰述した『日本書紀』の注釈書である。『釈日本紀』巻第十二の一事主神条は、『土左国風土記』逸文に続いて「暦録《れきろく》」という書を引用している。「暦録」そのものは現存しないが、内容は一事主神顕現を伝えた雄略天皇紀四年二月条とほぼ同文であるから、ここでは触れない。問題は『釈日本紀』がそれに続けて載せている「或説《あるせつ》」であり、一言主神についての理解が混迷に陥る原因となっている。

時に神、天皇と相ひ競《きそ》ひ、不遜《ふそん》の言あり。天皇大いに瞋《いか》り、土左に移し奉る。神降《くだ》り、神の身已《すで》に隠る。祝《はふり》を以てこれに代《か》ふ。初め賀茂の地に至り、後《のち》此の社《やしろ》に遷る。神随《したが》ひて而して高野天皇の宝字八年、従五位上高賀茂朝臣田守《たもり》等、奏して葛城山東下の、高宮岡上に迎へ鎮め奉る。其の和魂《にぎみたま》は、猶彼《なほそ》の国の留まり、今に祭祀すと、云々。

雄略天皇に不遜の言があったという神の名は記されていないことが、混乱の原因でもある。この神が土左に移された当初は賀茂の地で祭られていたが、のちに都佐坐神社（土左高賀茂大社）に移されたということから、元来賀茂氏の奉斎した神であったことが分かる。土左の賀茂の地とは、幡多《はた》郡の式内社、賀茂神社（高知県黒潮町入野）の鎮座地、もしくは土佐郡鴨部《かもべ》郷（高知市鴨部）のいずれかであろう。ということは、この神は都佐坐神社の本来の祭神ではなかったということでもあるから、一言主神にあてることはできない。それにも拘らず、『釈日本紀』が一事主神条で右の「或説」を引いていることが誤解を生むことになるが、卜部兼方自身も一言主神が雄略朝に土左へ流されたと思い込んでいたのかも知れない。

しかし、「或説」に「高野天皇の宝字八年、従五位上高賀茂朝臣田守等」が葛城に神を遷したとあるのは、『続日本紀』天平宝字八年（764）十一月庚子条にいう高鴨神の葛城への復祠のことをさしていることは間違いない。高鴨神の葛城への復祠については第五章で詳述するが、この時に葛城への復祠が許されたのは高鴨神であって一言主神ではない。「或説」をここに掲載した『釈日本紀』は、明らかに誤解、混同していたのではないかと思われる〈松村武雄〉。

ところが、この所伝に依拠して葛木坐一言主神社の鎮座地は葛上郡高宮《たかみや》郷であり、蘇我氏や渡来系の高宮漢人《あやひと》らが奉斎したという説が唱えられている〈和田萃c〉。また、実際に葛城に復祠されたのは高鴨神＝アヂスキタカヒコネ神であるが、賀茂役君《えのきみ》が土左の高鴨神を一言主神にすり替えて「高宮岡上」に迎えたという一言主神の縁起を創出したのが「或説」であり、賀茂役君は氏神として一言主神の社殿を「高宮岡上」に建てたのであるという主張もある〈土橋寛〉。

けれども、神祇信仰と祭祀が集団的で閉鎖的であった古代において、他集団が実際に奉斎している神を己の集団の神とし、かつ神名をすり替えて別の縁起を創作するなど、通常は考えられないことである。加えて、賀茂氏が一言主神を奉斎していたという史料は何ら存在しない。さらに、次に述べる『日本霊異記』の関連説話からも、それとは反対の賀茂氏と一言主神の不仲な関係が知られるのである。これらのことからみて、賀茂氏が一言主神を奉斎していたとは考えられない。

　このことは、両神を祀る神社の鎮座地からも説明することができる。「或説」が神を復祠したという「葛城山東下の、高宮岡上」は葛上郡高宮《たかみや》郷辺りと目されるが、高宮郷は金剛山東麓の御所市西佐味・伏見・高天・南郷の辺りに比定される〈塚口義信c／平林章仁c〉。その東に接する葛上郡神戸《かんべ》郷に鎮座する名神大社の高鴨阿治須岐託彦根命神社（御所市鴨神）は、地理的な条件でも整合的である。しかるに、河内国と結ぶ水越《みずこし》

高鴨阿治須岐託彦根命神社

峠《とうげ》登り口北側に位置する葛木坐一言主神社の鎮座地（葛上郡大坂郷／御所市森脇）は、「高宮岡上」とは言い難い山麓谷筋の奥まった地であり、この点からも復祠された神を一言主神と解することは妥当でない。なお、葛木坐一言主神社の鎮座地の移動は知られていない。

それでもなお、葛城に復祠された神を一言主神とみるならば、一言主神と高鴨神は同一神となるという新たな問題が生じ、実際に同一神だと唱える説もある〈直木孝次郎f／金井清一a〉。しかし、この解釈が成り立たないことは、清和天皇の即位にともない267社の神の位階を進め、あるいは新たに神階を叙したことを伝えた、左の『三代実録』貞観元年（859）正月廿七日甲申条から明瞭である。なお、傍線部は葛城地域に所縁の神である。

> 京畿七道諸神進階及新叙。惣二百六十七社。…大和国従一位大己貴神正一位。正二位葛木御歳神。従二位勲八等高鴨阿治須岐宅比古尼神。従二位高市御県鴨八重事代主神。従二位勲二等大神大物主神。従二位勲三等大和大国魂神。正三位勲六等石上神。正三位高鴨神並従一位。正三位勲二等葛木一言主神。高天彦神。葛木火雷神並従二位。…調田坐一事尼古神…並従五位上。

これを一見すれば、この時期には高鴨阿治須岐宅比古尼神・事代主神・高鴨神・葛木一言主神が、それぞれ別の神として奉斎されていたことが明白であり、これらの神と一言主神を同一神とはできない。

また、左は『新抄格勅符抄《しんしょうきゃくちょくふしょう》』の大同元年（806）牒《ちょう》から、葛上郡関連と山城《やましろ》国愛宕《おたぎ》郡の鴨御《かもみ》祖《おや》神（名神大社の賀茂御祖神社／京都市左京区下鴨）の神封《しんぷ》記事を抽出したものだが、葛城の神々について考える際にも参考となる。神封とは、神に与えられた封戸《ふこ》のことで、その税が神（神社）の収入となる。

鴨神　八十四戸　大和卅八戸　伯耆十八戸　出雲廿八戸
御歳神　十三戸　大和三戸　讃岐十戸
天平神護元年
高鴨神　五十三戸　大和二戸　伊予卅戸　天平神護二年符
土佐廿戸　天平神護元年符
鴨御祖神　廿戸　山城十戸　丹波十戸
天平神護元年九月七日
高天彦神　四戸
大和国同十年奉充

高天彦神の同十年は宝亀十年（779）のことだが、ここでも鴨神・高鴨神・高天彦神がそれぞれ別の神であることは明らかである。ただし、一言主神と事代主神は見えないことから、ここの鴨神を事代主神にあてるむきもあるが〈西宮秀紀〉、疑問である。それは『出雲国風土記』意《お》宇《う》郡賀《か》茂《もの》神戸《かんべ》（島根県安来市）条の、次の所伝にある。

賀茂神戸　郡家の東南のかた卅四里なり。天の下造らしし大神の命の御子、阿《あ》遅《ぢ》須《す》枳《き》高《たか》日子命《ひこのみこと》、葛城の賀茂の社に坐す。此の神の神戸なり。故、鴨といふ。〈神亀三年、字を賀茂と改む〉即ち正倉あり。

これよりすれば、大同元年牒に見える鴨神の神戸八十四戸の中の出雲廿八戸は、出雲国意宇郡に設定されたアヂスキタカヒコネ神の神封であることが明らかである。また、大和卅八戸は葛上郡神戸郷に求められるが、神戸郷は神通寺《じんつうじ》村と呼ばれていた高鴨阿治須岐託彦根命神社が鎮座する御所市鴨神周辺に比定されるから、大同元年牒にいう鴨神はアヂスキタカヒコネ神にあてるべきである。

要するに、この鴨神はアヂスキタカヒコネ神であり、ここに事代主神が包摂されていたとは考えられない。大同元年牒で、葛城に復祠された翌年である天平神護元年（765）に土佐国に廿戸の神封を与えられた高鴨神が、鴨神（アヂスキタカヒコネ神）とは別に記されているから、両神が別の神あったことも明らかである。

そもそも一言主神が土左へ放逐されたという所伝はなく、また土左から葛城へ復祠したという史料も存在しない。土左へ放逐されたのは一言主神ではなく、都佐坐神社では当初から一言主神が主祭神として奉斎されていたのである。ところが、そこに放逐された高鴨神が合祀されたことが、のちの理解を混乱させることになったが、その歴史的情況については第五章で詳述する。

一言主神と役行者　―葛城賀茂氏と一言主神―

賀茂氏が本拠とした地域に葛木坐一言主神社が鎮座すること、都佐坐神社が鎮座する土左国内に賀茂氏同族が多く分布すること、土左に流された高鴨神が都佐坐神社で合祀されていたことなどから、一言主神の奉斎集団として賀茂氏を想定する説もある〈青木紀元／金井清一a／土橋寛〉。一部は先にも触れたが、それがここでの検討課題である。その際に注目されるのが、次の『続日本紀』文武天皇三年（699）五月丁丑条である。

役君《えのきみ》小角《をづの》、伊豆嶋《いづのしま》に流さる。初め小角、葛木山に住みて、呪術を以て称《ほ》めらる。外従五位下韓国連広足《からくにのむらじひろたり》が師なりき。後にその能《のう》を害《そこな》ひて、讒《しこ》づるに妖惑《えうわく》を以てせり。故《かれ》、遠処に配《なが》さる。世《よ》相伝《あひつた》へて云はく、「小角能く鬼神《くゐじん》を役使《やくし》して、水を汲み薪《たきぎ》を採らしむ。若《も》し命《めい》を用ゐずは、即ち呪を以て縛《しば》る」といふ。

山岳信仰、中国起源の神仙思想、仏教などが習合して形成される修験道《しゅげんどう》の鼻祖《びそ》、役君小角は葛木山に住み神秘的な呪術に優れていることで知られていたが、弟子の韓国連広足から妖術で人を惑わしていると讒言《ざんげん》され、伊豆に流罪《るざい》になった。世間では、「小角は鬼神を使役して水を汲ませ薪を採らせて、命令をきかなかったなら呪術で縛りつけた」と、後まで語り伝えたという。

役君とは葛城賀茂氏の同族である賀茂役君《かものえのきみ》氏のことであり、『続日本紀』養老三年（719）七月庚子条には、「従六位上賀茂役首《かものえのおびと》石穂《いはほ》、正六位下千羽《ちはの》三千《みち》石《いは》等一百六十人に、賀茂役君の姓を賜ふ。」と見える。また、京・畿内1182氏の系譜を載録して弘仁六年（815）に成立した『新撰姓氏録《しんせんしょうじろく》』の、鴨脚《いちょう》家《け》本《ほん》『新撰姓氏録』断簡《だんかん》「賀茂朝臣本系」にも、「小《を》瓱足《みかのすく》尼《ね》。是、役君《えのきみ》。遠江、土佐等の国の賀茂宿禰、并びに鴨部等が祖なり。」とある。なお、千羽氏は他に見えない。

役君小角を讒言した韓国連広足は呪禁《じゅごん》（まじない）に優れた人物として知られており（『家伝』下）、天平四年（７３２）十月丁亥には典薬頭《てんやくのかみ》に任じられた。令の注釈を集めて九世紀後半に成立した『令集解《りょうのしゅうげ》』僧尼令《そうにりょう》「古記」に、道教《どうきょう》の呪禁に得意な辛国連《からくにのむらじ》と見えるのは、広足のことである。『続日本紀』天平三年正月丙子条や左記の典薬頭任命記事では、彼は物部韓国連広足とも記されている。延暦九年（７９０）十一月壬申条は、同氏は物部連氏の苗裔《びょうえい》であり、先祖が韓国《からくに》に派遣されたことでこの氏名を賜わったと記している。『新撰姓氏録』摂津国神別に「伊香我色雄命《いかがしこをのみこと》の後」とする物部韓国連氏、同じく和泉国神別には「采女《うねめ》臣同祖、武烈天皇の御世に、韓国に遣されて、復命之日、姓を韓国連と賜ひき。」と伝える韓国連氏が載せられており、いずれも物部氏同族を称している。本貫は和泉国和泉郡唐国《からくに》村（大阪府和泉市北松尾町唐国）であるが、実際は物部氏の影響下に在った渡来系氏族と思われる。

なお、役君小角の流罪先が伊豆であったのは、伊豆国に賀茂郡（伊豆半島南東部の静岡県下田市、東伊豆町、河津町、南伊豆町）があり、式内社の加毛《かも》神社（静岡県賀茂郡南伊豆町下賀茂／加畑加茂神社）が鎮座するなど、賀茂氏に縁りの深い土地であったことが関わるであろう。

『日本霊異記』は、平城京の薬師寺僧の景戒《きょうかい》が弘仁十四年（８２３）までに撰述した最古の仏教説話集である。その上巻「孔雀《くざく》王の呪法《しゅほう》を修《おこなひ》持《たも》ちて異《あや》しき験力《げんりき》を得て現《うつつ》に仙《ひじり》と作《な》りて天に飛ぶ縁《ことのもと》第二十八」は、先の役君小角の伊豆流罪を主題とする説話であるが、一言主神について考える上でも参考となる。

役優婆塞《えのうばそく》は、賀茂役公《かものえのきみ》、今の高賀茂朝臣といふ者《ひと》なり。大和国葛木上《かづらきのかみ》郡茅原《ちはら》村の人なり。自性《ひととなり》生れながら知りて博《ひろ》く学びて一《いち》を得たり。三宝《さむぼう》を仰信《あふぎうやま》ひて之《こ》れを以《も》ちて業《わざ》とす。毎《つね》に庶《ねが》はくは、五色の雲に挂《かか》りて沖虚《そら》の外《と》に飛び、仙《ひじり》の宮の賓《まらひと》と携《たづさは》りて、億載《おくさい》の庭に遊び、蕊蓋《はなぶさ》の苑《その》に臥伏《ふ》して、養性《やうじゃう》の気《け》を吸噉《す》はむとねがふ。所以《このゆゑ》に晩年《くれにしとし》四十余歳を以ちて、また巌窟《いはや》に居て葛《ふぢ》を被《き》、松を餌《くら》ひ、清水《しみず》の泉に沐《かはあ》みて欲界《よくかい》の垢《あか》を濯《すす》き、孔雀の呪法を修習《おこな》ひて證《しるし》に奇異《あや》しき験術《げむじゅつ》を得《う》。鬼神《おにかみ》を駈使《はせつか》ひて自在《わがままになること》を得、諸《もろもろの》の鬼神を唱《うなが》して、催《もよほ》して曰はく「大倭国《やまとのくに》の金峯《かねのみたけ》と葛木峯とに、椅《はし》を度《わた》して通《かよ》はむ」といふ。是に神等《かみら》皆《みな》愁《うれ》ふ。藤原宮に宇御《あめのしたをさ》めたまひし天皇の世《みよ》に、葛木峯の一語主大神《ひとことぬし》託《つ》き讒《しこ》ぢて曰はく「役優婆塞、天皇を傾《かたぶ》けむことを謀《はか》る」といふ。天皇勅《おほせこと》して使《みつかひ》を遣《や》りて捉《と》らせたまふ。猶《なほ》験力に因《よ》りて輙《たやす》く捕《と》られず。故《このゆゑ》に其の母を捉る。優婆塞、母を免《まぬか》れしめむが故《ゆゑ》に出で来《きた》りて捕《と》らる。即ち伊図《いづ》の嶋に流す。…大宝元年歳《とし》の辛丑に次《やど》る正月《むつき》に、天朝《みかど》の辺に近かしめられ、遂に仙と作《な》りて天に飛ぶ。…彼《そ》の一語主大神は、役行者《えのぎゃうじゃ》に呪縛《じゅばく》せられ、今の世に至るまでに解脱《と》かれず。…

神仙思想に基づいた文飾が散見されるが、それは割り引いて考えなければならない。その上で先の『続日本紀』文武天皇三年五月丁丑条と比較すれば、賀茂役公（後の高賀茂朝臣）氏より出た役優婆塞が伊図の嶋に流罪になったとする点では、物語の展開に大差はない。大きく異なるのは、役君小角を讒言したのが韓国連広足ではなく「葛木峯の一語主大神」とあること、大宝元年（701）正月には許されて帰還したと伝えられることなどである。これが事実ならば、流罪期間は僅か二年足らずとなる。

なかでも、役君小角を讒言するのが、韓国連広足から葛木峯の一語主大神（一言主神）に置き換えられていることに注目される。『日本霊異記』が編纂される八世紀末から九世紀初頭には、韓国連氏は遣唐使の一員として派遣され、また国司に任命されるなど、中級官人として一定の政治的地位を有しており（『続日本紀』延暦九年十一月壬申条）、『日本霊異記』を撰述した薬師寺僧景戒の一存で、説話とは申せ讒言者を簡単に入れかえることができたとは思われない。

すなわち、役君小角が伊豆に流謫《るたく》となる原因の讒言をなした者について、景戒には韓国連広足から一言主神に書き換えが可能とみなされただけでなく、一言主神の奉斎集団や韓国連氏の側にも、そのことに異論がない社会的情況が存在したと思われる。ここで、一言主神が賀茂氏の一族である役君小角を讒言していることは、役君小角や葛城の賀茂氏と一言主神を奉斎した集団の関係を示唆している。要するに、葛城賀茂氏が一言主神の奉斎集団であったならば、こうした内容の説話が成立することはあり得ない。

『続日本紀』文武天皇三年五月丁丑条と『日本霊異記』上巻第二十八縁の説話から、一言主神が渡来系の集団に近しい神であり、葛城賀茂氏と一言主神奉斎集団が不仲な関係にあったことなどが推知されよう。これらのことは、葛城賀茂氏が一言主神の奉斎集団であったと解する説には否定的に作用する。

一言主神を奉斎したのは誰か ―葛城の秦氏と一言主神―

それでは、葛木坐一言主神社を奉斎したのは、どのような集団であったのだろうか。

それを考える際の参考となるのが、天武天皇紀の「土左大神」関連記事である。「土左大神」は都佐坐神社（祭神）のこととみられるが、まず天武天皇紀四年（675）三月丙午条には、「土左大神、神刀《あやしきたち》一口を以て、天皇に進《たてまつ》る。」とある。この時、なぜ土左大神が神刀を天皇に進上したのか分明ではないが、一般的には神宝献上は奉斎集団が服属することの意思表示である。ここでは壬申の乱に勝利した天武天皇に、土左大神（奉斎集団）が祝意を表明したということであろう〈平林章仁m〉。

次は天武天皇紀朱鳥元年（686）八月辛巳条で、「秦忌寸《はたのいみき》石勝《いはかつ》を遣《まだ》して、幣《みてぐら》を土左大神に奉る。」という記録である。これは五月二十四日以来の天武天皇の病気の原因が、先の土左大神による「神刀」の献納に関わると解されたからであろうか、天皇の病気恢復を願った返礼の奉幣とみられる。

この時期に王宮から遠く離れた地域の神が、短期間に二度も王権との交渉が記録されるのは異例のことだが、天皇や支配層らは土左大神に関して具体的な神名や奉斎集団について、一定の情報を保持していたと解される。とくに、朱鳥元年八月辛巳に秦忌寸石勝が派遣されたことに関わり、古代の神祇祭祀の閉鎖的性格から「秦氏と土左大神は深い関係があった」という指摘には留意される〈渡里恒信〉。

秦氏の関連史料としては、渡来を伝えた応神天皇紀十四年二月条や同十六年二月条、「禹《う》豆麻佐《つまさ》」功績譚である雄略天皇紀十五年条、祭祀氏族である斎部《いんべ》（忌部）氏の氏族誌『古語《こご》拾遺《しゅうい》』（大同二年／807、斎部広成）の所伝などもあるが、それらは後章で触れるので、ここでは当面の課題に関連する『新撰姓氏録』山城国諸蕃秦忌寸《やましろのくにしょばんはたのいみき》条から見ていこう。

秦忌寸。太秦公宿禰《うづまさのきみのすくね》と同じき祖《おや》。秦始皇帝《しんのしくわうてい》の後《すゑ》なり。功智《こうち》王、弓月《ゆづき》王、誉田《ほむだ》天皇〈謚は応神〉の十四年に来朝《まゐ》りて、表《ふみ》を上《たてまつ》りて、更《また》、国に帰りて、百廿七県《こほり》の伯姓《たみ》を率て帰化《まゐ》り、幷《また》、金銀玉帛種々《くさぐさ》の宝物等を献りき。天皇嘉《め》でたまひて、大和の朝津間腋上《あさつまのわきのかみ》の地を賜ひて居《を》らしめたまひき。男《こ》、真徳《しんとく》王。次に普洞《ふとう》王、〈古記に浦東君と曰ふ〉大《おほ》鷦鷯《さざき》天皇〈謚は仁徳〉の御世に、姓《うじ》を賜ひて波陁《はた》と曰ふ。今の秦の字の訓《よみ》なり。次に雲《うん》師《し》王。次に武良《むら》王。普洞王の男、秦公酒《はたのきみさけ》。大泊瀬《おほはつせ》稚武《わかたける》天皇〈謚は雄略〉の御世に、奏《まを》して偁《まを》す。普洞王の時に、秦の民《たみ》、惣《すべ》て劫略《かす》められて、今《いま》見在る者は、十に一つも存らず。請《こ》ふらくは、勅使《おほみつかひ》を遣《つかは》して、撿括招集《めしあつ》めたまはむことをとまをす。天皇、使、小《ちひさ》子部雷《こべのいかつち》を遣し、大隅《おほすみ》、阿多《あた》の隼人《はやと》等を率て、捜括鳩集《まぎあつ》めしめたまひ、秦の民九十二部、一万八千六百七十人を得て、遂に酒に賜ひき。爰《ここ》に秦の民を率て、蚕《かひこ》を養《か》ひ、絹を織り、筐《はこ》に盛り、闕《みかど》に詣《まゐ》でて、貢進《たてまつ》りしに、岳《をか》の如く、山の如く、朝庭《おほには》に積蓄《つ》みければ、天皇嘉《よろこ》ばせたまひて、特《こと》に寵命《あつきみこと》を降したまひ、名を賜ひて、禹都万佐《うづまさ》と曰へり。…

これは秦氏が政府に提出した原史料に基づいた記載とみられ、秦氏が雄略朝に大きな功績があり優遇されたとする点は、雄略天皇紀十五年条や『古語拾遺』の記述と等しい。そこに小子部雷らが登場することは独自の所伝であるが、その分析は第四章で行なう。

ここで注目されるのは、秦氏の渡来当初の居地が「大和の朝津間腋上の地」と伝えることである。これも、他の史料には見えない秦氏独自の所伝と目される。詳しくは同じく後章で述べるが、秦氏の渡来に葛城襲津彦の関与が伝えられること（応神天皇紀十四年二月条、同十六年二月条）を参酌すれば、「大和の朝津間腋上の地」のことが虚偽であるとは思われない。

この「朝津間腋上」とは朝津間と腋上の二箇所という意ではなく、大和国葛上郡朝妻（御所市朝妻）の脇の地と解するべきであり、ここは『新撰姓氏録』大和国諸蕃条に「韓国《からくに》の人、都留使主《つるのおみ》自より出づ。」と見える朝妻造《あさつまのみやつこ》氏の本貫である。都留使主は他には見えないが、同山城国諸蕃の末使主《すえのおみ》条や木曰佐《きのおさ》条に見える「津留牙使主《つるがのおみ》」と同一人と目される〈佐伯有清b〉。元興寺の縁起と財産を記した『元興寺伽藍縁起并流記資財帳《がんごうじがらんえんぎならびにるきしざいちょう》』に見える「阿沙都麻首《あさつまのおびと》」はその祖の一人とみられ、養老三年（719）十一月辛酉に海語連《あまがたりのむらじ》氏を賜姓された朝妻手人《あさつまのてひと》氏、翌年の十二月己亥に池上君氏と河合君氏を賜姓される朝妻金作《あさつまのかなつくり》氏（『続日本紀』）らも同族であろう。朝妻造氏らは渡来系の金属工人集団であり、塔と金堂が南北に並ぶ法隆寺式伽藍配置で七世紀後半の創建の朝妻廃寺は〈奈良県立橿原考古学研究所附属博物館a／葛城市歴史博物館〉、彼らの氏寺とみられる。渡来系金属工人集団である朝妻造氏らと秦氏の関係は分明でないが、朝妻と葛木坐一言主神社の間は直線で約3㎞に過ぎない。

大宝令（701年）よりも前に、葛城の地域は、葛上評《かづらきかみのこおり》（奈良県御所市）と葛下評《かづらきしものこおり》（葛城市北部・香芝市・王寺町）、その郡界中ほどに存在した王家の所領である葛木御県《かづらきのみあがた》には忍海評《おしぬみのこおり》（葛城市忍海）が置かれて三分割されたが〈平林章仁g／h〉、天平年中の「智識優婆塞貢進文《ちしきうばそくこうしんもん》」（『寧樂遺文』中）には大倭国忍海郡栗樔《くりす》郷戸主忍海上連薬《おしぬみのかみのむらじくすり》の戸口として「秦伎美麻呂《はたのきみまろ》」の名が見える。

また、類例のない奈良時代前半の長六角堂の基壇《きだん》などが検出された加守廃寺《かもりはいじ》（葛城市加守）

は〈奈良県立橿原考古学研究所附属博物館b／葛城市歴史博物館〉、『醍醐寺本薬師寺縁起《だいごじほんやくしじえんぎ》』〈藤田経世〉に記される天武天皇の子、大津《おおつ》皇子の供養寺と考えられる葛下郡の掃守寺《かにもりでら》にあてられる。天平勝宝二年（750）五月二十七日の「掃守寺造御塔所解　申智識塞上日事」（『大日本古文書』二五-一二〇）は、掃守寺の塔造営に従事した智識《ちしき》（信者）や優婆塞《うばそく》（正式僧でない仏教修行者）ら六人の上日（出勤）の報告である。そこに「秦吉麻呂《はたのえまろ》」と「秦刀良《はたのとら》」の名も見える。ただし、『続日本紀』宝亀元年（770）三月壬午条によれば、内掃部司員外令史《うちかにもりのつかさいんがいのりょうし》である秦刀良はもと備前《びぜん》国（岡山県）の仕丁《しちょう》（力役出仕の男子）で、狭畳《せきたたみ》を造り内掃部司に直《あた》る（職責を担う）こと四十余年の労を理由に外従五位下を授けられているから、本貫は備前国にあった。秦吉麻呂のことは分からないが、彼の同族であろう。秦刀良が掃守寺の塔造営に従事したのは宮内省《くないしょう》被官《ひかん》である内掃部司の官人としての職務であるが、日常の居宅は葛下郡加守（加守神社が鎮座）辺りと推考される。

このように、僅かではあるが、葛上郡から葛下郡南部にかけて、秦氏の居住が知られることも、後の考察の参考になる。

調田坐一事尼古神社の奉斎集団

葛下郡の南部に、式内大社の調田坐《つきたにいます》一事尼古《ひとことねこ》神社（葛城市疋田《ひきた》）が鎮座しているが、本社の祭神と目される一事尼古神と一言主神が酷似していることに留意される。尼古は貴人の名にみられる称辞「根子《ねこ》」のことであるから、両神の神格は同じであると考えられる。調田坐一事尼古神社を奉斎した集団は分明ではないが、『聖誉鈔《せいよしょう》』下（『法隆寺史料集成』10）に引く「広隆寺《こうりゅうじ》造寺《ぞうじ》勅使《ちょくし》大花上《だいけじょう》秦造《はたのみやつこ》川勝臣《かわかつのおみ》本系図《ほんけいず》」酒秦公《さけのはたのきみ》条の所伝が参考になる。『聖誉鈔』

は、十世紀末に撰述された聖徳太子の伝記『聖徳太子伝暦《でんりゃく》』の註釈書で、十四世紀末～十五世紀初め頃に法隆寺僧の聖誉が撰述したものである。秦川勝は聖徳太子の寵臣として周知の人物であるが、大花上は大化五年（649）二月制定の冠位で令制の正四位に相当する。酒秦公は、先の史料に雄略朝の人と記される秦酒公のことである。

『聖誉鈔』の関連記事の前半は、『新撰姓氏録』山城国諸蕃秦忌寸条の後半傍線部とほとんど同文であるから、それに依拠して書かれたもの、もしくは同系の原史料によるとみられる。ただし、次に原文を示す中の波線部は、他書には見えない貴重なものだが、このままでは意味が十分に通じない。

秦々氏大数八十八首、是葛木曽都比《カツラキノソトヒ》

古《コ》手ニ在テ二豆麻乃加知《ウツマサノカチ》槻田加知等《ツキタノカチラ》ニ一、

調田坐一事尼古神社

而故《コ》考吃捴テ被二劫略一、今見ニ在ル者十分カ不存一ツモ、天皇遣二勅使小子部雷一、率二大隅阿多隼人等ヲ一、サクリククリ集テ、秦ノ氏九十二部、一万八千六百七十人得タリ、

そこで佐伯有清氏による原文復原と解読〈佐伯有清C／f〉に依拠しつつ、以下に考察を進めよう。まず佐伯氏は、この波線部を「秦氏の大数は八十八首《おびと》。是《これ》、葛木曽都比古《かづらきのそつひこ》の手に在る豆麻乃加知、槻田加知等なり」と訓むなら、おおよそ文意を理解することができるとする。すなわち、「秦氏系諸集団のおおよその数は八十八首であって、これは葛木曽都比古のもとに属していた豆麻乃加知、槻田加知らである」という意となる。それでもなお「葛木曽都比古の手に在る豆麻乃加知」の部分には脱字や誤写があると想定され、「在」の字は「佐」の誤写、「手在」の間には「阿」の脱字があったとみてこれを補うならば、「在豆麻乃加知」は「阿佐豆麻乃加知」（朝津間勝）とみなすことができる。これにより右の史料は、次のように読み解くことができると述べる。

秦氏のおおよその数は八十八首であって、これが葛木曽都比古のもとに属していた阿佐《あさ》豆麻乃加知《つまのかち》、槻田加知《つきたのかち》らである。しかるに、亡父の時にはそれらの集団のほとんどは他氏の管掌下にあり、秦氏の下にあるのはその十分の一にも及ばない状況にあった。それで小子部雷《ちいさこべのいかづち》に命じて、大隅《おおすみ》と阿多隼人《あたのはやと》等を使い秦の民を集めさせたところ、九十二部、一万八千六百七十人が集まった。

秦氏の渡来を伝えた応神天皇紀十四年是歳条や同十六年八月条に秦氏の祖とされる弓月君の渡来に葛城襲津彦が関与したとあること、先に引いた『新撰姓氏録』山城国諸蕃の秦忌寸条に弓月王は渡来当初は葛城の朝津間腋上の地に居したと伝えることなどから、秦氏系の諸集団が葛城氏の管掌下にあったことは十分に考えられよう。

秦氏の渡来と、雄略朝にその諸集団が秦氏本宗の下に集結される状況、その歴史的意味は次章で述べる。また、そのことに小子部雷（少子部連蜾蠃《すがる》）が尽力したことは、半ば説話化しているものの雄略天皇紀六年三月丁亥条にも伝えらるが、やや複雑な問題を含むことから次章で節を改めて記す。

阿佐豆麻乃加知（朝津間勝）の本拠はもちろん、秦氏が渡来当初に居地としたという葛上郡朝妻（御所市朝妻）であるが、「在豆麻乃加知」を「阿佐豆麻乃加知」とする復原案は、誤写と脱字という二つの瑕疵を想定していることから、確かさにおいてやや不安もある。しかし槻田加知については、調田坐一事尼古神社を『新抄格勅符抄』では槻田神《つきたのかみ》とも記していることから、同社の鎮座する葛下郡調田（葛城市疋田）を本拠とした調田勝《つきたのかち》にあてられることは間違いない。

要するに、葛城朝妻を本拠とした朝妻勝氏が秦氏系の集団であるだけでなく、秦氏系の調田勝氏が調田坐一事尼古神社を奉斎していた可能性が高い。これらのことは、一言主神や一事尼古神は本来、葛城の秦氏系集団により奉斎されていたことを示唆している。おそらく、葛上郡の葛木坐一言主神社は、朝妻勝氏や朝妻造氏、次述する葛上郡小殿村の秦首氏らの、葛城に居した秦氏系集団が奉斎していたと推考される。

秦氏と水銀採掘

雄略朝に初めて顕現したと伝える一言主神は、秦氏系と目される葛城の朝妻勝氏や朝妻造氏らが奉斎したと考えらるが、葛城地域と秦氏の具体的な関係を考える上で参考になる史料があと一つある。それは『続日本紀』文武天皇二年（698）七月から十二月条に集中する各地からの鉱産物の貢進記事であるが、左はその鉱物を抽記したものである。

七月乙亥：伊予国《いよ》（愛媛県）…白鑞《しろきなまり》（錫）。
七月乙酉：伊予国…鑞鉱（錫鉱）。
九月壬午：周芳国《すおう》（山口県）…銅《あかがね》鉱。
九月乙酉：近江国《おうみ》（滋賀県）…金青《こんしょう》（黄血塩に硫化第一鉄を化合させる、青色顔料、仙薬）。
伊勢国《いせ》（三重県）…朱沙《しゅさ》（水銀と硫黄の化合物、赤色顔料、仙薬）・雄黄《いうわう》（硫化砒素、黄色顔料、仙薬）。
常陸国《ひたち》（茨城県）・備前国《びぜん》（岡山県）・伊予国・日向国《ひむか》（宮崎県）…朱沙。
安芸国《あき》（広島県）・長門国《ながと》（山口県）…金青・緑青《ろくしやう》（酸化銅、緑色顔料、仙薬）。
豊後国《ぶんご》（大分県）…真朱《しんしゅ》（水銀と硫黄の化合物、赤色顔料、仙薬）。
十一月辛酉：伊勢国…白鑞。
十二月辛卯：「対馬嶋《つしま》をして金鉱を冶《う》たしむ」（のち大宝と改元するが、大倭国忍海郡人三《み》田首《たのおびと》五《いつ》瀬《せ》の詐欺だと発覚。大宝元年八月丁未条）。

上記から、時の政府首脳が大宝律令の完成に向けて、「天《てん》」もそれを祝していると主張するための祥瑞《しょうずい》の探査に力を傾注していたことが理解される。右記の鉱物の多くが、仙人になるために服用する仙薬《せんやく》の原料であることにも留意される。仙薬のことは後述するが、大宝改元の契機となった対馬からの倭国で最初の金の産出は、のちに三田首五瀬の詐欺と判明するが、鉱産物の採掘には専門知識を有する技術集団が不可欠である。右にも見える伊勢国産出の水銀については、欽明天皇即位前紀の次の所伝が注目される。

　天皇幼《わか》くましまし時に、夢《ゆめみ》に人有りて云さく、「天皇、秦大津父《はだのおおつち》といふ者《ひと》を寵愛《めぐ》みたまはば、壮大《をとこさかり》に及《いた》りて、必ず天下《あめのした》を有《し》らさむ」とまうす。寐驚《みゆめさ》めて使を遣して普《あまね》く求むれば、山背《やましろ》国紀《き》郡深草《ふかくさ》里より得つ。姓字《うぢな》、果して所夢《みそなは》ししが如し。是に、忻喜《よろこ》びたまふこと身に遍《み》ちて、未曾《めづら》しき夢なりと歎《ほ》めたまふ。乃ち告げて曰はく、「汝《いまし》、何事か有りし」とのたまふ。答へて云さく、「無《こともな》し。但し臣《やつこ》、伊勢に向りて、商價《あきなひ》して来還《まうく》るとき、山に二つの狼の相闘《くひあ》ひて血に汙《ぬ》れたるに逢へりき。乃ち馬より下りて口手を洗ひ漱《すす》ぎて、祈《の》請みて曰はく、『汝は是貴《かしこ》き神にして、麁《あら》き行《わざ》を楽《この》む。儻《も》し猟士《かりびと》に逢はば、禽《と》られむこと尤《けやけ》く速《すみや》けむ』といふ。……」……乃《すなは》ち近く侍《つか》へしめて、優《あつ》く寵《めぐ》みたまふこと日《ひび》に新《あらた》なり。大きに饒富《にぎはひ》を致す。踐祚《あまつひつぎしろしめ》すに及至《いた》りて、大蔵省《おほくらのつかさ》に拝《ま》けたまふ。

欽明天皇紀元年（５４０）八月条によれば、渡来系集団の戸籍を編成したところ、全国の秦人の戸数は七千五十三戸であったとある。秦氏系集団はヤマト王権の管掌下にあり、得意とする機織《はたおり》や鉱工業技術で王権に奉仕していた。山背国紀郡深草里（京都市伏見区深草）の秦大津父は商いで伊勢を往還していたというが、その商品は伊勢国飯高《いいたか》郡丹生《にゅう》郷（三重県多気郡多気町丹生）に産出した水銀であったとみられる。ここには式内社の丹生神社と丹生中神社が鎮座し、丹生神社の神宮寺成就院（丹生大師）は、宝亀五年（774）に大和国高市郡の秦氏出身の勤操《ごんぞう》が開いたと伝えられる。

神仙思想では、不老長生を実現して仙人になることを目指したが、そのために仙薬を服用した。その仙薬の原料を得るために深山に分け入り、原料となる鉱物鉱脈の探査と開発に傾注したが、仙薬の第一が丹薬《たんやく》と金液《きんえき》であった。丹薬は硫化水銀を主原料に砒《ひ》素《そ》化合物や硫黄を加えたもの、金液は黄金を主成分として硫化水銀などを混ぜたものである〈和田萃b〉。いずれにしても、神仙思想で最も重くみられた仙薬の製造には、水銀が不可欠であった。葛城地域に、神仙思想を本格的に持ち込んだのは秦氏であったとみられる。その宗教的な核に位したのが一言主神祭祀であったが、その時にはすでに賀茂氏が葛城地域の神祇祭祀で重い位置を占めており、後に述べるように両者の間で軋轢が生まれるのは必定であった。

秦氏は養蚕機織だけでなく、仙薬にも使用される鉱物資源の開発と加工の技術を有した工人集団であり、ゆえに秦氏集団は神仙思想とその実践法に詳しかったと考えられる。文武天皇二年には四国の伊予国からは、白鑞や鑞鉱、朱沙などが貢進されている。伊予国でこのことに従事していたのも、次に引く『続日本紀』天平神護二年（766）三月戊午条から、秦氏であった可能性が高い。

伊予国人従七位上秦 毗登《はたのひと》浄足《きよたり》等十一人に姓を阿倍小殿《あへをどの》朝臣と賜ふ。浄足自《みづか》ら言《まう》さく、「難破長柄朝廷《なにはのながらのみかど》、大山上安倍小殿小鎌《をかま》を伊予国に遣して、朱砂《しゅさ》を採らしむ。小鎌、便《すなは》ち秦 首《はたのおびと》の女《むすめ》を娶《めと》りて、子伊予麿《いよまろ》を生めり。伊予麻呂は父祖《ふそ》を尋《つ》がずして、偏《ひとへ》に母《いろは》の姓に依る。浄足は即ちその後なり」とまうす。

伊予国の秦毗登（秦首）氏に阿倍小殿朝臣が賜姓されているが、彼ら一族は右の事業に従事していたと考えられる。列島の中央構造線に沿って水銀などを産出する鉱脈が多く分布していることは周知のところであるが〈松田壽男／市毛勲a／b〉、伊予や土左に秦氏が多く居住しているのもそれと無縁ではない〈加藤謙吉b〉。というよりも、都佐坐神社で一言主神を奉斎した土左国の秦氏は、伊予国の秦氏がさらに移住したものと推考されるが、詳しくは後述する。

ところで、孝徳朝に「阿倍（安倍）小殿」という複姓《ふくせい》の氏が存在したが、この阿倍小殿氏は他に見えない。阿倍氏の他の複姓例から推して、小殿はこの氏に所縁に地名であろう。小殿は見慣れない地名であるが、大和国葛上郡に小殿《おどの》村（御所市小殿）があった。のちの高野《こうや》街道と栗坂峠経由で吉野に至る道の分岐点に位置し、天正十一年（1583）の「春日社御神供米吐田荘《はんだのしょう》 納帳」に「ヲトノ　弥六」「ヲトノ　ヤ二郎」「ヲトノ　ケン十郎」と見える（日本歴史地名大系『奈良県の地名』／『角川日本地名大辞典』奈良県）。この葛上郡小殿村は、阿倍小殿氏やそれを賜姓される秦毗登氏の、伊予に移住する前の本拠であったと考えられる。

小殿村と葛木坐一言主神社の間は直線で約2㎞弱、右に述べた朝妻との間は約1,5㎞と至近の位置にあり、彼らも一言主神を奉斎していた集団と推考される。ちなみに、御所市小殿の西約1㎞に位置する金剛山中腹の御所市塩家《しおけ》では、かつて水銀鉱山が操業しており〈松田壽男〉、かつ河内国と結ぶ水越峠には水銀鉱脈の存在を示す「丹生谷」（御所市関谷）の小字が分布する。道路が水越峠にかかるすぐ北側の谷奥に葛木坐一言主神社が鎮座しており、塩家と神社の間は直線で2㎞である。また、小殿から南に約1㎞の御所市東持田には名神大社の葛木御歳神社が鎮座しているが、その東に位置する御所市朝町には半世紀前まで操業していた朝町鉱山があり、「ニウノマエ」の小字の分布から水銀鉱脈の存在が想定されることも参考となる。

これまで少し煩瑣な論述を重ねてきたが、雄略天皇の葛城山狩猟に際して、初めて突然に顕現した一言主神を奉斎したのは、これまで想定されていた葛城氏や賀茂氏ではなく、葛城の秦氏系集団である朝妻勝・朝妻造・朝妻手人・朝妻金作・秦首氏らであったと考えられる。雄略天皇と一言主神の友好的関係は、雄略天皇と一言主神奉斎集団の間が良好だったことを意味する。当然、そうした態度を示した秦氏や秦氏系集団に対する論功行賞が行なわれたであろう。そのことの検証が次章の課題である。

要するに、天皇の狩猟は、その土地の占有を示威する政治的儀礼側面も存在したが、葛城氏滅亡後の雄略天皇の葛城山狩猟は、まさにそうした目的で行なわれたものであった。そのことに協力的、友好的であったことが、彼らが奉斎した一言主神のこととして象徴的に特筆されているのである。このことは、それとは反対の動きを示した集団が存在したことも予測させるが、その集団と関連する歴史的動向については、さらに後章で考察する。

第四章　秦氏の渡来と雄略天皇の秦氏優遇策

葛城氏の世紀

先に、雄略朝に顕現したと記される一言主神は、渡来当初は葛城朝妻周辺を拠地とした秦氏系集団に奉斎されたこと、彼らは雄略天皇による葛城の地域領有に協力的であったことなどについて明らかにした。ここでは、そのことの傍証を示して私見を補強するために、雄略朝から少し時間をさかのぼり、秦氏の渡来と葛城地域の歴史的状況について概観しよう。

雄略朝を遡る四世紀後半から五世紀後半は、葛城氏がヤマト王権において政権を担った「葛城氏の世紀」とも言える。葛城氏については、八代孝元《こうげん》天皇記にみえる詳細な建内宿禰《たけしうちのすくね》の後裔系譜により、その出自をたどることができる。すなわち、孝元天皇の御子の比古布都押《ひこふつおし》之《の》信命《まことのみこと》は木国造《きのくにのみやつこ》の祖である宇豆比古《うづひこ》の妹、山下影日売《やましたかげひめ》を妻として建内宿禰を生み、建内宿禰には九人の子があったとある。次はその九人であり、〔　〕内はその後裔氏族である。

波多八代宿禰《はたのやしろ》〔波多臣・林臣・波美《はみ》臣・星川臣・淡海《おうみ》臣・長谷部君〕

許勢小柄《こせのおから》宿禰〔許勢臣・雀部《さざきべ》臣・軽部《かるべ》臣〕
蘇賀石河《そがのいしかわ》宿禰〔蘇我臣・川辺《かわのへ》臣・田中臣・高向《たかむこ》臣・小治田《おはりだ》臣・桜井臣・岸田臣〕
平群都久《へぐりのつく》宿禰〔平群臣・佐和良《さわら》臣・馬御樴《うまみくい》連〕
木角《きのつぬ》宿禰〔木臣・都奴《つぬ》臣・坂本臣〕
久米能摩伊刀比売《くめのまいとひめ》
怒能伊呂比売《ののいろひめ》
葛 城長江曾都毘古《かづらきのながえのそつびこ》〔玉手《たまて》臣・的《いくは》臣・生江《いくえ》臣・阿芸那《あぎな》臣〕
若子《わくご》宿禰〔江野財《えののたから》臣〕

ここにみえる葛城長江曾都毘古が、『紀』にいう葛城襲津彦《そつひこ》である。これによって建内宿禰（武内宿禰）と葛城長江曾都毘古（葛城襲津彦）が、父子関係にあると伝えられていたことが分かる。ただし、ここに見える各氏族が実際に血縁関係にあったとは考えられず、同族系譜は擬制的《ぎせいてき》なもので、実態はこの時期に葛城氏を核に王権中枢として形成された政治的結合体（ヤマト王権の政府組織の構成）を示していると理解される。

この葛城氏の活動で特徴的なことは、積極的な対外交渉にある。その最初が次に概要を記す神功《じんぐう》皇后紀摂政五年三月条である。なお、神功皇后とは、ヤマトタケルの子である十四代仲哀《ちゅうあい》天皇の皇后気長足姫尊《おきながたらしひめのみこと》（『記』には大后息長帯比売命）のことで、応神天皇の母である。

新羅《しらぎ》の王、汗礼斯伐《うれしほつ》・毛麻利叱智《もまりしち》・富羅母智《ほらもち》等を遣《まだ》して朝貢《みつぎたてまつ》る。仍《よ》りて先の質《むかはりみ》微叱許智伐旱《しこちほつかん》を返したまはむといふ情《みこころ》有り。是を以て、許智伐旱《こちほつかん》に誂《あと》へて、紿《あざむ》かしめて曰《まう》さしむらく、「使者汙礼斯伐《つかひ》・毛麻利叱智等、臣《やつかれ》に告《つ》げて曰《い》へらく、『我《わ》が王《こきし》、臣が久《ひさ》に還《まうかへ》らざるに坐《よ》りて、悉《ふつく》に妻子《めこ》を没《をさ》めて孥《つかさやつこ》とせり』といへり。冀《ねが》はくは蹔《しばら》く本土《もとのくに》に還《まかりかへ》りて、虚実《いつはりまこと》を知りて請《まう》さむ」とまうさしむ。皇太后《おほきさき》、則《すなは》ち聴《ゆる》したまふ。因《よ》りて、葛城襲津彦を副《そ》へて遣す。共に対馬《つしま》に到《いた》りて、鉏海《さひのうみ》の水門《みなと》に宿《とま》る。時に、新羅の使者毛麻利叱智等、竊《ひそか》に船及び水手《かこ》を分《くば》り、微叱旱岐《みしかんき》を載せて、新羅に逃《のが》れしむ。乃《すなは》ち芻霊《くさひとかた》を造り、微叱許智の床《とこ》に置きて、詳《いつは》りて病《やまひ》する者の為《まね》にして、襲津彦に告げて曰はく、「微叱許智、忽《たちまち》に病《や》みて死なむとす」といふ。襲津彦、人を使《つかは》して病する者を看《み》しむ。即ち欺《あざむ》かれたることを知りて、新羅の使者三人を捉へて、檻中《うなや》に納《こ》めて、火を以て焚《や》き殺しつ。乃ち新羅に詣《いた》りて、踏鞴津《たたらのつ》に次《やど》りて、草羅城《さわらのさし》を抜《ぬ》きて還る。是の時の俘人《とりこら》等は、今の桑原・佐糜《さび》・高宮・忍海《おしぬみ》、凡《すべ》て四の邑《むら》の漢人《あやひと》等が始祖《はじめのおや》なり。

要するに、「葛城襲津彦は、新羅の人質である微叱許智伐旱の本国への送還に付き添って渡海した。対馬の鉏海の水門に停泊した際に、新羅の使者は藁人形で欺いて人質を新羅に逃亡させた。事の仔細を知った襲津彦は新羅の使者を焼き殺し、新羅の踏鞴津（韓国の慶尚南道釜山の南）に停泊、草羅城（慶尚南道梁山）を陥れて帰国した。この時の俘人らは、今の桑原・佐糜・高宮・忍海の四邑の漢人の始祖である。」という。

右に見える四邑の中の佐糜は、現在の奈良県御所市東佐味《ひがしさび》・鴨神《かもかみ》・西佐味、高宮は御所市西佐味の西部・伏見・北窪・高天《たかま》・南郷の南部、忍海は葛城市忍海、桑原は定かでないが御所市池ノ内・玉手辺りの平坦な地域に求められよう。なかでも高宮は、仁徳天皇紀三十年九月乙丑条に、儀式に用いる御綱葉《みつなかしわ》の採取に出かけた紀国熊野岬（和歌山県新宮市辺り）から戻った皇后の磐之媛《いわのひめ》（葛城襲津彦の娘）が、那羅山《ならやま》（奈良市の北部丘陵）から故郷の葛城を望んで「…我が見が欲し国《ほ》は 葛城高宮（多伽瀰揶）我家《わぎへ》のあたり」と詠んだとある高宮であり、葛城氏の本拠でもある。

この所伝に秦氏のことは見えないが、その渡来の状況と時期を考える上で必要な史料であることから引用した。問題は、この史料の信憑性とその年代である。

まずは『紀』の紀年の信憑性であるが、神功皇后紀摂政五年条をそのまま西暦に移行すれば205年となるが、応神天皇紀までの紀年は明らかに実年代より古く設定されている。たとえば、次に取り上げる神功皇后紀摂政五十二年条や神功皇后紀摂政六十二年条は干支二巡、120年後にずらせばほぼ矛盾が解消される。しかし、この場合、205年の120年後は325年となるが、葛城襲津彦が325年からほぼ半世紀後の神功皇后摂政五十二年や神功皇后摂政六十二年、さらには応神天皇十六年（285年⇒405年）まで活躍したと見るのは難しく、神功皇后摂政五年を325年にあてることには無理がある。したがって、この部分はさらに60年後にずらして385年にあてるのが妥当であると考えられる。実際この年に右のことがあったか定かではないが、本来はその頃のこととして伝えられていたものと思われる。

ところで、「応神天皇紀と雄略天皇紀には対外関係記事で類似の内容が多く、これは同一内容記事を別けて記したか、雄略朝の事実の起源を応神朝に求めたもので、基準は雄略天皇紀にある。神功皇后紀摂政五年紀三月条の「四邑漢人」の始祖渡来記事も、雄略天皇紀七年是歳条の「今来才技《いまきのてひと》」のそれに対応しており、神功皇后紀摂政五年三月条はそれをもとに編まれたもので虚構である」という主張がある〈平野邦雄a〉。

　しかしながら、だれが、なぜ、雄略朝の事実の起源を応神朝の事として記事を創作しなければならなかったのか、必然性が理解できない。もしこの説に妥当性があるなら、葛城襲津彦の存在や秦氏の渡来についての分析も大きな変更を迫られることになる。そこで次に、この点について検討しよう。

葛城襲津彦は実在した

神功皇后紀摂政五年を385年にあてる際に留意しなければならないのが、百済から倭国への七枝《しちし》刀《とう》（七支刀）の贈与である。神功皇后紀摂政五十二年（252年⇒372年）九月丙子条に、次のようにある。

　久氏《くてい》等《ら》、千熊長彦《ちくまながひこ》に従ひて詣《まうけ》り。則ち七枝刀《ななつさやのたち》一口・七子鏡《ななつこのかがみ》一面、及び種種《くさぐさ》の重宝《たから》を献る。

　千熊長彦のことはよく分からないが、百済が倭国に贈与したという七枝刀（国宝）は、今日まで石上神宮（大和国山辺郡鎮座の名神大社、石上坐布都御魂《いそのかみにいますふつのみたま》神社／奈良県天理市布留町）に伝来するとともに、そこに中国・東晋《とうしん》（317～420）の「泰（太）和四年（369）」で始まる金《きん》象嵌《ぞうがん》銘文が施されていることで知られている。これは右の所伝と対応するだけでなく、左に記す銘文は古代東アジアの国際関係を考察する際の重要な史料であり、かつヤマト王権の内実を考える上でも見逃せない。【　】はその読み下し文である。

・泰□《和》四年十□《一》月十六日丙午正陽造百練□《鉄》七支刀□《出》辟百兵宜供供侯王□□□□作（表）

・先世以来未有此刀百済王世□《子》奇生聖音故為倭王旨造伝示後世（裏）

【泰和《たいわ》四年十一月十六日丙午正陽、百練の鉄の七支刀を造る。出《すすみ》て百兵を辟《さ》け、供供《きょうきょう》たる侯王を宜しくす（宜しく侯王に供供すべし?）。□□□□の作なり。】（表）

【先世以来、未だ此の刀有らず。百済王の世子奇生《貴須》聖音、故に倭王旨（個人名、もしくは王の意向?）の為に造り、後世に伝示す。】（裏）

七支刀をめぐる主要論点については前著に譲るが〈平林章仁m〉、これは、百済の近肖古《きんしょうこ》王と世子《せいし》（後嗣、近仇首《きんきゅうしゅ》王か）が倭国との関係強化を意図し〈三品彰英c〉、東晋から下賜された重宝「七支刀」をもとに百済がその模造刀を製作、さらに裏に新たな銘文を付加して、３７２年に七子鏡などとともに倭国に贈与したものとみられている〈山尾幸久b／濱田耕策／深津行徳〉。要するに、七支刀は百済・倭国間に親密な連携関係が成立した記念、いわば「倭・百済同盟」締結の記念品と位置づけられる。これは、ヤマト王権が朝鮮半島問題に積極的に関与していく、大きな契機ともなった。

　右に続くのが、次に引く神功皇后紀摂政六十二年（２６２年⇒３８２年）条であり、秦氏の渡来にも関わり葛城襲津彦の実在と実年代を知る上で重要な所伝である。

新羅朝《まうこ》ず。即年《そのとし》に、襲津彦を遣して新羅を撃《う》たしむ。〈百済記に云はく、壬午年に、新羅、貴国《かしこきくに》に奉《つかへまつ》らず。貴国、沙至比跪《さちひこ》を遣して討《う》たしむ。新羅人、美女《をみな》二人を荘飾《かざ》りて、津《とまり》に迎へ誘《をこつ》る。沙至比跪、其の美女を受けて、反《かへ》りて加羅国を伐《う》つ。加羅の国王《こきし》己《こ》本《ほ》旱岐《かんき》、及び児百久至《はくくち》・阿首至《あしゅち》・国沙利《こくさり》・伊羅麻《いらま》酒《す》・爾汶至《にもんち》等、其の人民《ひとくさ》を将《ゐ》て、百済に来奔《に》ぐ。百済厚く遇《みあ》ふ。加羅の国王の妹《いろも》既《け》殿《でん》至《ち》、大倭《やまと》に向《まうで》きて啓《まう》して云《まう》さく、「天皇、沙至比跪を遣して、新羅を討《う》たしめたまふ。而《しか》るを新羅の美女を納《と》りて、捨《す》てて討たず。反《かへ》りて我が国を滅す。兄弟《はらから》・人民、皆為《さ》流《す》沈《ら》へぬ。憂《うれ》へ思ふにえ任《しの》びず。故《かれ》、以《も》て来《きた》り啓《まう》す」とまうす。天皇、大《おほ》きに怒《いか》りたまひて、即ち木羅《もくら》斤資《こんし》を遣して、兵衆《いくさびと》を領《ひき》ゐて加羅に来集《まうつど》ひて、其の社稷《くに》を復《かへ》したまふといふ。一《ある》に云はく、沙至比跪、天皇の怒《みいかり》を知りて、敢《あ》へて公《あらは》に還《かへ》らず。乃《すなは》ち自《みづか》ら竄伏《かく》る。其の妹、皇宮《みかど》に幸《つかへまつ》ること有り。比跪、密《ひそか》に使人《つかひ》を遣して、天皇の怒解《と》けぬるや不《いな》やを問はしむ。妹、乃ち夢《いめ》に託《つ》けて言《まう》さく、「今夜《きぞ》の夢に沙至比跪を見たり」とまうす。天皇、大きに怒りて云《のたま》はく、「比跪、何ぞ敢へて来《きた》る」とのたまふ。妹、皇言《おほみこと》を以て報《かへりこと》す。比跪、免《ゆるさ》れざることを知りて、石穴《いはつぼ》に入りて死ぬといふ。〉

概要は、「新羅が朝貢しなかったので、襲津彦を派遣して攻撃させた。百済記が伝えるには、壬午年に新羅が貴国（倭国のこと）に朝貢しなかったので、貴国は沙至比跪を派遣して討伐させた。新羅人は二人の美人をつかって歓心を買ったので、沙至比跪は命令と反対に加羅国（慶尚北道高霊）を攻撃した。それで、加羅国王の己本旱岐や子の百久至らは、人民を率いて百済に逃げた。加羅国王の妹の既殿至は大倭に参向して、沙至比跪の行為を報告した。天皇は大層怒り、木羅斤資と軍勢を派遣して加羅国を回復させた。一説には、沙至比跪は天皇の怒りを知って、公然とは帰還せず、身を潜めていた。彼の妹が皇宮に仕えていたので、密かに使者を派遣し妹の夢に託けて、様子を覗った。天皇の怒りが解けていないことを知った沙至比跪は、石穴に入って亡くなったと伝える」という。

重要であるのは、ここに引用している「百済記」に沙至比跪という名がみえることである。『紀』が引用する「百済記」・「百済新撰」・「百済本紀」は、今日には伝わらない百済系の歴史書であり、貴重なものである。その「百済記」は、神功皇后・応神天皇・雄略天皇紀で引用されている。当時の倭国を「貴国」と記すなど留意しなければならない点もあるが、『紀』編纂以前の記録として重い位置を占める。

その中に見える沙至比跪が葛城襲津彦にあたり、『記』・『紀』に記載される人物の中で実在が確かめられる最古の一人として、早くから注目されてきた〈井上光貞ａ〉。さらに、そこに記される壬午年は３８２年にあてられるから、葛城襲津彦が活動していたおおよその年代が知られることも重要である。それは、百済から七支刀が贈与されて10年後のことである。

ただ、ここで問題になるのは、葛城襲津彦が新羅からの人質送還に関与したという神功皇后摂政五年を３８５年、神功皇后摂政六十二年を３８２年にあてるならば、編年記事の実年が逆転することである。

両記事は、いずれも新羅に関する所伝であるが、３８２年は葛城襲津彦が派遣されたことにかかる所伝、３８５年は帰還を主体にした所伝と考えられる。また、神功皇后紀摂政六十二年条は「百済記」に依拠した記事であるのに対して、神功皇后紀摂政五年紀三月条は「四の邑の漢人等が始祖」の渡来伝承としてヤマト王権内部で伝えられた所伝に基づいた記事であり、原史料の由来が異なることから『紀』編者には別々の所伝として扱われたものと推察される。記事の年次が逆転しているのは、神功皇后紀前半以前の紀年をさらに１８０年古く遡らせることがあって（おそらくは神武天皇紀年設定の影響）、右のように矛盾する結果になったものと考えられる。

なお、一説にいう皇宮に仕える沙至比跪の妹とは、『記』に応神天皇との間に伊奢能麻和《いざのまわ》迦《か》王を儲けたと記される葛城《かづらき》之《の》野伊呂売《のいろめ》にあてることができる。この葛城之野伊呂売は、先の建内宿禰後裔系譜に見える葛城長江曾都毘古の姉妹、怒能伊呂比売のことであろう。こうした対応関係から、神功皇后紀摂政六十二年条の所伝と建内宿禰後裔系譜の関連部分は、一定の相関性を有していると解される。

このように、神功皇后紀摂政六十二年条と神功皇后紀摂政五年三月条を、葛城襲津彦の一連の動きを伝えた別箇の所伝であったと解すれば、葛城襲津彦の大まかな活動時期を推定することができるが、それは朝鮮半島側の史料からも裏付けられる。

朝鮮半島の史料から葛城襲津彦の動きを探る

葛城襲津彦による人質送還を伝えた神功皇后紀摂政五年三月条に照応する所伝は、朝鮮半島の史書にも記されている。朝鮮半島の史書について述べる前に、神功皇后紀摂政六十二年壬午年は３８２年にあたるのではなく、さらに干支をあと一巡、合わせて三巡降らせて４４

2年にあてるべきだとする主張があり〈山尾幸久b〉、支持する研究者もいることから〈田中俊明／田中史生c〉、それについて触れておこう。

やや煩瑣な記述になるが、その主な論拠は次の点に要約される。

「応神天皇紀二十五年条に引く「百済記」に見える「木満致《もくまんち》」は、神功皇后紀摂政六十二年条に引く「百済記」にも沙至比跪とともに見える「木羅《もくら》斤資《こんし》」の子である。ところが『三国《さんごく》史記《しき》』百済本紀蓋鹵《がいろ》王二十一年（475）条には「木劦満致《もくきょうまんち》」の名が見える。木劦満致と木満致は同一人物とみられる。したがって、応神天皇紀二十五年条は414年ではなく474年にあてるのが妥当であり、沙至比跪と木羅斤資が登場する神功皇后紀摂政六十二年壬午年もさらに60年引き下げた442年のことである」、と主張する。

木劦を「木刕《もくらい》」の誤記と見れば「木羅」と音が近くなり、紀年の視点からも一見整合的な説明と受け取られるが、事実はどうであろうか。まず、問題の応神天皇紀二十五年条を見てみよう。

百済の直支《とき》王薨《みまか》りぬ。即ち、子久爾辛《くにしん》、立ちて王《こきし》と為《な》る。王、年幼《としわか》し。木満致、国政を執《と》る。王の母《いろは》と相婬《あひたは》けて、多《さは》に無礼《ゐやなきわざ》す。天皇、聞《きこ》しめして召《め》す。〈百済記に云《い》はく、木満致は、是木羅斤資、新羅を討ちし時に、其の国の婦《をみな》を娶《ま》きて、生《う》む所なり。其の父《かぞ》の功《いたはり》を以て、任那《みまな》に専《たくめ》なり。我が国に来入《まうきい》りて、貴国に往還《かよ》ふ。制《のり》を天朝《みかど》に承《うけたまは》りて、我が国の政を執る。権重《いきほひ》、世に当《あた》れり。然《しか》るを天朝、其の暴《あしき》を聞《ここ》しめして召《め》すといふ。〉

百済の直支王の薨去、久爾辛王の即位記事において、百済の国政を恣《ほしいまま》にしたので倭国に召されたと伝えられる木満致の出自に関わり、「百済記」を引いて説明しているのである。すなわち、当初は任那で専権を振るったが「我が国」（百済）に来て、「貴国」（倭国）に往来してその指示を受けているとして「我が国」で権勢を極めた、という。

あるいは、応神天皇紀二十五年条本文も「百済記」に依拠している可能性も考えられる。この辺りの所伝の信憑性は、百済の直支王と久爾辛王にある。なお、倭国との結びつきが強い任那とは、朝鮮半島南部の洛東江から蟾津江流域の存在した十余りの古代小国家群の総称である。分立的であったために百済や新羅からも圧迫を受け、主要部は六世紀半ばに新羅に併合されて滅亡した。

さて、高句麗《こうくり》・百済・新羅の歴史を記した『三国史記』は、高麗《こうらい》の金富軾《きんふしき》が１１４５年に撰述し、高麗の僧一然《いちねん》が十三世紀後半に編纂した『三国遺事《いじ》』とともに、韓国古代史の基本史料である。その『三国史記』百済本紀によれば、百済腆支《てんし》王（直支王）の薨去、久爾辛王の即位は４２０年とある。腆支王の薨去はその十六年三月とあるから、すぐに久爾辛王が即位したとすれば、腆支王の治世は４２０年３月までとなろう。腆支王の薨去、久爾辛王の即位については、本来は応神天皇三十一年庚申（４２０）に配置するべき記事であった可能性もあるが、何らかの理由で『紀』は応神天皇二十五年甲寅（４１４）に編年している。

いずれにしても、百済腆支王（直支王）の薨去、久爾辛王の即位を４７４年に求めることは不可能である。したがって、ここにみえる木満致を百済腆支王の薨去、久爾辛王の即位と切り離して、『三国史記』百済本紀蓋鹵王二十一年（４７５）に見える木劦満致と同じ人物とみなすことには無理がある。

そのことは、神功皇后紀摂政五年三月条の葛城襲津彦による人質送還伝承に対応する、『三国史記』や『三国遺事』の記述からも明らかである。

『三国史記』列伝第五の朴堤上《ぼくていじょう》伝には、新羅の実聖《じっせい》王元年壬寅（４０２）に倭国と講和したが、倭王は奈勿《なこつ》王（在位３５６～４０２）の子である未斯欣《みしきん》を人質とすることを申し出、実聖王（在位４０２～４１７）はそれに応じた、とある。この未斯欣が、先の微叱許智伐旱である。『三国史記』新羅本紀には訥祇《とつぎ》王二年（４１８）秋に未斯欣が倭国から逃げ帰り、その十七年（４３３）五月に死去したとある。

一方、『三国遺事』奈勿王条には、美海《びかい》（未斯喜／未斯欣）の倭国への入質は奈勿王三十六年庚寅（３９０）とあって『三国史記』と12年の差がある。

このように、未斯欣（微叱許智伐旱）について、倭国への入質は３９０年（『三国遺事』）、４０２年（『三国史記』）、新羅への帰国が３８５年（『日本書紀』）、４１８年（『三国史記』）と、史料によりそれぞれに12年から33年の差異がある。その確かな年次を定められないことは致方ないが、おおむね四世紀末から五世紀前葉以前に収まることでは、各史料が共通する。葛城襲津彦の活躍時期もほぼその頃とみて矛盾はなく、その関連所伝を４４０年代まで降らせることはできない。加えて、木満致のことを雄略朝まで降らせることにも無理がある。なお、朴堤上は、神功皇后紀摂政五年三月条に、微叱許智伐旱の倭国から新羅への帰国に尽力したと見える毛麻利叱智のことである。

右のことは、以下に摘記する神功皇后紀における記事の配置からも導くことができる。

・神功皇后摂政五十六年（丙子年／376）：百済貴須《きす》（近仇首《きんきゅうしゅ》／384年まで在位）王が即位。なお、『三国史記』百済本紀には父の近肖古《きんしょうこ》王が三十年（375）十一月に亡くなり、その年のうちに近仇首王が即位したとある。
・神功皇后摂政六十二年（壬午年／382）：葛城襲津彦（沙至比跪）の新羅派遣。
・神功皇后摂政六十四年（甲申年／384）：百済貴須王が薨去、枕流《ちんりゅう》王（在位は二年間）が即位。

これから、神功皇后紀摂政六十二年に引く「百済記」には、沙至比跪の物語が百済の貴須王代（375～382）のことと記されていたことが推察される。いずれにしても、葛城襲津彦の新羅派遣記事を442年まで引き下げることには無理がある。

ちなみに、神功皇后紀後半から応神天皇紀にかけての対外関係記事の紀年は、干支二巡繰り下げれば『三国史記』と整合する〈平野邦雄b〉。干支が引き上げられ紀年が古く編年された理由は、『紀』編纂に際して、神功皇后紀摂政三十九年条に邪馬台国関連史料として周知の『魏志《ぎし》』景初《けいしょ》三年（239）六月条の倭の女王による大夫「難斗米」（『魏志』倭人伝原文には「難升米」）の派遣記事を引き、同四十年条にも同じく正始《せいし》元年（240）の魏の使者の倭国派遣を記し、同四十三年条でも同じく正始四年（243）の倭王の朝貢を記していることから明らかである。

すなわち、それは『紀』の編纂に際し、神功皇后紀摂政三十九年以降を『魏志』の紀年にすり合わせた結果である。葛城襲津彦による「四の邑の漢人等が始祖」の渡来を伝えた神功皇后紀摂政五年三月条は、これらの記事とは別の基準で編年されたのである。干支三巡繰り上げられている神功皇后紀摂政五年条を含めて、神功皇后紀摂政十三年以前は、『魏志』紀年へのすり合わせとは別の基準に依拠していると考えられる。

葛城襲津彦の活躍と高句麗問題

要するに、七支刀に象徴される「倭・百済同盟」の成立を受けて、葛城襲津彦が外交問題に対処するため朝鮮半島に渡航したものと解される。葛城襲津彦が対外交渉で活躍するのは380年代から、次節に述べる400年初め頃までの間に収まると考えられる。

このことは、百済と対立する高句麗の長寿王《ちょうじゅおう》（在位413～491）が父の広開土王《こうかいどおう》（好太《こうたい》王《おう》／在位391～412）の功績を記念して今日の中国吉林《きつりん》省集安《しゅうあん》に414年に建立した「高句麗広開土王碑文」（高さ6,4m）に刻まれている、倭の動きの解釈にも関わる。次に、その倭関係碑文を摘記しよう〈東方書店／読売テレビ放送〉。

①百残・新羅、旧是属民由来朝貢。而倭、以辛卯年、来渡□、破百残□□新羅、以為臣民。以六年丙申、王、躬率□軍、討滅残国。
【百残・新羅、旧《もと》是れ属民にして、由来《ゆらい》朝貢す。而《しか》るに倭、辛卯《しんぼう》年を以て来りて□《海か》を渡り、百残□□新羅を破り、以て臣民《しんみん》と為《な》す。六年丙申《へいしん》を以て、王、躬《みずか》ら□《水か》軍を率《ひき》ゐて残国を討滅す。】

②九年己亥、百残違誓、与倭和通。王、巡下平穣。而新羅遣使、白王云、倭人、満其国境、

潰破城池、以奴客為民。帰王請命。

【九年己亥《きがい》、百残、誓ひに違ひ、倭と和通《わつう》す。王、平穣《へいじょう》に巡下す。而して新羅、使を遣《つか》はし、王に白《まう》して云く、「倭人、其の国境に満ち、城池を潰破《かいは》し、奴客《どきゃく》を以て民《たみ》と為す。王に帰《き》して命《めい》を請《こ》はむ」と。】

③十年庚子、教、遣歩騎五万、往救新羅。従男居城至新羅城、倭満其中。官軍方至、倭賊退□。

【十年庚子《こうし》、教《きょう》して歩騎《ほき》五万を遣はし、往《ゆ》きて新羅を救はしむ。男居城従《よ》り新羅城に至る。倭、其の中に満つ。官軍、方《まさ》に至りて、倭賊退く。】

④十四年甲辰、而、倭不軌侵入帯方界、……倭寇潰敗、斬殺無数。

【十四年甲辰《こうしん》、而るに、倭、不軌《ふき》にして帯方界《たいほうかい》に侵入す。……倭寇潰敗《わこうかいはい》し、斬殺すること無数なり。】

なお、銘文の主体は高句麗であるから、王は高句麗の広開土王である。百残・残国は百済について意図的に意味の良くない文字で表記したもので、当時の高句麗の百済観を現わしている。また、辛卯年＝３９１年、六年丙申＝３９６年、九年己亥＝３９９年、十年庚子＝４００年、十四年甲辰＝４０４年にあてられるが、細かな議論は後章に譲る。

文字が欠落して意味が十分に読み取れない部分もあるが、３９１年頃から朝鮮半島に触手を伸ばした倭は、百済とは連携し、新羅には軍を進めたことに対して、新羅は高句麗に援助を求め、高句麗がその都度百済や倭の軍を撃破した、などのことが記されている。長寿王が父広開土王の功績を讃えるという企図による誇張は割り引く必要もあるが、各国の動向は概ね事実を伝えていると見られる。

ここで注目されるのが、碑文にいう辛卯年＝391年から十四年甲辰＝404年の期間は、右述した葛城襲津彦の活躍時期に平行していることである。すなわち、碑文に刻まれた百済や新羅に対する倭の一連の行動に、葛城氏が無関係であったとは考え難いであろう。それらは襲津彦に代表される葛城氏を中心とした、ヤマト王権中枢の動きであったと解される。かつ、そこに神功皇后紀摂政六十二年条（壬午年／382）や神功皇后紀摂政五年（385）三月条を位置づけて見れば、それらは碑文にいう辛卯年以降の動きの前段をなす出来事であったことも理解される。

ちなみに、『紀』に記された葛城襲津彦の行動は、必ずしもヤマト王権の指示通りではなかったと伝えられるが、「百済記」や「一説」でも両者の関係は良好であったようには記されていない。これは、当時のヤマト王権の対外交渉の方針は、すべてが王権中枢に一元化されていたわけではなく、和・戦など重要項目の最終的決定以外はそのことを担った豪族に委ねられていて、彼らの利害によって左右されることが少なくなかったことを示唆している。

ちなみに、奈良県御所市室《むろ》にあり室大墓《むろのおおはか》とも呼ばれた宮山《みややま》古墳は、周濠をもつ墳丘全長238mの、五世紀初めごろに築造された巨大な前方後円墳である。古墳築造の時期や南部葛城地域では規模が最大であることなどから、早くより葛城襲津彦の墓と目されてきた。1998年9月の台風7号の強風は、奈良県内に大きな被害をもたらしたが、宮山古墳の墳丘上の樹木も多く根《ね》起《おき》した。その根穴から、四世紀末から五世紀初めごろの朝鮮半島南部・伽耶《かや》地域の船形土器や高坏などの陶質土器《とうしつ》が出土し、奇《く》しくも被葬者と朝鮮半島の結びつきを証明することとなった。

また、農業の機械化・近代化を推進する目的での圃場《ほじょう》整備事業が実施されるに先だって、御所市地域の遺跡・遺構の事前調査を実施したところ、後に南郷《なんごう》遺跡群と称される、五世紀代を中心とした多種多様な遺跡・遺物、なかでも渡来系集団との関係が窺われる金属工房遺構や土器、建物が集中的に検出され、葛城氏の積極的な対外活動を考古学からも証明することとなった〈奈良県立橿原考古学研究所／奈良県立橿原考古学研究所附属博物館c／d〉。

雄略天皇が葛城氏を滅ぼし、葛城の地域を直接的な支配下に置こうとしたことの意図は、これらからも類推されるが、そのことを示威する葛城山狩猟に際して、一言主神に象徴される友好的、協力的な集団が存在した半面、それを快《こころよ》く思わない集団も存在した。

秦氏の渡来

秦氏の渡来を歴史的に位置づける必要から、その前後の歴史的状況について述べてきたが、ここで本題に戻ろう。先に、『新撰姓氏録』山城国諸蕃秦忌寸条に、秦氏の祖の弓月王と配下の人民が渡来した当初は「大和の朝津間腋上の地」に居住したと記されることを紹介したが、改めて『記』・『紀』における秦氏の渡来伝承を見てみよう。

応神天皇記には、

又秦造《はたのみやつこ》の祖《おや》、漢直《あやのあたひ》の祖、及《また》酒を醸《か》むことを知れる人、名は仁番《にほ》、亦の名は須須許理《すすこり》等、参渡《まゐわた》り来つ。…

と、須須許理のことを中心に記し、秦氏の渡来状況など具体的記述はない。一方、応神天皇紀十四年（403）是歳条は、次のように具体的に記している。

弓月君《ゆつきのきみ》、百済より来帰《まうけ》り。因《よ》りて奏《まう》して曰《まう》さく、「臣《やつかれ》、己《おの》が国の人夫《たみ》百二十県《こほり》を領《ひき》ゐて帰化《まう》く。然《しか》れども新羅人の拒《ふせ》くに因《よ》りて、皆加羅国に留《とどま》れり」とまうす。爰《ここ》に葛城襲津彦を遣して、弓月の人夫を加羅に召《め》す。然れども三年経《ふ》るまでに、襲津彦来《まうこ》ず。

すなわち、「百済から渡来した弓月君から、国の人夫百二十県を率いて来たが新羅の妨害で加羅国に留まっている、と報告があった。そこで葛城襲津彦を派遣し、弓月の人夫を加羅より召したが、彼は三年経っても帰国しなかった」、という。

そのことの結末は、左に引く応神天皇紀十六年（405）八月条に記載されている。

平群木菟《へぐりのつく》宿禰・的戸《いくはのと》田《だ》宿禰を加羅に遣す。仍りて精兵《すぐれたるいくさ》を授《さづ》けて、詔《みことのり》して曰《のたま》はく、「襲津彦、久に還《かへりまうで》こず。必ず新羅の拒《ふせ》くに由《よ》りて滞《とどこほ》れるならむ。汝等《いましら》、急《すみやか》に往《まか》りて新羅を撃ちて、其の道路《みち》を披《ひら》け」とのたまふ。是に、木菟宿禰等、精兵を進めて、新羅の境に莅《のぞ》む。新羅の王《きみ》、愕《お》ぢて其の罪に服《ふ》しぬ。乃ち弓月の人夫を率て、襲津彦と共に来《まうけ》り。

「平群木菟宿禰と的戸田宿禰に精兵を授けて加羅に派遣し、葛城襲津彦らの帰国を妨げている新羅を攻撃するように命じた。新羅国境まで進軍すると、新羅王は恐れて妨害を止めたので、弓月の人夫を率いて襲津彦とともに帰国した」、という。平群木菟宿禰は先の建内宿禰後裔系譜に見える平群都久宿禰、的戸田宿禰も同じく葛城長江曾都毘古の後裔氏族である的臣氏の祖である。

　要するに、秦氏集団の渡来を促すために葛城襲津彦を派遣したが、対立する新羅との関係で事が進展しなかった。そこで、葛城氏政権の有力構成員である平群木菟宿禰と的戸田宿禰を重ねて派遣して新羅に圧力を加えたことで、漸く秦氏系集団が葛城襲津彦とともに渡来したのである、という。新羅にとって秦氏集団が倭国に渡ることは阻止するべきことであり、倭国には新羅に軍事的圧力を加えてでも実現するべきことであったと語られている。

　『新撰姓氏録』山城国諸蕃秦忌寸条において、秦氏の祖である弓月王と配下の人民が渡来当初は「大和の朝津間腋上の地」に居住したと伝えられることの歴史的背景が、整合的に理解できよう。ヤマト王権から渡来を要請された秦氏集団が、渡来当初は葛城氏の管掌下に置かれていた事情も頷ける。

　ちなみに、この秦氏の渡来は、「高句麗広開土王碑文」にいう十四年甲辰（４０４）の、「倭、不軌にして帯方界に侵入す」とある出来事に照応した動きであったとも解される。帯方郡は、後漢末期に中国遼東《りょうとう》を支配した公孫《こうそん》氏が朝鮮半島黄海道《こうかいどう》から京畿道《けいきどう》北部地域に設置した植民地であり、のちに魏《ぎ》・西晋《せいしん》へと継承された。帯方郡は倭国が中国王朝と交渉する窓口でもあったが、３１３年頃に滅亡した。中国王朝による植民地支配の機関であるから、そこには多くの中国系住民が集住していたであろうが、碑文の十四年甲辰条との関連が認められるならば、秦氏は旧帯方郡の中国系遺民を核にした集団ではなかったかと考えられる。

秦氏集団の集結 ―秦氏への論功行賞―

渡来以来、秦氏系の諸集団は葛城氏に管掌されていた。しかし、即位前の雄略により、眉輪王事件に関わり葛城円大臣が滅ぼされて葛城氏が衰亡するなか、その体制も解体されて秦氏系諸集団は葛城氏以外の各豪族の管掌下に置かれるようになった〈加藤謙吉b〉。このことは先にも少し触れたが、それを語るのが左に引く史料の傍線部①である。

(I)『新撰姓氏録』山城国諸蕃秦忌寸条

大泊瀬《おほはつせ》稚武《わかたける》天皇〈諡は雄略〉の御世に、奏《まを》して偁《まを》す。①普洞王の時に、秦の民《たみ》、惣《すべ》て劫略《かす》められて、今《いま》見在る者は、十に一つも存らず。請《こ》ふらくは、勅使《おほみつかひ》を遣《つかは》して、撿括招集《めしあつ》めたまはむことをとまをす。②天皇、使、小子《ちひさこ》部雷《べのいかつち》を遣し、大隅《おほすみ》、阿多《あた》の隼人《はやと》等を率て、捜括鳩集《まぎあつ》めしめたまひ、秦の民九十二部、一万八千六百七十人を得て、遂に酒に賜ひき。爰《ここ》に秦の民を率て、蚕《かひこ》を養《か》ひ、絹を織り、筐《はこ》に盛り、闕《みかど》に詣《まゐ》でて、貢進《たてまつ》りしに、岳《をか》の如く、山の如く、朝庭《おほには》に積蓄《つ》みければ、天皇嘉《よろこ》ばせたまひて、特に寵《ことあつき》命《みこと》を降したまひ、名を賜ひて、禹都万佐《うづまさ》と曰へり。…諸《もろもろ》の秦氏を役《つか》ひて、八丈《やつゑ》の大蔵を宮の側《かたはら》に構《かま》へて、其の貢物《みつぎもの》を納めしむ。…是の時、始めて大蔵官員《おほくらのつかさびと》を置き、酒を以て長官《かみ》と為す。…

さらに、同じく左の史料の傍線部③もそのことを示している。先章にも引いたので、細かな注釈は割愛する。

(II)『聖誉鈔』「広隆寺造寺勅使大花上秦造川勝臣本系図」酒秦公条

③秦々氏大数八十八首、是葛木曽都比古《カツラキノソトヒコ》手ニ在テ二豆麻乃加知《ウツマサノカチ》槻田加知等《ツキタノカチラ》ニ一、而故考偉《コ》捴テ被ニ劫略一、今見ニ在ル者十分カ不存一ツモ、④天皇遣ニ勅使小子部雷一、率ニ大隅阿多隼人等ヲ一、サクリククリ集テ、秦ノ氏九十二部、一万八千六百七十人得タリ、

右史料(I)・(II)の傍線部②・④は、葛城氏が滅んで後に諸豪族の管掌下に散在していた秦氏系の諸集団を、秦氏本宗の下に再集結させたことを伝えた部分であり、④は②もしくはそれと同系の原史料を用いている。秦氏系諸集団の再集結は秦氏に対する優遇策であり、一言主神との友好的関係に象徴される秦氏系集団の、雄略天皇に対する協力的行動に対する論功行賞であったと解される。そのことは、左に引く雄略天皇紀十五年条からも知られる。

(III)雄略天皇紀十五年条

秦の民を臣連等に分散《あか》ちて、各《おのおの》欲《ねがひ》の随《まま》に駈使《つかひまつ》らしむ。秦造に委《ゆだ》にしめず。是に由りて、秦造酒、甚《にへさ》に以て憂《うれへ》として、天皇に仕《つか》へまつる。天皇、愛《うつくし》び寵《めぐ》みたまふ。詔して秦の民を聚《と》りて、秦酒公に賜ふ。公、仍《よ》りて百八十種勝《ももあまりやそのすぐり》を領率《ひき》ゐて、庸調《ちからつき》の絹縑《きぬかとり》を奉献りて、朝庭《みかど》に充《つ》積む。因りて姓を賜ひて禹豆麻佐《うつまさ》と曰ふ。〈一に云はく、禹豆母利麻佐といへるは、皆盈《み》て積める貌《かたち》なり。〉

ちなみに、右の下線部②・④において、秦氏系諸集団の再集結に小子部雷という人物が尽力したと伝えられるが、そのことは『紀』では秦氏諸系集団の再集結とは分離され、次に引く少子部連氏の始祖説話として記されている。

(Ⅳ)雄略天皇紀六年三月丁亥条
天皇、后妃《きさきみめ》をして親《みづか》ら桑《くは》こかしめて、蚕《こかひ》の事を勧めむと欲《おもほ》す。爰に蜾蠃《すがる》〈蜾蠃は、人の名なり。此をば須我屢《すがる》と曰ふ。〉に命《ことおほ》せて、国内《くにのうち》の蚕《こ》を聚《あつ》めしめたまふ。是に、蜾蠃、誤りて嬰児《わかご》を聚めて、天皇に奉献《たてまつ》る。天皇、大きに咲《みゑら》ぎたまひて、嬰児を蜾蠃に賜ひて曰はく、「汝、自ら養《やしな》へ」とのたまふ。蜾蠃、即ち嬰児を宮墻《みやのみかき》の下《ほとり》に養《ひだ》す。仍りて姓を賜ひて、少子《ちひさこ》部連《べのむらじ》とす。

雄略天皇が后妃たちに養蚕を勧めるために、少子部連蜾蠃に蚕を集めることを命じたが、間違って幼児を集めたので天皇は蜾蠃に養育させた、という。それで少子部という氏名《うぢな》を賜わったのであるという、表面的には笑い話のような少子部連氏の起源譚である。

この(Ⅳ)にいう蚕の収集が、先の(Ⅰ)・(Ⅱ)・(Ⅲ)の各史料に見える秦氏集団再集結の説話化であることは明瞭である。それが蚕であることに、微かに秦氏との関連を示している。それに尽力した蜾蠃という珍しい名の意味は後述するが、彼が小子部連雷の名を与えられることは次の史料が伝えている。

(Ⅴ)雄略天皇紀七年七月丙子条

天皇、少子部連蜾蠃に詔して曰はく、「朕《われ》、三《み》諸岳《もろのをか》の神の形を見むと欲《おも》ふ。〈或いは云はく、此の山の神をば大物主神《おほものぬし》と為ふといふ。或いは云はく、菟田《うだ》の墨坂《すみさか》神なりといふ。〉汝《いまし》、膂力人《ちからひと》に過ぎたり。自ら行きて捉《とらへゐ》て来《まうこ》」とのたまふ。蜾蠃、答へて曰さく、「試《こころみ》に往《まか》りて捉へむ」とまうす。乃ち三諸岳に登り、大蛇《をろち》を捉取《とら》へて、天皇に示《み》せ奉《たてまつ》る。天皇、斎戒《ものいみ》したまはず。其の雷虺虺《かみひかりひろめ》きて、目精《まなこ》赫赫《かかや》く。天皇、畏《かしこ》みたまひて、目を蔽《おほ》ひて見たまはずして、殿中《おほとの》に却《かく》入れたまひぬ。岳に放《はな》たしめたまふ。仍りて改めて名を賜ひて雷《いかづち》とす。

これも(Ⅳ)と同じく少子部連氏系の原史料に由るのではないかと思われるが、三輪山の大物主神（名神大社の大神大物主神社／桜井市三輪）、あるいは墨坂神（墨坂神社／宇陀市萩原）を捕捉することに少子部連蜾蠃が尽力したので雷という名を与えられたという物語だが、捉える対象が蚕から幼児、さらに蛇身の雷神と変化している。(Ⅰ)の『新撰姓氏録』山城国諸蕃秦忌寸条や(Ⅱ)の『聖誉鈔』「広隆寺造寺勅使大花上秦造川勝臣本系図」酒秦公条の小子部雷と、(Ⅳ)の雄略天皇紀六年三月丁亥条や(Ⅴ)の雄略天皇紀七年七月丙子条の少子部連蜾蠃は同一人物であり、各史料が同じ出来事についての異伝であることが知られる。

また、雷という名からも推察されるように、少子部連氏が雷神を祭祀していた集団であることも知られる。雷神祭祀と養蚕の関連は後述するが、これは無意味な物語の展開ではなく、三輪山の大物主神祭祀の変化をも示唆している。

なお、雄略天皇紀において一連の同じ出来事に関わる事柄を伝えるものであったと見られる(Ⅲ)・(Ⅳ)・(Ⅴ)のうち、(Ⅲ)だけ離れた別の年次に編まれているのは、(Ⅳ)・(Ⅴ)の原史料が少子部連氏の起源物語として伝えられたものであったからであろう。

やや煩瑣な記述を連ねたので、これまで述べた要旨を以下に列記しよう。

Aヤマト王権の求めにより葛城襲津彦にともない渡来した秦氏は、当初は葛城朝妻周辺に居住し、葛城氏の管掌下に置かれていた。

B眉輪王事件に関わり雄略天皇の即位前に葛城円大臣が滅ぼされ、葛城氏が衰亡して以降は、秦氏系の諸集団は葛城氏の管轄から離れ、各豪族に委ねられていた。

C雄略天皇の寵愛を受けた秦酒公（弓月君の孫）が、秦氏系諸集団の再集結を願い出て、秦氏本宗の下にそれが実現した。これは高度な技術が必要な養蚕機織集団の集結であり、高級織物を求めていたヤマト王権の需要と一致し、彼らからの調物が王権に集積された。

Dその秦氏系集団の集結には、少子部連蜾蠃（小子部栖軽／小子部雷）と大隅・阿多の隼人が活躍したが、ヤマト王権による南九州出身の大隅・阿多隼人の直接的な使役は、それまで隼人系諸集団を統轄していた日向諸県君氏系の日下宮王家（眉輪王）が雄略天皇に滅ぼされた結果でもある。

要するに、多くの豪族の管掌下に散在していた秦氏系諸集団が、雄略朝に秦氏本宗のもとに集結されて、王権による直轄的存在として再編成されたことは確かである。秦氏本宗にしてみれば、これは雄略天皇による秦氏優遇策でもある。これらのことの前段をなすのが、雄略天皇による葛城地域占有の示威を目的とした葛城山狩猟の際に、一言主神が顕現し協力的、友好的であったという出来事であった。これは、葛城の一言主神を奉斎した秦氏系集団と雄略天皇の関係を、比喩的に表現したものである。

ちなみに、(I)の『新撰姓氏録』山城国諸蕃秦忌寸条で、小子部雷が大隅隼人・阿多隼人を率いて秦氏系集団を秦氏本宗の下に集結させたとあるなかに、前触れもなく大隅隼人・阿多隼人が登場する。隼人と秦氏や少子部連氏の関係は他に知られず、唐突感が否めない不思議な所伝である。原史料は秦氏から出たものであろうが、これが創作だとしても、その理由が思いつかない。

ただし、神武天皇記の神八井耳命《かみやいみみのみこと》の後裔系譜によれば、小子部連氏は意富《おお》臣・坂合部《さかいべの》連《むらじ》・火君《ひのきみ》・大分君《おおきだのきみ》・阿蘇君《あそのきみ》・筑紫三家連《つくしのみやけのむらじ》・雀部臣《さざきべのおみ》氏ら十八氏と同祖とある。意富臣は『記』の撰述者太安万侶《おおのやすまろ》の出た太臣・多臣であり、火君は肥後（熊本県）の肥君、坂合部連は隼人系氏族である。要するに、少子部連氏は、隼人系の坂合部連氏や火君・大分君・阿蘇君・筑紫三家連氏ら九州を本貫とする氏と同祖関係（おそらくは擬制的）にあったことが知られ、隼人を率いたと伝えられることの歴史的背景が推知される。

少子部連蜾蠃の真実　―蜂に捕らわれた雷神―

右に、葛城氏衰亡後に各豪族の管掌下に散在していた秦氏系諸集団の、秦氏本宗下への集結に少子部連蜾蠃が尽力したことを述べたが、彼がそのことに従った理由について、蜾蠃という名前と関わって考えよう。

『日本霊異記』上巻巻頭の「雷《いかづち》を捉《とら》ふる縁《ことのもと》」は、(V)の雄略天皇紀七年七月丙子条における雷神捕捉を強調した物語である。

> 小子部栖軽《すがる》は、泊瀬朝倉宮に二十三年天下治めたまひし雄略天皇〈大泊瀬稚武天皇と謂す〉の随身肺脯の侍者なり。天皇磐余宮《いはれのみや》に住みたまふ時に、天皇、后と大安殿に寐《ね》て婚合《くなか》ひたまふ時に、栖軽知らずして参入《まゐ》る。天皇恥ぢて輟《や》みたまひぬ。時に当りて空に雷《いかづち》鳴る。即ち天皇、栖軽に勅《おほせこと》して詔《のたま》はく「汝《なんじ》、鳴る雷を請《う》け奉《たてまつ》らむや」とのたまふ。答へて曰さく「請けたてまつらむ」とまうす。天皇詔曰はく「爾《しか》らば汝請け奉れ」とのたまふ。栖軽勅を奉《うけたまは》り、宮より罷《まか》り出で、緋《あけ》の蘰《かづら》を額《ひたひ》に著《き》、赤き幡桙《はたほこ》を擎《ささ》げて、馬に乗り、阿倍山田の前の道と豊浦《とゆら》寺の前の路とより走り往き、軽《かるの》諸越《もろこし》の衢《ちまた》に至り、叫《さけ》び請《むか》へて言さく「天に鳴る雷神《いかづちのかみ》、天皇請《むか》へ呼び奉る」とまうす。然うして此より馬を還《かへ》して走りて言さく「雷神なりと雖とも、何故か天皇の請を聞かざらむや」とまうす。走り還る時に、豊浦寺と飯岡《いひをか》との間に鳴る雷落ちて在り。栖軽見て即ち神司《かみつかさ》を呼び、輿籠《こしこ》に入れて持ちて大宮に向《いた》る。天皇に奏して言さく「雷神を請へ奉る」とまうす。時に雷光を放ち明《ひか》り炫《かかや》く。天皇見たまひて恐りて、偉《たたは》しく幣帛を進《たてまつ》りたまひ、落ちたる処に還さ令《し》めたまふ。其の落ちたる処は、今に雷崗《いかづちのをか》と呼ぶ。〈古京の小治田《をはりだ》宮の北に在り〉。
> …所謂古京の時に名づけて雷崗と為《い》ふ語《こと》の本《もと》是れなり。

小子部栖軽（少子部連蜾蠃）が実際にこうして雷神を捕捉したとは信じ難いことだが、雄略天皇紀七年七月丙子条や『日本霊異記』の説話からは、少子部連氏が雷神を祭祀していたことは読み取れよう。おそらくそれは、雷岡（奈良県明日香村）で行なっていたと思われるが、それと秦氏の養蚕機織の関連が問題となる。このことについては以前に述べたので〈平林章仁d〉、結論のみを摘記しよう。

・少子部連氏の本貫は、同氏が奉斎した大和国十市《とおち》郡の式内大社、子部《こべ》神社が鎮座する十市郡飫富《おお》郷（奈良県磯城《しき》郡田原本《たわらもと》町多《おお》から橿原市飯高《ひだか》町）辺りであろう。橿原市飯高町の子部神社の西には、式外の蜾蠃神社も鎮座する。

・子部神社の北東約２㎞の田原本町秦庄《はたのしょう》には聖徳太子の寵臣の秦河勝《かわかつ》が創建したと伝える秦楽寺《じんらくじ》があり、少子部連氏と秦氏集団の地縁的な近しい関係が想定される。

・蜾蠃が小さな子を集める話型は、詩歌約３００篇を載せる中国最古の詩集『詩経《しきょう》』「小《しょう》雅《が》」小宛《しょうえん》の、左の部分（上：原文、下：日本語訳）が参考になる〈目加田誠〉。

中原有菽　原の中にまめがあれば
庶民采之　もろびとがこれを采り
螟蛉有子　桑虫に子が有れば
蜾蠃負之　土蜂が負うという
教誨爾子　そなたの子を教え導き
式穀似之　親に似たよき子にするがよい

・蜾蠃とはジガバチのことで、土中に巣を作り、青虫など他の幼虫を針で刺して麻痺状態にして集め、自分の幼虫の餌として巣に貯える習性がある。傍目には、それが他者の子を養うように見えたのである。右は昆虫の蜾蠃は螟蛉＝桑虫（蚕）を集め、人間の蜾蠃は蚕ではなく人の子を集めた、という奇知的な物語であるが、その背景には『詩経』的な知識の存在が透けて見える。

・蜾蠃の行為と養蚕の結びつきは、『詩経』の「…螟蛉有子　蜾蠃負之…」という句から推し測ることができるが、古代中国では神聖な桑林の中で豊穣・降雨・懐妊などを願い催された神婚儀礼、雷神祭儀が復原されている。桑林を聖所とするこの祭儀の背景には、養蚕機織文化《ようさんはたおり》・養蚕機織集団との関係が想定される〈石田英一郎／白川静／聞一多／志田諄一〉。

要するに、少子部連氏が中国伝来の養蚕機織文化に親しんだ集団であったことは間違いなく、それは秦氏との関係においても親和的である。かつそれらは、後述する中国南朝の宋《そう》との交渉とも無縁でなかったと想定されるが、秦氏が旧帯方郡の中国系官僚の系譜を引く集団であったとすれば、雄略朝の文化的傾向としても首肯される。

したがって、(Ⅳ)の雄略天皇紀六年三月丁亥条と(Ⅴ)の雄略天皇紀七年七月丙子条は、本来は少子部連蜾蠃に関わる一連の所伝であったとみられるが、雄略天皇紀では両記事の間に六年四月条の「夏四月に、呉国《くれのくに》、使を遣して貢献る。」という一条を配置しているのは、意味があってのことと解される。

ちなみに、『紀』に見える呉国は中国南朝であるが、朝鮮半島南部にあてる説もあるので〈金廷鶴／李永植〉、一言しておこう。応神天皇紀三十七年二月条には、倭漢《やまとのあや》氏の祖の阿知使主《あちのおみ》と子の都加使主《つかのおみ》が縫工女《きぬぬいめ》を求めて呉に派遣されが経路が分からなかったので、高麗国（高句麗国）へ行き高麗王の助力を得て目的を達したとある。呉が朝鮮半島南部に求められるならば、このような記事はあり得ない。また、推古天皇紀十七年（609）四月庚子条に、肥後国の葦北津《あしきたのつ》（熊本県芦北町）に漂着した百済僧らが「百済王、命《ことおほ》せて呉国に遣す。其の国に乱有りて入ること得ず。…」と語ったとみえる。この「呉国」が百済僧から発せられたものか、あるいは倭国側の記録、それとも『紀』編纂時の用字であるか容易には判断できないが、これも朝鮮半島南部でないことは明白であろう。時の中国は北朝系の隋が統治する世であり、『紀』は隋をも「大唐」と記しているが、それでもなお呉国と称しているところにこの呼称の根の深いことが思われる。

おそらく、呉国との通交に関わる応神天皇紀三十七年二月、同四十一年二月是月条、雄略天皇紀八年二月条、同十年九月戊子条、同十二年四月己卯条、同十四年正月戊寅条から四月甲午朔条など、各所伝は伝説的ではあるが、重大な事実が含まれていると考えられる〈末松保和〉。

秦氏とクラと蘇我氏

ところで、先に引用した『新撰姓氏録』山城国諸蕃秦忌寸条や欽明天皇即位前紀には、秦氏が王権のクラの職務に従事したとある。それに関わる所伝が、斎部《いんべ》（忌部）広成《ひろなり》が大同二年（807）に撰述した氏族誌『古語拾遺《こごしゅうい》』の雄略天皇段にも記載されている。そこでは蘇我氏による三蔵検校伝承に関わり、秦氏系諸集団の集結が伝えられることも参考になる。

蜾瀛神社

秦楽寺（田原本町秦庄）

長谷朝倉朝に至りて、秦氏分れ散《あら》けて、他族《ことうぢ》に寄り隷《つ》きき。秦酒公《さけのきみ》進仕《みやづか》へして寵《みめぐみ》を蒙《かがふ》る。詔して秦氏を聚《つど》へて、酒公に賜ひき。仍りて、百八十種の勝部《すぐりべ》を率領《ゐ》て、蚕《こがひ》し織《はたお》りて調《みつき》を貢り、庭中《おほにわ》に充積《つ》ましむ。因りて姓《うぢ》を宇豆麻佐と賜ひき。〈言ふこころは、積む随《まにま》に埋み益すなり。貢《たてまつ》れる絹・綿、肌膚《はだ》に軟らかなり。故、秦の字を訓みて、波陀と謂ふ。仍りて、秦氏の貢れる絹を以て、神を祭る剣の首《たかみ》を纏く。今の俗も猶然《なほしか》り。所謂秦の機纏《はたまき》の縁《ことのもと》なり。〉此より後、諸国の貢調《みつきもの》、年年に盈《み》ち溢《あふ》れき。更に大蔵を立てて、蘇我麻智《まち》宿禰をして三蔵《みつのくら》〈斎蔵《いみくら》・内蔵・大蔵〉を検校《しら》しめ、秦氏をして其の物を出納《あげおろし》せしめ、東西《やまとかふち》の文氏《ふみうぢ》をして其の簿《しるしぶみ》を勘《かむが》へ録《しる》さしむ。是を以て、漢氏《あや》に姓を賜ひて、内蔵・大蔵と為す。今、秦・漢の二氏をして、内蔵・大蔵の主鑰《かぎのつかさ》・蔵部《くらひとべ》と為す縁《ことのもと》なり。

所伝前半部の内容は、(Ⅲ)の雄略天皇紀十五年条などとほぼ同意文であるが、後半部の蘇我氏による王権の三蔵検校は、ここにしか見えない独自な内容である。ここでの秦氏系諸集団の集結には少子部連蜾蠃は登場せず、蘇我氏に関わり秦氏系諸集団集結と調貢進の功績、秦氏が王権のクラ職務へ従事することの起源が伝えられているところに特徴がある。

所伝の信憑性については、王権の収納機関のクラが内蔵と大蔵に分立するは、七世紀中ごろ以降のことであるから〈石上英一〉、記述通りのことがあったとは考えられない。しかし、この記事から、ある時期に蘇我氏が王権のクラのことに参与したという主張は認められよう。また、蘇我氏や秦氏らの関連所伝が、斎部氏の氏族誌に見えることにも留意する必要がある。

蘇我氏と王権のクラとの関係を示す事柄としては、欽明天皇記に見える「宗賀之倉王《そがのくら》」（母は春日日爪《かすがのひつまのおみ》臣の娘、糠子郎女《あらごのいらつめ》）が知られる。宗賀之倉王は、母が宣化天皇の娘の日影《ひかげ》皇女と異なるが、欽明天皇紀二年（５４１）三月条に見える「倉皇子」と同一人物であろう。天平五（733）年成立の『出雲国風土記』意宇《おう》郡舎人《とねり》郷（島根県安来市）条には、欽明朝に大舎人として供奉した「倉舎人君《くらのとねりのきみら》等の祖日置《ひおきのおみしび》臣志毗」の名が見える。倉舎人君氏は、この宗賀之倉王（倉皇子）に仕奉していたとみられる。

また、舒明《じょめい》天皇即位前紀には、推古天皇が亡くなった際の新天皇推戴《すいたい》会議に参加した群臣の一人に、蘇我倉麻呂（馬子の子、またの名は雄当《おまさ》）が見える。さらに彼の三人の男子のうち、大化の右大臣が蘇我倉山田石川麻呂であり、天智朝の右大臣の蘇我連《むらじこ》子と左大臣の蘇我赤《あか》兄《え》は、ともに「蔵大臣」と称された（『公卿補任』）。これらのことから、蘇我氏の中でも蘇我倉氏を称する集団が、ヤマト王権のクラ関係の職務に従事していたと考えられる。

ちなみに、律令制以前の王権のクラは、官僚制や中央常備軍などの国家組織が未熟なため、国家経費の収納と支出を扱う財政官司としての機能よりも、貴重品・威信財《いしんざい》の調達や収蔵、加工が主であった。ゆえに、天皇の正宮に近接して存在する必要性は乏しく、大和や河内の交通の要衝に分散して設置され、そこには手工業製品を加工、生産する工房と工人集団が附属していた〈平林章仁e〉。

こうした王権のクラの実態は、大阪市中央区法円坂《ほうえんざか》にある、前期難波宮（孝徳朝の難波長柄豊碕宮に比定）の下層から検出された五世紀中ごろから後半の、建物規模が桁行《けたゆき》10ｍ×梁行《はりゆき》９ｍ前後で平均床面積92㎡という、規格を統一した16棟以上の大型の高床倉庫群や〈積山洋・南秀雄／大阪市文化財協会〉、紀ノ川河口に位置する和歌山市善明寺の鳴滝《なるたき》遺跡から出土した五世紀前半から中ごろの、整然と建てられた七棟の高床倉庫群〈和歌山県史編さん委員会〉などから、垣間見ることができる。

分散していた諸集団が集結した後に、秦氏は蘇我倉氏の下僚として王権のクラの職務に従事していたのであり、奈良県斑鳩《いかるが》町の中宮寺《ちゅうぐうじ》に伝来する、廐戸《うまやと》皇子（聖徳太子）妃の橘《たちばなの》大郎女《おおいらつめ》が製作させたという『天寿国曼荼羅繡帳《てんじゅこくまんだらしゅうちょう》』銘文に、製作監督者として「椋部《くらべ》秦久《はたのく》麻《ま》」の名が見えるのも故なしとしない。椋部とは蔵部であるが、椋部秦久麻からは秦氏系機織集団による繡帳製作も推察される。

先に伊勢国の水銀について述べた際に引いた欽明天皇即位前紀に、欽明天皇が寵愛した秦大津父を「大蔵省に拝けたまふ」とあった。「大蔵省」は令制的知識による文飾であるが、これは鉱工業技術集団を率いる秦氏とクラの関係を伝えたものである。また、王権のクラの職務に従事した秦氏系諸集団の集結を伝えた(I)の『新撰姓氏録』山城国諸蕃秦忌寸に、「諸の秦氏を役ひて、八丈の大蔵を宮の側に構へて、其の貢物を納めしむ。…是の時、始めて大蔵官員を置き、酒を以て長官と為す」とあることや、『新撰姓氏録』左京諸蕃上条に載る「秦長蔵連《ながくらのむらじ》」、同じく左京諸蕃上の秦忌寸条に見える「大蔵秦公《はたのきみ》志勝《しょう》」なども、秦氏と王権のクラの関係を示す傍証となる。なお、長蔵とは、王権の大蔵建築などとして採用された、数棟の高床クラ建物を連結させた大規模なクラ建築のことで、右の「八丈の大蔵」に相当するが、奈良東大寺の正倉院にその遺制を見ることができる。

王権のクラの職務に従事した集団には、同じく渡来系の東・西の文氏らもいるが、秦氏のそれへの登用は、一言主神の顕現に象徴される出来事以降の、王権による秦氏優遇策の一環であったと考えられる。

三輪山の大物主神祭祀と中国南朝系文化

さて、少子部連蜾蠃の物語には中国南朝・宋との交流の影響が考えられると述べたが、次に引く雄略天皇紀十四年（470）正月条から四月条がその傍証となる。

十四年春正月丙寅朔戊寅に、身《む》狭《さの》村主《すぐり》青《あを》等、呉国《くれのくに》の使《つかひ》と共に、呉の献れる手末《たなすゑ》の才伎《てひと》、漢織《あやはとり》・呉織《くれはとり》及び衣縫《きぬぬひ》の兄《え》媛《ひめ》・弟媛《おとひめ》等を将《ゐ》て、住吉津《すみのえのつ》に泊《とま》る。
是の月に、呉の客《まらうと》の道を為《つく》りて、磯歯津路《しはつみち》に通《かよは》す。呉坂《くれさか》と名《なづ》く。
三月に、臣連に命《みことおほ》せて呉の使を迎ふ。即ち呉人を檜隈野《ひのくまの》に安置《はべ》らしむ。因りて呉原《くれはら》と名く。衣縫の兄媛を以て、大三輪神に奉《たてまつ》る。弟媛を以て漢衣縫部《あやのきぬぬひべ》とす。漢織・呉織の衣縫は、是飛鳥衣縫部・伊勢衣縫部が先《おや》なり。
夏四月甲午朔…（石上高抜原《いそのかみのたかぬきのはら》で呉人歓待の饗宴を開催）。

身狭村主青等とは身狭村主青と檜隈民使博徳《ひのくまのたみのつかいはかとこ》であるが、右に先立つ雄略天皇紀十二年（468）四月己卯条に呉へ派遣されたと見える。住吉津は、大阪市住吉《すみよし》区に存在したヤマト王権の港津、檜隈は奈良県明日香村檜前《ひのくま》、呉原は明日香村栗原《くりはら》にあたる。

『宋書』からは468年の倭からの遣使を確認できないが、彼らが雄略朝に宋へ派遣されたことまで疑う必要はなかろう。右より先の、雄略天皇紀八年（464）二月条にも身狭村主青と檜隈民使博徳を呉国に派遣し、十年（466）九月戊子条に呉から鵝《が》（鵞鳥）二羽を携えて帰国したとあるが、これも『宋書』には記録がない。

身狭は牟佐とも記し、大和国高市郡牟佐（奈良県橿原市見瀬）の地名である。応神天皇紀二十年（409）九月条に渡来したと記される阿知使主《あちのおみ》と子の都加使主《つかのおみ》を祖とする、倭漢《やまとのあや》（東漢）氏に統轄された集団の中に牟佐村主《むさのすぐり》が見える（『坂上系図』所引『新撰姓氏録』逸文／『続群書類従』七下）。『新撰姓氏録』左京諸蕃下の牟佐村主は「呉の孫権《そんけん》の男、高自《かうよ》り出づ。」とあり、中国・三国時代の呉の初代皇帝孫権の後であることは確かめられないが、出自で呉国との関係を主張していることは留意される。また、『新撰姓氏録』未定雑姓摂津国の牟佐呉公《くれのきみ》も、「呉国王の子、青清《せいせい》王の後なり。」とあり、牟佐に居住した渡来系集団がいずれも出自を呉国に求めていることは、留意されよう。

檜隈（檜前）は雄略天皇紀十四年三月条に呉人を安置したと伝える場所であるが、檜隈民使博徳も同じく倭漢氏系の民使主首《おびと》（民使首）、もしくは檜前村主の祖であろう。

ところで、倭漢氏の祖の阿知使主と子の都加使主は、応神天皇紀三十七年（426）二月戊午朔条と同紀四十一年（430）是月条に、縫工女《きぬぬいめ》を求めて呉に派遣され、同紀四十一年是月条には渡来したその一部を「胸形大神《むなかたのおおかみ》」（名神大社の宗像《むなかた》神社／福岡県宗像市）に奉献したとある。また、都加使主は雄略天皇紀七年（463）是歳条に「東漢直掬《やまとのあやのあたいつか》」と見え、百済から新しく渡来した「新漢《いまきのあや》」（今来才伎《いまきてひと》）を統轄したと記されている。

いずれにしても、『古語拾遺』で王権のクラの職務に従事したとある渡来系の秦氏と倭漢氏が、ともに中国南朝との交渉に従事していたとみられることは興味深い。三輪山の大物主神祭祀と中国・南朝系の養蚕機織文化および少子部連蜾蠃との関係を考える際に、雄略天皇紀十四年三月条に呉から渡来した「衣縫の兄媛を以て、大三輪神に奉る」と伝えられることは注目される。すなわち、高度な技術をもち中国・南朝から渡来した織姫たち、養蚕機織集団が大三輪神（大物主神）に奉献されたという。これにより、大物主神の祭祀に中国南朝系文化の影響が及んだであろうことは想像するに難くない。これまで重ねた煩瑣な論述の要点を以下に摘記して、論旨を明快に示そう。

・雄略朝に各豪族の統轄下に置かれていた秦氏系の諸集団を、雄略天皇の指示をうけて秦氏本宗の下へ集結させることに尽力したのは、少子部連蜾蠃（小子部栖軽／小子部雷）であった。
・少子部連蜾蠃が大物主神・雷神を捕捉したという(V)や『日本霊異記』の物語は、彼らが中国南朝系文化を受容した集団であったことを示しているが、そこには秦氏の介在が想定される。このことは、三輪山の大物主神の祭祀のあり方にも影響を与えた可能性がある。
・中国の南朝から渡来した織姫たちを大物主神に奉献したことは、右の所伝と無縁でない。

ちなみに、雄略天皇と大物主神祭祀、それを担った三輪君氏の関係は次の雄略天皇即位前紀の所伝が参考になる。

冬十月癸未朔に、天皇、穴穂《あなほ》天皇の、曾《いむさき》、市辺押磐《いちのへのおしは》皇子を以て、国を伝へて遙に後事を付《ゆだ》に嘱《つ》けむと欲《おもほ》ししを恨《うら》みて、乃ち人《つかひ》を市辺押磐皇子のもとに使《や》りて、陽《いつは》りて校猟《かり》せ

む と期《ちぎ》りて、遊郊野《のあそび》せむと勧《すす》めて曰はく、「近江の狭狭城《ささき》山 君韓帒《やまのきみからふくろ》、言さく、『今近江の来田綿《くたわた》の蚊屋野《かやの》に、猪鹿、多《さは》に有り。其の戴《ささ》げたる角、枯樹の末《えだ》に類《に》たり。其の聚《つど》へたる脚《あし》、弱木株《しもとはら》の如し。呼吸《いぶ》く気息《いき》、朝霧に似たり』とまうす。願はくは、皇子と、孟冬《かむなづき》の作陰《すず》しき月、寒風の粛殺《かすか》なる晨《とき》に、将《まさ》に郊野《の》に逍遥《あそ》びて、聊《いささか》に情《こころ》を娯《たのし》びしめて騁《は》せ射《い》む」とのたまふ。市辺押磐皇子、乃ち随《したが》ひて馳猟《かり》す。是に、大泊瀬天皇、弓を彎《ひきまかな》 ひ馬を驟《は》せて、陽《いつは》り呼《よば》ひして、「猪有り」と曰ひて、即ち市辺押磐皇子を射殺《いころ》したまふ。皇子の帳内《とねり》佐伯部売輪《うるわ》〈更の名は仲手《なかち》子《こ》〉、屍を抱《うだ》きて駭《いわ》け惋《あわ》てて、所由《せむすべ》を解《し》らず。反側《こいまろ》び呼《よば》ひ号《おら》びて、頭脚《あとまくら》に往還《かよ》ふ。天皇、尚誅《みなころ》したまひつ。

是の月に、御馬皇子、曾より三輪君身狭《むさ》に善《うるは》しかりしを以ての故に、慮 遣《みこころや》らむと思欲《おもほ》して往《い》でます。不意《おもひのほか》に、道に邀 軍《たふるいくさ》に逢ひて、三輪の磐井《いはゐ》の側《ほとり》にして逆戦《あひたたか》ふ。久にあらずして捉はる。刑《つみ》せらるるに臨みて井を指《さ》して詛《とご》ひて曰はく、「此の水は、百姓《おほみたから》のみ唯飲むこと得む。王 者《ひとのきみたるひと》は、独《ひとり》飲むこと能《あた》はじ」といふ。

十一月壬子朔甲子に、天皇、有司《つかさ》に命《みことおほ》せて、壇《たかみくら》を泊瀬の朝倉に設けて、即天皇位《あまつひつぎしろしめ》す。

市辺押磐皇子は履中天皇の子、母は葛城襲津彦の子の葦田《あした》宿禰の娘の黒媛《くろひめ》、御馬皇子は市辺押磐皇子の同母弟で、いずれも母系が葛城氏系の王族である。市辺押磐皇子の宮が、三輪山の北方約7㎞に鎮座する石上神宮にほど近い石上市辺宮《いそのかみのいちのへのみや》（奈良県天理市石上辺り）であったことは、顕宗天皇即位前紀の歌謡から知られる。ここでの課題に関わる要点を、右の所伝から読み取り列記しよう。

・葛城氏系石上市辺宮王家（市辺押磐皇子）は、即位前の雄略の謀略により敗退し、衰退して後の顕宗・仁賢天皇は難を逃れて播磨に隠棲した。
・石上市辺宮王家と三輪君氏が親密な関係にあり、御馬皇子の「三輪の磐井」呪祖はその結びつきの深いことを示している。雄略にとり三輪君氏は、いわば抗争相手の与党集団であった。このことは、三輪君氏が奉斎する大物主神の祭祀にも影響を及ぼした可能性がある。
・雄略天皇紀十四年四月甲午朔条に「石上高抜原《いそのかみのたかぬきのはら》で呉人歓待の饗宴を催」したとあるが、これは雄略天皇を快く思わない兄の安康天皇の石上穴穂宮《いそのかみのあなほのみや》と石上市辺宮王家の拠地を、兄たちの死後に雄略天皇が継承したことを示威する、政治的儀礼の意味も含まれていたと解される。

要するに、石上市辺宮王家の衰退の際に、親密な関係にあった三輪君氏が奉斎した大物主神の祭祀にも、波紋が及んだ可能性も想定される。その直後に、雄略天皇から中国・南朝系の織姫たちが大三輪神に奉献されたのであり、これが大物主神の祭祀に与えた影響は小さくなかったと推察される。

王権と関係深い神への南朝系の「工女兄媛」奉献は、先に引いた応神天皇紀四十一年是月条の「胸形大神」に先例がある。その後裔が御使君《みつかいのきみ》氏とあるが、筑前《ちくぜん》国宗像《むなかた》郡の名神大社、織幡《おりはた》神社（宗像市鐘崎）は彼らが奉斎したとみられる。

大三輪神への南朝系織姫の奉献と秦氏および少子部連蜾蠃の具体的な結びつきは詳らかで

はないけれども、少子部連蜾蠃のよる大物主神捕捉物語が成立したのは、このような歴史的状況においてであった。加えて、これらは、次に述べる葛城賀茂氏が大物主神を祖神、その裔《すえ》の大田田根子命《おおたたねこのみこと》を始祖として位置づけを変更したことに、連環した動きでもあったと思われる。

第五章　雄略天皇に追放された葛城の高鴨神の真実

高鴨神の葛城復祠

『紀』に続く国家の正史『続日本紀』（797年完成）によれば、雄略天皇は葛城の高鴨《たかかも》神を土左国（高知県）に追放したが、奈良時代の称徳《しょうとく》天皇の時にもとの葛城に復祠《ふくし》することを認めたという。この所伝をめぐり、事実とではないと否定する論から高鴨神の神格をめぐる説まで議論が紛糾し、未だ収斂していない。これは何よりも、高鴨神の土左放逐と葛城復祠をめぐる歴史的状況と賀茂氏の実態が解明されていないことに起因すると思われる。

ここでは、高鴨神の土左放逐および葛城復祠をめぐる歴史的状況と高鴨神祭祀の事実関係を解明し、さらには葛城賀茂氏の歴史的変動を究明する。すなわち、一言主神・秦氏の場合とは異なる雄略天皇と葛城地域および賀茂氏の関係について歴史の復原を試みる。

そこでまず、その基本史料である『続日本紀』天平宝字八年（764）十一月庚子条を左に示そう。

復《また》高鴨神を大和国葛上郡に祠《まつ》る。高鴨神は法臣円興《はふしんゑんこう》・弟中衛将監《ちうゑのしやうげむ》従五位下賀茂朝臣田《た》守《もり》等言さく、「昔、大泊瀬天皇葛城山に獦《かり》したまひし時、老夫《おきな》有りて、毎《つね》に天皇と相逐《あいお》ひて獲《えもの》を争ふ。天皇怒《いか》りて、その人を土左国に流したまふ。先祖の主《つかさど》れる神化《くゑ》して老夫と成り、爰に放逐《はうちく》せらる」とまうす。〈今前記を検《かむが》ふるに、その事を見ず〉是に、天皇乃《すなは》ち田守を遣して、これを迎へて本処《ほんしょ》に祠らしむ。

中衛将監は天皇の側近で警固に従事した令外官《りょうげのかん》（令規定外の官）の武官で、中衛府の将監（第四位の官、定員四名）のことである。すなわち、天平宝字八年九月に権力を恣にしていた藤原仲麻呂が政争に敗れ、十月には孝謙《こうけん》上皇が称徳《しょうとく》天皇として重祚《ちょうそ》したことで、僧道鏡《どうきょう》は最高の権臣《けんしん》となった。道鏡の臣下である「法臣円興は、弟の中衛将監従五位下賀茂朝臣田守らとともに称徳天皇に願い出て、雄略天皇が葛城山で猟をした際に、老父となり獲物を争うという不敬の廉《かど》で土左国に流されていた高鴨神を、葛上郡の本処へ復祠することが実現した」という。なお、円興が実際に法臣に任じられるのは天平神護二年（766）十月壬寅のことであり、ここの法臣は追記である。

ただし、『続日本紀』は「今前記を検ふるに、その事を見ず」、高鴨神流謫のことは「前記」（『紀』か）には記録がないと註記し、この所伝に疑問を呈している。確かに雄略天皇紀には高鴨神の土左流謫のことは見えないが、それに該当する記述が『記』・『紀』ともに存在することは後述する。また、『続日本紀』編纂局に集められた朝廷の公的文書類の中に、この記事のもとになった原史料が存在したと推察されることから、この註記により軽々に事実関係を否定することは適切ではない。

高鴨神が復祠された本処が、葛上郡の名神大社の高鴨阿治須岐託彦根命神社（奈良県御所市鴨神）であることに異論はないが、問題は復祠された高鴨神の神格である。葛城への復祠を要請したのが賀茂朝臣（旧賀茂君）氏であり、高鴨神はその「先祖の主れる神」とあることから、それは土左国へ放逐される前から葛城の賀茂氏が奉斎していた神である。

この高鴨神をアヂスキタカヒコネ神とみなす向きもあるが〈土橋寛〉、確かな論拠はなく、具体的な神格（神名）は明らかでない。そのこともあって、右の記事を疑問視する立場もある。たとえば、「葛城に高鴨神が復祠されたというのは誤伝であり、実はそれは一言主神であった。高鴨神追放話も虚偽であり、高鴨神の権威を高めるための創作である」と説かれている〈和田萃c／西宮秀紀〉。そこで、論を前に進めるために、先にも引いたが異論の拠り所に用いられる『土左国風土記』逸文を再掲しよう。

土左《とさ》の郡《こほり》。郡家《こほりのみやけ》の西に去《さ》ること四里《さと》に、土左の高賀茂《たかかも》の大社《おほやしろ》あり。其の神のみ名を一言主尊《ひとことぬしのみこと》と為《な》す。其のみ祖《おや》は詳《つまびら》かならず。一説《あるつたへ》に曰《い》へらく、大穴六道尊《おほなむちのみこと》のみ子《こ》、味《あぢ》鉏高彦根尊《すきたかひこねのみこと》なりといへり。

再論を避けて要点を摘記すると、「土左高賀茂大社」とは土左国土左郡鎮座の式内大社、都佐坐《とさにいます》神社（高知市一宮）であり、「一説」は土左高賀茂大社（都佐坐神社）の祭神である一言主尊（一言主神）の祖（神統譜上の位置）が詳らかでないことに関わる註記である。それは、一言主尊の祖は味鉏高彦根尊（味耜高彦根神／阿遅志貴高日子根神）とする伝えもあるというもので、都佐坐神社の祭神そのものについて述べているのではない。これからは、土左高賀茂大社の祭神である一言主神が流謫された神であるか否かは判別できない。神社名から、ここで一言主神とは別に高鴨神も祭祀されていたらしいことが推察されるのみである。

ところで、右の『続日本紀』の所伝を虚偽とする説では、高鴨神の放逐話を創作して、どうして高鴨神の権威が高まるのか、その論拠が示されていない。さらに、葛城に復祠される前、高鴨神が土左国で祀られていたことについても、虚偽・創作説では説明がつかない。『記』・『紀』に高鴨神の直接的な流謫記事が見られないことをもって、円興らの要請と結果を虚偽とみなす理由とはできない。

ちなみに、神の追放例として、神話上のことで実態はともなわないが、天照大神が天岩《あめのいわ》屋《や》の戸を閉じて内に籠る原因となる、様々な悪態を行なった須佐之男命《すさのおのみこと》（素戔嗚尊）に対する「神夜良比《かみやらひ》」が知られている。ただし、呪物崇拝の衰退や自然神の神威の低下は、神の追放とは別の社会の変化にともなう現象である〈横田健一a／平林章仁b〉。

そもそも、『続日本紀』天平宝字八年十一月庚子条の、高鴨神の葛城復祠記事を創作あるいは一言主神の誤伝とみなす考えは、高鴨神の神格が明瞭でないことと『土左国風土記』逸文の所伝に対する誤解に起因すると思われる。上述してきた『土左国風土記』逸文の正しい理解と『続日本紀』天平宝字八年十一月庚子条から、以下の要点を導くことができる。

①高鴨神は、復祠を要請した葛城賀茂氏（鴨君・賀茂朝臣）の「先祖の主れる神」であったこと。

②土左国に流謫になる以前に、高鴨神は、復祠される本処＝葛上郡の高鴨阿治須岐託彦根命神社の鎮座地で祀られていたとみられること。
③高鴨神は、雄略天皇との軋轢が原因で土左国へ放逐され、『土左国風土記』が編纂される八世紀前葉には、一言主神を祀る土左高賀茂大社（都佐坐神社）で合祀されていたこと。
④称徳朝の天平宝字八年十一月に、円興と弟の賀茂朝臣田守ら葛城賀茂氏の働きかけにより、高鴨神の葛城復祠が実現したこと。

なお、土左国が遠流《おんる》の地であったことは、天武天皇紀五年（676）九月丁丑条の筑紫大《つくしのおおみこともち》宰屋垣《やかき》王の配流をはじめ、『続日本紀』神亀元年（724）三月庚申条の「流配遠近之程《るはいをんごんのみちのり》」の規定などから知られ、平安時代末まで配流者は三十名を超える〈森公章〉。

次の課題は、高鴨神の土左流謫についての具体的状況と、高鴨神の神格の解明である。

高鴨神の土左放逐

さて、右の問題に対する理解が混迷を極めることになった原因の、あと一つの史料が存在する。『釈日本紀』巻十二の一事主神条は、先の『土左国風土記』逸文に続いて「暦録《れきろく》」という書を引用している。「暦録」は現存しないが、内容は「有徳天皇」と称える雄略天皇紀四年二月条とほぼ同文であるからここでは触れない。『釈日本紀』はさらに左に引く「或説《あるせつ》」を記しているが、これが高鴨神と一言主神に対する理解が混乱に陥る主因の所伝である。なお、論述上の必要から、ここで以下に引用する史料が第三章と一部で重複することをお断りしておく。

時に神、天皇と相ひ競《きそ》ひ、不遜《ふそん》の言あり。天皇大いに瞋《いか》り、土左に移し奉る。神随《したが》ひて降《くだ》り、神の身已《すで》に隠る。祝《はふり》を以てこれに代《か》ふ。初め賀茂の地に至り、後《のち》此の社《やしろ》に遷る。而して高野《たかの》天皇の宝字八年、従五位上高賀茂朝臣田守等、奏して葛城山東下の、高宮岡上に迎へ鎮め奉る。其の和魂《にぎみたま》は、猶《なほ》彼《そ》の国の留まり、今に祭祀すと、云々。

「或説」には、この神は「土左に移し奉る。…初め賀茂の地に至り、後此の社に遷る。」とあること、すなわち土左に移された当初は賀茂の地で祭られていたが、後に土左高賀茂大社に移されたことが知られる。先述と重なる部分があるから、ここでは史料から理解される要点のみを摘記しよう。

- 右が『続日本紀』天平宝字八年十一月庚子条と同じ事柄について述べたものであり、神名は記していないが、その神が高鴨神であることは明瞭である。
- 「或説」で土左に流された神を後に「此の社」(土左高賀茂大社)に遷したとあること自身、土左に流された神が、すでに鎮座していた「此の社」の主祭神ではなかったことを示している。
- 『釈日本紀』が「或説」をここに引いていることは、一言主神が土左に放逐されたと解していたのではないかと思われるが、これが誤解であることも明白である。
- 高鴨神を復祠した「葛城山東下の、高宮岡上」が、地理的条件で葛木坐一言主神社の鎮座地(御所市森脇)とは合わないが、高鴨阿治須岐託彦根命神社の鎮座地(御所市鴨神)には整合的である。

・一言主神が土左国へ放逐された、あるいは一言主神が土左国から葛城へ復祠されたという所伝は存在しない。一言主神が土左国へ放逐された神でないことは、明白である。

都佐坐神社に祀られる一言主神が流罪にされた神でないことは明瞭であり、加えて高鴨神と一言主神が別の神であることは、次に引く『三代実録』貞観元年（859）正月廿七日甲申条からも断定できる。

京畿七道諸神進階及新叙。惣二百六十七社。…大和国従一位大己貴神正一位。正二位葛木御歳神。従二位勲八等高鴨阿治須岐宅比古尼神。従二位高市御県鴨八重事代主神。従二位勲二等大神大物主神。従二位勲三等大和大国魂神。正三位勲六等石上神。正三位高鴨神並従一位。正三位勲二等葛木一言主神。高天彦神。葛木火雷神並従二位。…調田坐一事尼古神…並従五位上。

傍線部は葛城地域所縁の神であるが、これから高鴨神が、高鴨阿治須岐宅比古尼神・事代主神・葛木一言主神と別の神であることは説明を要しない。

さらにそのことは、先にも引いたが左の『新抄格勅符抄』大同元年（806）牒から抽出した賀茂氏関連の神封から、奈良時代に遡って確認できる。

鴨神　八十四戸　大和卅八戸　伯耆十八戸　出雲廿八戸
御歳神　十三戸　大和三戸　讃岐十戸
天平神護元年
高鴨神　五十三戸　大和二戸　伊予卅戸　天平神護二年符
土佐廿戸　天平神護元年符
鴨御祖神　廿戸　山城十戸　丹波十戸
天平神護元年九月七日
高天彦神　四戸　大和国同十年奉充

ここに一言主神と事代主神がみえないが、右の「鴨神」は、神代記に「今、迦毛大御神《かものおほみかみ》と謂《い》ふぞ」とあるアヂスキタカヒコネ神にあてるのが妥当である。それは、天平五年（733）に成立した『出雲国風土記』意宇《おう》郡賀茂神戸《かものかんべ》条に、次の記載からも傍証される。

賀茂神戸　郡家の東南のかた卅四里なり。天《あめ》の下造《つく》らしし大神の命《みこと》の御子《みこ》、阿遅須枳高日子命《あぢすきたかひこのみこと》、葛城の賀茂の社に坐《いま》す。此の神の神戸なり。故、鴨といふ。〈神亀三年、字を賀茂と改む〉即ち正倉あり。

鴨神の神戸八十四戸のうちの出雲二十八戸は、出雲国意宇郡神戸郷（島根県安来市）に置かれたアヂスキタカヒコネ神の神封であり、この鴨神は事代主神でない。大和の三十八戸は、高鴨阿治須岐託彦根命神社が鎮座する葛上郡神戸郷（奈良県御所市西佐味・東佐味・鴨神）に求められることは先述した。ちなみに、伯耆《ほうき》の十八戸は、郷名から大鴨・小鴨郷のある久米郡（鳥取県倉吉市から北栄町辺り）、もしくは鴨部郷のある会見《あうみ》郡（米子市・境港市・南部町・伯耆町辺り）とみられる。神護景雲四年（７７０）六月廿五日付の「正倉院文書」（『大日本古文書』六－四九）には、伯耆国会見郡賀茂郷の戸主賀茂部馬、その戸口の賀茂部秋麻呂の名が見えることから、後者の可能性が高いと思われる。『三代実録』貞観九年（８６７）四月八日丁丑条には、伯耆国の賀茂神に従五位下が授けられたとある。

葛城に復祠された翌年、天平神護元年（７６５）に土佐国に二十戸（土左国土左郡神戸郷／高知市神田・鴨田か）、さらにその翌年には伊予国に三十戸の神封を与えられている高鴨神が、鴨神（アヂスキタカヒコネ神）と別の神であることは、右の史料からも確かめられる。この土佐国の二十戸の神封は、高鴨神が土左国に放逐、祭祀されていたことに対応する。

ちなみに、伊予国の神封三十戸の所在地は、賀茂直《かものあたい》氏が分布する（『続日本紀』天平宝字二年〈７５８〉三月壬午条・同神護景雲二年〈７６８〉四月辛丑条）伊予国新居《にい》（もと神野《かみの》）郡賀茂郷（愛媛県新居浜市加茂）に隣接する神戸郷（新居浜市神戸）であろう。鴨脚家本『新撰姓氏録』断簡の賀茂朝臣本系にも、伊予国に賀茂伊予朝臣《かものいよのあそん》氏や賀茂首《かものおびと》氏の分布が見える。

ところが、先に引いた『土左国風土記』逸文や『釈日本紀』一事主神条に引く「或説」への誤解から、葛城の神々についての理解に混乱が生じている。例えば、一言主神とアヂスキタカヒコネ神が習合している〈秋本吉郎〉、あるいは事代主神とアヂスキタカヒコネ神が習合して一言主神が成立した〈横田健一ｂ〉、さらには葛城賀茂神もしくは高鴨神が一言主神・アヂスキタカヒコネ神・事代主神に分化した〈青木紀元／渡里恒信〉という神々の分化・習合説や、「或説」は賀茂役君が土左の高鴨神を一言主神にすり替えて「高宮岡上」に迎えたという一言主神の縁起を創出したものである〈土橋寛〉という所伝創作説まで、様々な考えが唱えられている。しかし、いずれの説も史料解釈に矛盾があり、またその必然性や歴史的背景について納得できる説明がなく、それらの解釈に妥当性は認められない。

神の習合、あるいは分化説については、その神祇信仰的、かつ歴史的状況について納得できる説明が必要である。ここでそれが可能だとは思われないが、一柱の神が荒魂《あらみたま》（神霊の荒々しい機能）・和魂《にぎみたま》（穏やかな機能）のように複数の側面を有する存在と観念されたことや、常陸国鹿島郡鎮座の名神大社鹿島神宮（茨城県鹿嶋市）から武甕槌神《たけみかづちのかみ》を平城京に勧請《かんじょう》した春日大社（奈良市春日野町）のように、関係集団が別の土地に勧請して祭祀、あるいはその神子《みこ》神を別の場所で奉斎する例などは珍しくない〈平林章仁m〉。しかし、葛城の地域内で神格・神名の異なる複数の神が習合し、もしくは分化して別の神格が生まれるという主張を、神祇信仰的、歴史的背景をも踏まえて説明することが可能であるとは考えられない。なお、右の所伝創作説に対する批判は第三章に述べたのでそれに譲り、山城賀茂社の分立問題については後述する。

土左国における高鴨神

ところで、雄略天皇により土左へ放逐された高鴨神は、土左ではどのような状況にあったのだろうか。先の『釈日本紀』一事主神条所引「或説」は、高鴨神は放逐された当初は「賀茂の地」、おそらくは幡多郡の式内社である賀茂神社（黒潮町入野）の鎮座地、もしくは土左郡鴨部郷（高知市鴨部）で祭られていたが、のちに「此の社」（土左高賀茂大社／都佐坐神社）に遷されたという。これは、すでに一言主神という祭神が坐す「此の社」に遷されたということだから、高鴨神が都佐坐神社の本来の祭神でないことは明白である。

流謫先の土左国における当初の奉斎地「賀茂」は、高鴨神の奉斎集団に所縁の地であったとみられるが、ある時期に一言主神をまつる都佐坐神社に合祀されたのである。その結果、都佐坐神社は土左高賀茂大社とも称されたが、高鴨神が大和葛城へ復祠されて以降に祭神が一言主神一柱に復したことは、『延喜式』神名帳で都佐坐神社の祭神が一柱であることから推知される。

ちなみに、天武天皇紀四年（６７５）三月丙午条には「土左大神、神刀《あやしきたち》一口を以て、天皇に進《たてまつ》る。」、天武天皇紀朱鳥元年（６８６）八月辛巳条にも、天皇不予のために「秦忌寸《はたのいみき》石勝《いはかつ》を遣《まだ》して、幣《みてぐら》を土左大神に奉る。」とある。高鴨神の合祀時期は明らかではないが、これらからも土左大神（都佐坐神社の主祭神）は「高賀茂」を冠さないのが本来であったことが分かる。この土左大神が一言主神であろうことは、記すまでもない。

それでは、高鴨神が土左国に流謫になった際、当初の奉斎場所「賀茂」から土左国土左郡の都佐坐神社に遷して合祀されたことには、どのような事情が存在したのだろうか。『先代《せんだい》旧事本紀《くじほんき》』は平安時代初期、九世紀前半ごろに成立した物部氏系の氏族誌的歴史書であるが、その国造本紀《くにのみやつこほんき》は土左国の国造について、次のように記している。

都佐《とさ》国造　長阿比古《ながのあびこ》同祖。三島溝杭命《みしまみぞくひのみこと》　九世孫小立足尼《をたちのすくね》。
波多《はた》国造　瑞籬朝御世《みづかきのみかどのみよ》。天韓襲命《あめのからそのみこと》　依神教云。定賜国造。

国造制は、六世紀以降の継体天皇系の王権が導入した地域支配の仕組みであり、地方豪族が王権から国造に任命されて領域である「クニ」を管轄した〈平林章仁a／篠川賢b〉。「阿比古」（我孫）は古いカバネもしくは称号であり、「瑞籬朝御世」は十代崇神《すじん》天皇の世のことであるが、実際に崇神朝に国造の任命が行なわれたわけではない。この史料に係る問題については別に詳述したので〈平林章仁n〉、ここではその要点のみを摘記しよう。

・土左国東部を領域とする都佐国造は、紀伊国那賀《なが》郡が本貫で事代主神の裔を称する長《ながの》我孫《あびこ》（長阿比古）氏・長公《ながきみ》氏らと同族の、葛城賀茂氏系の集団である。
・波多の名は後の幡多《はた》郡に継承されるが秦氏の「秦」にも通じ、土左国西部を領域とする波多国造は、秦氏系の集団とみられる。
・波多国造の勢力は土左国西部だけでなく、東部の都佐国造の領域にも及び、土左郡の都佐坐神社（一言主神）を奉斎した。

なお「小立足尼」の小立を高知市尾立《ひじ》にあてて「ヒジノスクネ」と訓を付し、都佐坐神社を都佐国造氏の氏神とみなすむきもあるが〈高知県／高知市〉、史料上の確かな論拠があってのことではない。

このことについては次の二つの理解が想定可能であるが、その際には高鴨神の流謫当初の奉斎地が土左国賀茂と伝えられることに留意しなければならない。これは地名だけでなく、高鴨神を土左で奉斎した集団をも示しているが、そもそも彼らは高鴨神とともに土左へ放逐された可能性が高い。神だけが放逐されたというは現実的でなく、主眼は奉斎集団の放逐にあったと理解しなければならない。

また、土左に流謫当初の奉斎地が、幡多郡の式内賀茂神社（黒潮町入野）の鎮座地、もしくは土左郡鴨部郷（高知市鴨部）のいずれかだとみられるが、そこはともに秦氏系集団（波多国造）の勢力圏もしくは影響圏内である。さらに、後に合祀される都佐坐神社（一言主神）も秦氏系集団が奉斎していたのであり、高鴨神とその奉斎集団は、土左国では常に秦氏系集団の関係下に置かれていたことが推知される。この点も、考慮しなければならない。

さて、その解釈の一つは、葛城賀茂氏系の都佐国造と都佐坐神社（一言主神）を奉斎する秦氏系集団・波多国造は、ともに大和葛城に地縁があることから、土左国でも近しい関係にあって高鴨神が一時期、都佐坐神社に合祀されていた、というものである。

次は、高鴨神は流罪なった神であること、先に述べたように『日本霊異記』では役優婆塞（役君小角／賀茂役公＝高賀茂朝臣）を讒言するのが一語主大神（一言主神）であり、葛城賀茂氏と一言主神・奉斎集団（秦氏系集団）が不仲な関係にあったことを重視する立場である。要するに、雄略朝から文武朝まで、葛城賀茂氏と秦氏系集団のその関係は解けておらず、土左国内でも同様な状況にあったという理解である。

筆者は後者の可能性が高いと考えているが、高鴨神の都佐坐神社への合祀が国造制の施行される六世紀前葉以前か、それとも以降であるかは定かでない。雄略朝に土左国へ流謫になって以降、高鴨神と奉斎集団は常に秦氏系集団の影響下に置かれており、葛城賀茂氏系である都佐国造の領域内に、秦氏系集団の奉斎した一言主神を祀る都佐坐神社が鎮座するのも、同じ事情によると考えられる。そのこともあって、天平宝字八年十一月に円興と弟の賀茂朝臣田守らが、高鴨神の大和葛城の本処への復祠を強く要請したのであろう。

　これらのことは、当時の土左国司や土左国内の賀茂氏の動きからも知ることができる。『続日本紀』によれば、天平宝字五年（761）正月癸卯に従五位下賀茂朝臣塩管《しおつつ》を土左守《とさのかみ》に任じたとあり、神護景雲二年（768）二月癸巳に神祇大副《じんぎだいふく》（神祇官の次官。この時の神祇伯《じんぎはく》は中臣朝臣清麿《きよまろ》）に転任するまでその職にあった。ちなみに、神護景雲二年六月辛丑に、後任として右中弁正五位下の豊野真人出雲《とよののまひといずも》が土左守兼任を命じられている。

　高鴨神の葛城復祠はこの賀茂朝臣塩管が土左守在任中のことであり、史料には表れないが、そのことに同じ賀茂氏である土左守の与ることがあったとしても不思議ではない。また、神護景雲二年十一月戊子に土左国土左郡の人神依田公名代《かみよたのきみなしろ》ら四十一人に賀茂の姓を、八日後の丙申には従五位上賀茂朝臣諸雄《もろお》・従五位下賀茂朝臣田守・従五位下賀茂朝臣萱草《かやくさ》らに高賀茂朝臣の姓が与えられていることも、土左・葛城の賀茂氏こぞっての動きとみられる。土左国土左郡の神依田公名代らへの賀茂の賜姓は、高鴨神の葛城復祠に彼らの関与があったことを示唆している。天平神護元年（765）に高鴨神に与えられた土佐国の神封二十戸は、土左国土左郡神戸郷（高知市神田・鴨田か）の神依田公名代らであった可能性が高い。また、「高賀茂」朝臣の賜姓も、「高鴨」神の復祀に対応したものである。

　おそらく、高鴨神の大和葛城への復祠は、葛城賀茂氏と土左賀茂氏あげての働きかけの結果であったとみられる。次の課題は、秦氏の影響下に置かれていたとは申せ、そこまでして賀茂氏が高鴨神の葛城復祠に拘り、実現に努めたことの理由の解明である。

高鴨神が土左国に放逐された事の真相

『続日本紀』天平宝字八年十一月庚子条には、高鴨神が土左国に流謫になったのは、「昔、大泊瀬天皇葛城山に獦したまひし時、老夫有りて、毎に天皇と相逐ひて獲を争」ったことが原因であり、それは「先祖の主れる神」、葛城賀茂氏の先祖が奉斎してきた神とある。にも拘らず、『記』・『紀』には土左への流謫はもちろん、高鴨神の名が見えないことから、先述のようにこの神に関する理解が混乱してきたのである。

ところで、『記』・『紀』は、雄略天皇による二度の葛城山狩猟を伝える。実際に二度も葛城山に出かけたのか、それとも伝承者の違いなどが原因で一度のことが後には二度のように伝えられたのか、論究されることはなかった。その中の一度は、先述した一言主神顕現伝承であり、『記』・『紀』ともに雄略天皇と神の関係は友好的で平穏に終わったとある。一言主神と奉斎集団は、雄略天皇の葛城山での狩猟に親和的、協力的であったことを物語る。

それに対して、一言主神が現われない場合は、『記』・『紀』いずれの所伝でも雄略天皇の葛城山狩猟は不首尾に終わっている点で共通する。ただし、雄略天皇紀五年二月条では、榛の樹上に逃げ登るのが天皇自身ではなくて舎人であり、禽獣は獲られなかったが善言を得たことで満足したとあるなど、天皇の権威を高めようとする観点からの文飾が見られる。そこで、より本来の所伝に近いと思われる雄略天皇記の所伝を次に掲げよう。

又一時《あるとき》、天皇葛城の山の上に登り幸《い》でましき。爾に大猪《おほゐ》出でき。即《すなは》ち天皇鳴鏑《なりかぶら》を以ちて其の猪を射たまひし時、其の猪怒《いか》りて、宇多岐《うたき》依り来つ。故、天皇其の宇多岐を畏《かしこ》みて、榛《はりのき》の上に登り坐《ま》しき。爾《ここ》に歌曰《うた》ひたまひしく、

やすみしし　我が大君《おほきみ》の　遊《あそ》ばしし　猪《しし》の病猪《やみしし》の　唸《うた》き畏《かしこ》み　我《わ》が逃げ登りし　在《あり》
丘《を》の榛《はり》の木の枝《えだ》

とうたひたまひき。

雄略天皇の葛城山狩猟を不首尾に終わらせた原因が、『記』・『紀』ともに怒猪《いかりい》（『紀』は嗔猪《いかりい》）の出現にあることは、これが所伝の根幹的部分であったことを示している。猪は鹿とともに古代の代表的狩猟獣であったが、『記』・『紀』・『風土記』などでは鹿が正価値的な位置づけであるのに対し、猪は常に負価値的存在とされる傾向が強い〈平林章仁b〉。たとえば、神功皇后紀摂政元年二月条では麛坂《かごさか》王・忍熊《おしくま》王が「祈狩《うけひかり》」（行為の結果を占う狩猟）をした際に「良き獣《しし》」ではなく、「赤《あか》き猪」が突然現われて麛坂王は咋い殺された。また景行天皇記では、倭建命は伊服岐能山《いぶきのやま》（伊吹山）に現われた神の正身《むざね》である「白猪《しろゐ》」を使者と誤解したために、不覚に陥り死出《しで》の歩みを速めることになった。

葛城山の猪も、猪そのものというよりも、負価値を象徴する動物として、婉曲的《えんきょくてき》に描かれていると解するべきである。すなわち、葛城地域に対する直接的な占有権を主張する雄略天皇の狩猟に際して、それを快く思わない集団が反発し非協力的であったことを、怒猪の出現として象徴的、間接的に語っているのである。

この理解は、『続日本紀』天平宝字八年十一月庚子条や『釈日本紀』所引「或説」とも整合

的である。ここに至れば、怒猪とは高鴨神、かつ高鴨神を奉斎した葛城賀茂氏であったことは、容易に理解されよう。雄略天皇が葛城山で狩猟をした際に、老夫と化してそれを妨害した高鴨神とは、『記』・『紀』にいう怒猪であり、その背景には葛城賀茂氏が存在したのである。

雄略天皇が葛城山狩猟に出かけた目的は、即位前に葛城円大臣を滅ぼして葛城地域の直接的な占有権の獲得、雄略天皇が葛城地域の主《あるじ》であることを、視覚的に顕示、示威することにあった。

要するに、高鴨神と奉斎集団である葛城賀茂氏の土左放逐は、雄略天皇の葛城山狩猟に対して反友好的であったことに対する処罰であった。一言主神の顕現と怒猪の突出は、雄略天皇の葛城山狩猟に対する葛城の秦氏・賀茂氏の正・負の対応として、一対的に語り伝えられて来たのである。これにより、葛城の賀茂氏が大きな痛手を被《こうむ》ったであろうことも容易に推察される。結果、彼らは長らく零落《れいらく》を余儀《よぎ》なくされたであろうが、賀茂朝臣比売と藤原朝臣不比等《ふひと》との間にうまれた藤原夫人《ぶにん》宮子が、文武天皇との間に首《おびと》皇子（701～756、のち聖武天皇）を儲けて以降に政治的地位を回復、上昇させると、流謫になって三百年近くが経過していたにも拘らず、葛城・土左の賀茂氏がこぞって高鴨神の葛城への復祠を画策し、実現させたのである。その目的が、果たして高鴨神の汚名を雪《そそ》ぐことのみにあったのか否か問題となるが、高鴨神の神格と山背賀茂社の分立にそれを解く鍵が秘められている。

葛城賀茂氏とアヂスキタカヒコネ神

土左から葛城に復祠された高鴨神については、具体的な史料がなく、分からないことが多い。これまで述べてきた論点をより明瞭にするため、まず具体的な神格から考えよう。

高鴨神は「先祖の主れる神」とあるから、葛城賀茂氏の先祖が奉斎してきた神であることは確かである。それが葛城地域の神として周知の一言主神はもちろん、アヂスキタカヒコネ神や事代主神などでないとすれば、いかなる神格をあてることができるだろうか。

高鴨神は雄略朝に土左に流謫になって以来、復祠される天平宝字八年十一月庚子まで三百年近くの間、葛城では祀られなかった神である。しかしながら、円興と、弟の中衛将監従五位下賀茂朝臣田守、土左守の賀茂朝臣塩管ら葛城賀茂氏、さらには土左賀茂氏らには、高鴨神は最も重要な神の一柱であったことは間違いない。三百年近くも後になって葛城へ復祠を画策すること自体、その重要さを示して余りある。

高鴨神の高鴨は、葛城の「高」に縁りの地名であり、この神の本来の鎮座・奉斎地を示しているが、具体的な神格は分からない。周知のように、葛城賀茂氏が大和国葛上郡鎮座の名神大社、高鴨阿治須岐託彦根命神社（御所市鴨神）と鴨都《かもつ》波《は》八重《やえ》事代主命《ことしろぬしのみこと》神社（御所市宮前町）を奉斎してきたことは確かである。アヂスキタカヒコネ神と事代主神の神統譜上に位置について、次に引く神代記の大国主《おおくにぬし》神神裔段には、ともに大国主神の御子神と伝える。

此の大国主神、胸形奥津《むなかたのおきつ》宮《みや》に坐《いま》す神、多紀理毘《たきりひ》売命《めのみこと》を娶《めと》して生める子は、阿遅《あぢ》鉏高日《すきたかひ》子根《こね》神。次に妹高比《たかひ》売命《めのみこと》。亦の名は下光比《したてるひ》売命《めのみこと》。此の阿遅鉏高日子根神は、今、迦毛《かも》大御《おほみ》神《かみ》と謂《い》ふぞ。大国主神、亦神屋《かむや》楯比《たてひ》売命《めのみこと》を娶して生める子は、事代主神。

アヂスキタカヒコネ神の神格は、国譲りに先立つ葦原中国《あしはらのなかつくに》（神話上の地上世界）平定の先遣として、高天原《たかまがはら》（神話上の天空世界）から天降《あまくだ》る天若日子《あめのわかひこ》（天稚彦）の神話に示されている。そこでは、亡くなった天若日子を弔問した際に、アヂスキタカヒコネ神は死者の天若日子に間違われたことを怒り、山谷を照らし「忿《いか》りて飛び去」るが、その際に十掬剣《とつかのつるぎ》でその喪屋《もや》を切り伏せたとあり、雷神的性格を有する刀剣神として描かれている。

一方、事代主神は、建御雷神《たけみかづち》から国譲りを迫られた大国主神に、「恐《かしこ》し。此の国は、天つ神の御子に立奉《たてまつ》らむ」と国譲りを決断したとある。大国主神に対する託宣神《たくせんしん》という位置づけである。神代紀の第九段で描かれる両神の神格もこれと大差なく、同一書第二には「是の時に、帰順《まつろ》ふ首渠《ひとごのかみ》は、大物主神及び事代主神なり」とある。

『記』・『紀』には、右の二神の奉斎集団や神裔集団に関する直接的な記述はない。アヂスキタカヒコネ神については、神代記に「今、迦毛大御神《かものおほみかみ》と謂《い》ふぞ」、『出雲国風土記』意宇郡賀茂神戸条には「葛城の賀茂の社に坐《いま》す」、出雲国造新任時に一年の潔斎《けっさい》の後に朝廷に出て述べ、さらに一年の潔斎後にも出て述べる『出雲国造神賀詞《かみよごと》』（『延喜神祇式』）にもその御魂《みたま》を「葛木の鴨の神奈備《かむなび》に坐せ」とあり、賀茂氏による祭祀が伝えられる。なお、出雲国造による神賀詞奏上の史料上の初見は、『続日本紀』霊亀二年（７１６）二月丁巳条の出雲臣果安《はたやす》によるものであるが、その始原は詳らかではない。

このように、葛城賀茂の中心的な神と位置づけられるアヂスキタカヒコネ神は、賀茂氏が祭祀していたことは確かだが、賀茂氏の祖神としては位置づけられていない。

葛城賀茂氏の始祖は大田田根子命か

いま一つの葛城の有力神、事代主神と葛城賀茂氏の具体的関係の分析は後に譲り、ここでは葛城賀茂氏の祖神と始祖の問題を中心に考察する。これは、高鴨神の放逐に象徴される、雄略天皇と葛城賀茂氏の関係を解明するために不可欠の作業である。

さて、葛城賀茂氏の祖神と始祖について、崇神天皇記には次のように伝える。

「三輪山（御諸山）の大物主神の祟りにより、疫病が流行した。夢告により天皇は、河内の美努《みの》村（大阪府堺市の南部）にいた意富多多泥古命《おほたたねこのみこと》（大物主神と陶津耳命《すえつみみのみこと》の娘の活玉依毘売《いくたまよりびめ》の裔）に大物主神を祭らせたところ、疫病が収まった。意富多多泥古命が神の子とわかったのは、活玉依毘売のもとに寄り来る神の衣に結いつけた麻糸を辿り行き、その素姓《すじょう》が大物主神と判明したことによる。」という苧環《おだまき》型三輪山神婚《しんこん》説話が記載されているが、その末尾分註に「此の意富多多泥古命は、神君《みわのきみ》、鴨君《かものきみ》の祖《おや》。」とある。

ここでは、鴨君（葛城賀茂君）氏は神君（三輪君）と同祖で大物主神を祖神とし、その裔の意富多多泥古命を始祖と伝える。また、「大物主神と活玉依毘売の間に生まれた櫛御方命《くしみかたのみこと》―飯肩巣見命《いひかたすみのみこと》―建甕槌命《たけみかづちのみこと》―意富多多泥古命」という、大物主神祭祀に奉仕した意富多多泥古命の出自系譜を記している。

また、左に引く素戔嗚尊《すさのおのみこと》による八岐大蛇《やまたのおろち》退治を語る神代紀第八段の一書第六でも、『記』と同様に葛城賀茂氏を大物主神の神裔と位置づけている。

時に、神《あや》しき光海に照して、忽然《たちまち》に浮び来る者有り。…此大三輪の神なり。此の神の子は、甘茂君等《かものきみたち》・大三輪君等《おほみわのきみたち》、又姫踏鞴五十鈴媛命《ひめたたらいすずひめのみこと》なり。又曰《い》はく、事代主神、八尋熊鰐《やひろわに》に化為《な》りて、三嶋の溝樴姫《みぞくひひめ》、或《ある》は云はく、玉櫛姫《たまくしひめ》といふに通《かよ》ひたまふ。而《しか》して児姫踏鞴五十鈴媛命を生みたまふ。

さらに、次の『出雲国造神賀詞』でも右と等しいだけでなく、大己貴神（大穴持命）と大物主神を同じ神と位置づけている。

乃《すなは》ち大穴持命《おほなもちのみこと》の申し給《たま》はく、…己命《おのれみこと》の和魂《にぎみたま》を、八咫鏡《やたのかがみ》に取り託《つ》けて、倭大物主櫛《やまとのおほものぬしくし》瓱玉命《みかたまのみこと》と名《みな》を称《たた》へて、大御和《おほみわ》の神奈備《かむなび》に坐《ま》せ、己命《おのれみこと》の御子《みこ》阿遅須伎高孫根《あぢすきたかひこね》の命《みこと》の御《み》魂《たま》を、葛木の鴨の神奈備に坐せ、事代主の命の御魂を宇奈提《うなて》に坐せ、…

ところが、右の神代紀第八段の一書第六が、神武天皇の皇后となる姫踏鞴五十鈴媛命の父を「大三輪の神」、すなわち大物主神と記しながら、その「又曰」では八尋熊鰐に化した事代主神が訪れるという異伝を記している。前者は、皇后の父は丹塗矢《にぬりや》と化して寄り来た「美《み》和《わ》の大物主神」と伝える神武天皇記と、後者は皇后が事代主神と三嶋溝樴耳神《みしまのみぞくいみみ》の娘の玉櫛《たまくし》媛《ひめ》の間に生まれたとする神武天皇即位前紀に、それぞれ照応する。これらのことは、葛城賀茂氏の祖神にも関わる問題である。

論述がやや輻輳してきたので、ここで問題点を整理しておこう。

①大己貴神（大穴持命）と大物主神は同じ神か否かという問題がある。ただし、ここでの課題には直接関わることではないので、触れるのは最小限にとどめておこう。

②神武天皇の皇后の父が、賀茂の事代主神か、それとも三輪の大物主神かという問題がある。これに関しては以前に、三嶋溝咋は事代主神を奉斎した葛城賀茂氏に連なる存在であることから、事代主神とするのが本来であったと述べたので〈平林章仁n〉、詳しくはそれに譲る。

③葛城賀茂氏の祖神を三輪山の大物主神、始祖をその裔の意富多多泥古命（大田田根子命）とする所伝が本来のものか否か、すなわち葛城賀茂氏と三輪氏が同祖同族か否かという問題がある。

ここでは③が主な課題であり、②からある程度の結論を見通すこともできるが、あと少し記しておこう。

まず、左に引く『新撰姓氏録』大和国神別の賀茂朝臣条では、その始祖を大田田禰古命（大田田根子命）の孫で賀茂の名を負う「大賀茂都美命」と伝える。

> 賀茂朝臣。大神《おほみわ》朝臣と同じき祖。大国主神の後なり。大田田禰古命《おほたたねこのみこと》の孫、大賀茂都美《おほかもつみの》命《みこと》〈一名は大賀《おほか》茂足尼《ものすくね》〉賀茂神社を斎《いつ》き奉《まつ》りき。

しかしながら、大物主神・大田田根子命と葛城地域の関係、及び大田田禰古命と大賀茂都美命の結びつきは希薄である。平安時代初期に成立した物部氏系の氏族誌『先代旧事本紀』地祇本紀で、大田々禰古命を素戔烏尊の九世孫、大己貴神の八世孫と位置づけ、父は「健飯賀田須命《たけいひかたすのみこと》」（飯肩巣見命か）、母を「鴨部美良姫《かもべのみらひめ》」と記し、僅かに大田田根子命と賀茂氏のつながりを伝えているが、その真偽は定かでない。また、大物主神を大己貴神のまたの名と記し、両神を同一神とする。

ちなみに、「大賀茂都美命」の都美は、海神の大綿津見《おおわたつみ》神、山神の大山津見《おおやまつみ》神など広く神名に用例が知られるように、ツは助詞、ミは神霊を意味している。「足尼」は古い称号で、『記』・『紀』では宿禰と表記され、天武天皇十三年（684）十月には「八色《やくさ》の姓《かばね》」の第三位に採用される。埼玉稲荷山古墳出土鉄剣銘文は第二部で述べるが、そこにも「足尼」と見え、五世紀代にはすでに採用されていた古来の表記である。

また、ここで賀茂朝臣が奉斎したという「賀茂神社」を、『延喜神祇式』四時祭下に「高鴨社四座」とある名神大社の高鴨阿治須岐託彦根命神社ではなく、「葛城鴨社二座」と見える名神大社の鴨都波八重事代主命神社にあてるむきもある〈佐伯有清a〉。しかし、アヂスキタカヒコネ神について神代記は「今、迦毛大御神と謂ふぞ」と記し、『出雲国風土記』意宇郡賀茂神戸条に「葛城の賀茂の社に坐す」とあり、『出雲国造神賀詞』にもその御魂を「葛木の鴨の神奈備に坐せ」と見えることから、高鴨阿治須岐託彦根命神社にあてるべきである。

ところで、次に引く『新撰姓氏録』山城国神別の神宮部造《かんみやべのみやつこ》条は、他に見えない内容である。

葛木猪《かづらきのゐ》石岡《いしのおか》に天下《あまも》りませる神、天破命《あめひらくのみこと》の後なり。六世孫、吉《え》足日命《たらしひのみこと》、磯《し》城瑞籬《きのみづかぎの》宮御宇《みやにあめのしたしろしめしし》〈謚《おくりな》は崇神〉天皇の御世に、天下《あめのした》に灾《まがこと》有《おこ》りき。因《か》れ、吉足日命を遺して、大物主神を斎《いつ》き祭らしめたまひしかば、灾異《まがこと》即《すなは》ち止《や》みき。天皇詔して曰《のたま》はく、天下の灾消《や》み、百 姓《おほみたから》福《さち》を得つ。自今以後《いまよりのち》、宮能売神《みやのめのかみ》と為《な》る可《べ》しとのたまふ。仍りて姓《うぢ》を宮能売公と賜《たま》ひき。然後《そののち》、庚 午 年 籍《かのえうまのとしのへふだ》に、神宮部造と注《しる》せり。

崇神朝云々は疑問であり、「葛木猪石岡、天破命、吉足日命」なども信頼できる古代史料には見えず、史料評価が難しい。ただ、葛城に大物主神を奉斎したと伝える集団が居たことは注目される。神宮部造については、天平宝字五年（761）十一月二日付の家地の売買文書（『大日本古文書』十五―一二八）に「主政《しゅしょう》 正八位下神宮部造安比等《やすひと》」と見え、山背国宇治郡の主政（郡司の第三等官）であった。

なお、葛上郡鎮座の式内社、多太《おいだ》神社（御所市多太）の「多太」をタタ・オオタと読んで祭神を大田田根子命に結びつけるむきもあるが（日本歴史地名大系『奈良県の地名』／『角川日本地名大辞典』奈良県）、多太は「大井田／おゝい田」とも記されたようにタタ・オオタとは読まないから、当社の祭神を大田田根子命とするのは妥当でない。

天智天皇九年（670）の庚午年籍《こうごねんじゃく》以前に、葛城で大物主神を奉斎したという集団が存在したことは、葛城賀茂氏が大物主神を祖神、大田田根子を始祖と位置づけていることを考える上で参考になる。すなわち、右の所伝は、葛城地域には元来何の縁りもない大物主神と大田田根子を葛城賀茂氏の祖神と始祖に位置づけたことに関わる、具体的な動きが天智朝以前にあったことを思わせる。

なお、先に引いた崇神天皇記の苧環型三輪山神婚説話の末尾分註に「此の意富多多泥古命は、神君、鴨君の祖」とあるなかで、三輪君に「神君」と新しい表記を用いていることも参考になる。

この氏名「三輪」を「神」と表記することは『紀』には見えず、『続日本紀』に現われる新しい表記である。『記』でも右の分註だけの孤立例であり、その使用時期を推し量ることができる。

一方、崇神天皇紀では、五年条に疫病の流行を記し、六年から九年条にそれに対応する神祇祭祀関連記事を集中的に記載している。その中心は倭大国魂《やまとのおおくにたま》神と大物主神の祭祀であるが、大田田根子命による大物主神の祭祀を記したのち、八年十二月乙酉条の末尾で「所謂大田田根子は、今の三輪君等が始祖なり」と記している。天武天皇紀十三年（684）十一月戊申朔条の朝臣賜姓記事では大三輪君とあるから、三輪君氏の氏姓表記はこの時点には大三輪君であったとみられる。その氏姓表記について、天武天皇紀元年（672）六月己丑条や同七月壬子条では未だ「三輪君高市麻呂《たけちまろ》」とあるが、天武天皇紀五年（676）八月是月条には壬《じん》申《しん》の乱の功臣として「大三輪真上田子《まかみだのこ》人君《ひとのきみ》」と見えることから、壬申の乱から天武天皇五年八月までの間に、高市麻呂らに「大三輪君」の氏姓が与えられたと考えられる。

ちなみに、壬申の乱には、伊勢介《すけ》の三輪君子首《こびと》や三輪君高市麻呂らが活躍しており、「大三輪君」の賜姓はその論功行賞であろう。また、壬申の乱では将軍大伴《おおともの》連《むらじ》吹負《ふけい》のもとに三輪君高市麻呂と鴨君蝦夷《えみし》が参集したとあることは、三輪君氏と葛城賀茂氏の関係を考える上で示唆的である。

要するに、崇神天皇紀八年十二月乙酉条に「今の三輪君等が始祖なり」とある「今」は、「大三輪君」が賜姓される以前と推考される。その段階において、大田田根子命の後裔氏族は三輪君氏が中心であり、「三輪君等」に葛城賀茂氏が含まれることについては、否定的に考えられる。本来、葛城賀茂氏は、大田田根子命の後裔氏族とは位置づけられておらず、そうした系譜観念も本来的なものではないと考えられる。

おそらく、大物主神・大田田根子命を葛城賀茂氏の祖神・始祖とする位置づけ、三輪君氏と同祖同族という系譜伝承は比較的新しいものであり、葛城賀茂氏本来の祖神と始祖は別にあったと推考される。これは、大己貴神（大国主神）と大物主神は本来別の神であり〈青木紀元／三谷栄一／守屋俊彦／高橋明裕〉、その同一神説は新しいとする立場とも通じる。大己貴神（大国主神）と大物主神の同一神化は、始祖を大物主神に変更した葛城賀茂氏の奉斎したアヂスキタカヒコネ神の神封八十四戸のうち二十八戸が、出雲国意宇郡に置かれていたことも関連していると考えられる。ただし、葛城賀茂氏の祖神・始祖の変更が、どのような事情で行なわれたのか、三輪君氏との関係の実際については、明らかではない。それに至る流れとしては、①アヂスキタカヒコネ神・事代主神が大己貴神の子とする神統譜が形成⇒②大己貴神（大国主神）と大物主神の同一神化（神代記大国主神神裔段）⇒③葛城賀茂氏が大物主神・大田田根子命の裔とする系譜の形成（賀茂君氏と三輪君氏の同族化）と段階的変遷が想定されるものの、それに関連した人の動きを示す史料がなく、憶測の域を出ない。

神武天皇の皇后の父は大物主神か、事代主神か

それでは、本来の葛城賀茂氏の始祖伝承は、どのようなものであったのだろうか。それを考える際に参考になるのが、『山城《やましろ》国風土記』逸文（『釈日本紀』所引）の伝える山背《やましろ》賀茂氏の始祖神話である。

可茂《かも》の社《やしろ》。可茂と称《い》ふは、日向の曾《そ》の峯《たけ》に天降《あも》りましし神、賀茂《かも》建角身命《たけつのみのみこと》、神倭石余比古《かむやまといはれひこ》の御前《みさき》に立ちまして、大倭《やまと》の葛木山の峯に宿りまし、彼《そこ》より漸《やくやく》に遷《うつ》りて、山代《やましろ》国の岡田

の賀茂に至りたまひ、山代河の随《まにま》に下《くだ》りまして、葛野《かどの》河《がは》と賀茂河との会《あ》ふ所に至りまし、賀茂川を見《み》迴《はる》かして、言《の》りたまひしく、「狭小《さ》くあれども、石川の清川《すみかは》なり」とのりたまひき。仍《よ》りて、名づけて石川の瀬《せ》見《み》の小川と曰ふ。彼《そ》の川より上《のぼ》りまして、久我《くが》の国の北の山基《やまもと》に定《しづ》まりましき。爾《そ》の時より、名づけて賀茂と曰ふ。賀茂建角身命、丹波《たには》の国の神野《かみの》の神伊可古夜日女《かむいかこやひめ》にみ娶《あ》ひて生みませるみ子、名を玉依日子《たまよりひこ》と曰ひ、次を玉依日売と曰ふ。玉依日売、石川の瀬見の小川に川遊びせし時、丹塗矢、川上より流れ下りき。乃《すなは》ち取りて、床《とこ》の辺に插《さ》し置き、遂に孕《はら》みて男子《をのこ》を生みき。…乃ち、外祖父のみ名に因《よ》りて、可茂別《かもわけ》雷　命《いかづちのみこと》と号く。謂はゆる丹塗矢は、乙訓《おとくに》の郡の社に坐《いま》せる火雷　神《ほのいかづちのかみ》なり。可茂建角身命、丹波の伊可古夜日売、玉依日売、三柱の神は、蓼倉《たでくら》の里の三井《みゐ》の社に坐す。

「可茂の社」とは山背国愛宕《おたぎ》郡の名神大社賀茂《かも》別雷《わけいかづち》　神社（京都市北区上賀茂）、「神倭石余比古」は初代天皇神武、「蓼倉の里の三井の社」は山背国愛宕郡の名神大社の三井神社（賀茂御祖《みおや》神社〈京都市左京区下鴨〉の摂社／『延喜式』段階では祭神は一柱）、「乙訓の郡の社に坐せる火雷神」は山背国乙訓坐火雷《おとくににいますほのいかづち》　神社（京都府長岡京市）、「丹波の国の神野の伊可古夜日女」は丹波国氷上郡の式内の神野《かみの》神社（兵庫県氷上郡氷上町）、「山代国の岡田の賀茂」は山背国相楽郡の木津川畔に鎮座する式内大社の岡田《おかだ》鴨《かも》神社（京都府相楽郡加茂町）の地である。なお、この時点では賀茂御祖神社は未だ存在しない。

右は山背賀茂社の起源を伝えた、丹塗矢型神婚神話《にぬりやがたしんこん》として周知のものであり、内容から原史料は山背賀茂氏から出たものみてよい。日向の曾の峯への天降りを神武天皇との関係を示すための付加とすれば、山背賀茂氏が大和葛城との関係を主張していることは軽視できない。その始祖は「賀茂建角身命」と伝え、ここに大物主神・大田田根子命は登場しない。

葛城賀茂氏の祖神・始祖を考察する上での問題は、葛城賀茂氏と山背賀茂氏を別系の氏とみる立場と〈井上光貞b／岡田精司b／c／和田萃c〉、その時期や理由など細部では異論があるものの同系と解する説〈倉野憲司／三品彰英b／上田正昭a／b／松前健／中村修也／金井清一b／阿部眞司〉が対立していることである。別系の氏ならば、ここに大物主神・大田田根子命が見えないのは当然であり、それを論じる意味はない。

前者の主な論拠は、『神祇令《じんぎりょう》』に「凡《おほよ》そ天神地祇《てんじんちぎ》は、神祇官、皆、常《つね》の典《のり》に依《よ》りて祭れ。」とあることについて、令の註釈を集成して九世紀半ば過ぎに成立した『令集解《りょうのしゅうげ》』「古記《こき》」が、「山城鴨」を天神、「葛木鴨」を地祇に部類分けしていることにある。「古記」は大宝令に関する天平十年（738）頃の註釈であるから、八世紀初めには神々が天神（天上界の神）・地祇（地上界の神）に区分されていて、天神をまつる山背賀茂氏と地祇をまつる葛城賀茂氏は別の氏であり、山背賀茂氏が葛城から移動したというのも虚構であると主張する。

しかし、移動話を捏造して誰がどのような利益を得るのか、そうした虚構を創作すれば葛城賀茂氏から異論、抗議が出なかったのか、等々の疑問を拭い去ることができない。加えて、『記』・『紀』における天・地の部類分け意識は相対的で弱く、かつ神の区分を奉斎した人の区分に及ぼすことへの疑問もあり、同系説が妥当と考えられる。

葛城賀茂氏が祖神・始祖を大物主神・大田田根子命と位置づける所伝は比較的新しく孤立的であり、揺るぎないものであったとは思われないが、このことは初代天皇神武の皇后となる女性の父の問題にも連関する。

右に触れたように、神武天皇の皇后・媛踏鞴五十鈴姫命《ひめたたらいすずひめのみこと》（比売多多良伊須気余理比売命《ひめたたらいすけよりひめのみこと》）の父が事代主神と大物主神の間で確定していないことも、葛城賀茂氏の祖神・始祖の揺らぎに連動している。大物主神と摂津三嶋地域（島上郡・島下郡／大阪府高槻市・島本町・茨木市）の結びつきは窺えないが、皇后の母である勢夜陀多良比売《せやだたらひめ》（三嶋溝樴姫《みしまみぞくいひめ》／玉櫛媛《たまくしひめ》）の父、摂津の三嶋溝咋《みしまみぞくい》（三嶋溝橛耳神《みしまみぞくいみみ》）については、『先代旧事本紀』国造本紀に「都佐国造《とさのくにのみやつこ》。志賀高穴穂《しがのたかあなほの》朝《みかど》の御代《みよ》に、長阿比古《ながのあびこ》と同祖、三島溝杭命の九世孫、小立足尼《をたちのすくね》を国造に定め賜ふ。」とあり、葛城賀茂君氏同族で紀伊国那賀《なが》郡（和歌山県岩出市・紀の川市の辺り）を本貫とした長我《ながのあ》孫《びこ》氏や長公《ながのきみ》氏の同族という系譜伝承を有していたことが知られる。これらのことから、神武天皇の皇后の父は、葛城賀茂氏が奉斎した事代主神とするのが古伝と考えられる〈平林章仁n〉。要するに、葛城賀茂氏と大物主神との結びつきは本来的ではなく、皇后の父を大物主神とする記載も、祖神の変更にともない成立した葛城賀茂氏系の所伝と考えられる。

山背賀茂社の創祀時期を考える

ところで、右の山背賀茂社のことは、葛城賀茂氏にも関わり、避けて通れない問題である。ここでは賀茂社の創祀・祭祀禁制・分立の問題に焦点を絞って考察する。山背賀茂氏の葛城からの移住時期、賀茂社の成立について、『山城国風土記』逸文可茂社条のいう神武朝は到底信じられないが、次に引く『山城国風土記』逸文とみられる賀茂走馬《そうめ》の起源譚（『本朝月令《ほんちょうがつりょう》』所載「秦氏本系帳」所引）には、一定の事実が含まれていると思われ参考になる。

妹《いろせ》、玉依日子は、今の賀茂県主《かものあがたぬし》等が遠《とほ》つ祖《おや》なり。其の祭祀《まつり》の日、馬に乗ることは、志《し》貴《き》島宮《しまのみや》に御宇《あめのしたしろ》しめしし天皇の御世《みよ》、天の下国挙《こぞ》りて風吹き雨零《ふ》りて、百姓《おほみたから》含愁《うれ》へき。その時、卜部《うらべ》、伊吉《いき》の若日子に勅《みことのり》して卜《うら》へしめたまふに、乃《すなは》ち卜へて、賀茂の神の祟《たたり》なりと奏《まを》しき。仍《よ》りて四月《うづき》の吉日《よきひ》を撰びて祀《まつ》るに、馬は鈴を係《か》け、人は猪頭《ししのかしら》を蒙《かがふ》りて、駈馳《は》せて、祭祀《まつり》を為《な》して、能《よ》く禱《ね》ぎ祀《まつ》らしめたまひき。因《よ》りて五穀《たなつもの》成就《みの》り、天の下豊平《ゆたか》なりき。馬に乗ること此《ここ》に始まれり。

朝廷の恒例行事について起源沿革を記した『本朝月令』（『群書類従』六）は、惟宗公方《これむねのきみかた》による平安時代中ごろの撰述と目される。惟宗氏は旧姓秦氏であり、「賀茂県主」は山背賀茂氏の氏姓、「志貴島宮御宇天皇」は欽明天皇（在位は５４０～５７１）である。右にいう災害は、欽明天皇紀二十八年（５６７）条の、「郡国《くにぐに》、大水《おほみず》いでて飢《いひにう》ゑたり。或いは人相食《あひくら》ふ。傍《かたはら》の郡《こほり》の穀《たなつもの》を転《はこ》びて相救《あひすく》へり。」とあることに該当するとみられる。これが「賀茂の神の祟」と解されて、猪頭を被《かむ》った人が馬を走らせると治まったという。どうしてそれで神の祟りが治まったのか分明ではないが、この猪頭が屠殺されたばかりの猪頭ならば〈矢野建一〉、その背景も推察が可能である。

令制下の定例国家祭祀で最も重要であったのは、その年の豊穣を祈願する二月四日の祈《とし》年祭《ごいのまつり》であるが、それは葛城賀茂氏らが催していた「御歳神《みとしがみ》」祭祀を起源とする。具体的には、『古語拾遺』が載録する「御歳神神話」から明らかなように、葛上郡に鎮座する名神大社の葛木御歳神社（御所市東持田）の祭祀にあり、さらに起源は渡来系集団が伝えた牛を犠牲《いけにえ》とし

て捧げる殺牛《さつぎゅう》　農耕祭祀にある。

「御歳神」は穀霊を意味する普通名詞であるが、葛木御歳神社で御歳神として奉斎されたのは下照比売《したてるひめ》（高比売／高照光姫《たかてるひめ》）という女神であり〈平林章仁ｆ〉、令制の祈年祭でも葛木御歳神社には犠牲として特別に白馬・白猪・白鶏を薦める規定であった。

要するに、葛城賀茂氏らは牛・馬・猪などの犠牲を用いた豊穣祈願の祭儀を催していたが、右の所伝で騎馬の人物が頭に冠した猪頭も、神に捧げる犠牲ではなかったかと考えられる。だからそのことで、賀茂神の祟りがおさまり豊穣が約束されると信じられたのである。こうした祭儀文化史的背景が明らかになれば、右の所伝が語る祭儀習俗も容易に理解される。

この所伝からは、欽明朝には賀茂氏が葛城から山背に移住しており、「賀茂の神」の祭祀を執り行なっていたことが知られる。したがって、彼らの山背移住はそれ以前のこと、もう少し限定すれば葛城賀茂氏が奉斎した高鴨神が土左に放逐されて賀茂氏に大きな変動があった、雄略朝のことであったと推察される。

なお、今に行なわれる賀茂競馬は寛治七年（１０９３）に堀河天皇により始められたものであり、右はそれとは発祥が別の儀礼で今日も特別に催されている走馬にあたると思われる。

山背賀茂社の祭礼禁断とその理由

山背賀茂氏による賀茂社の祭祀は、すでに欽明朝には行なわれていたと思われるが、宮中の年中行事について記した鎌倉時代初期の『年中行事秘抄《ねんじゅうぎょうじひしょう》』（『群書類従』六）中酉日《なかのとりのひ》賀茂祭事条所引「秦氏本系帳」には、「天武天皇六年に、山背国をして賀茂を営ましめたまふ。」

とある。これが社殿などの造営を指すならば、この頃には王権内にも認知されて、その庇護を受けていたことになる。そのことは、以下に列記する、朝廷によるその祭儀への規制・禁制からも知られる。

①『続日本紀』文武天皇二年（698）三月辛巳条
山背国賀茂祭の日、衆《もろひと》を集めて騎射《うまゆみ》することを禁《いさ》む。

平安時代の山背の賀茂祭は旧暦四月中《なかのうま》午・未《ひつじ》・申《さる》・酉《とり》（葵祭《あおい》）の四日間に行なわれたが、藤原宮の時期に、宮都から離れた山背の賀茂社の祭祀に対して、こうした禁制が出された理由は詳らかでない。問題とされたのが、多くの人を集めたことか〈岡田精司c〉、あるいは騎射を行なったことか、それともその二つ合わせてのことなのか、判然としない部分もあるが、後の禁令から見れば後者と考えられる。山背の賀茂祭に多く集まり騎射をしたのは、どのような人たちだったのであろうか。

②『続日本紀』大宝二年（702）四月庚子条
賀茂神を祭る日に、徒衆《としゅう》会集《つど》ひて仗《ぢゃう》を執りて騎射《うまい》ることを禁む。唯《ただ》し、当国の人は禁の限《かぎり》に在《あ》らず。

先の禁制を再確認するとともに、会集者を山背国の内・外で区分している。仗は武器のことであるが、右の史料から、山背の賀茂祭には山背国以外の人達も会集したことが知られるが、それは近隣の畿内諸国か、それともさらに遠国からの人たちも含むのかは明らかでない。禁制の対象者は山背国外から参集した人々であり、賀茂祭は山背国外の人々も参集する大規模なものだったことが知られる。課題は、それはどのような人々であり、なぜ彼らはここに会集したのかということの解明である。

また、山背国外の人たちは、なぜ「仗を執りて騎射ること」が禁止されたのであろうか。この時にそれが禁止されたことは、以前に彼らは賀茂祭の場で乱闘的状況を繰り広げていたことを示している。朝廷がそれを禁止するほどであったことから、原因は久々に遠来の同族が会集したことだけではなかろう。

古代の祭祀は、地縁共同体（村落）にしろ、擬制を含む血縁共同体（氏族）にしろ、集団的で閉鎖的性格の強いものだったことを思えば、山背賀茂氏が主催した賀茂祭に参集した山背国外の人たちとは、擬制も含めて諸国に住む賀茂氏同族たちであったことは間違いない。山背の賀茂祭には、全国から賀茂氏一族が参集したのである。このことの意味するところは、小さくはない。

ちなみに、全国に散在した賀茂氏を例示すれば、鴨脚家本『新撰姓氏録』残簡「賀茂朝臣本系」（大和国神別の賀茂朝臣条逸文）に、伊賀国の鴨薮田公《かものやぶたのきみ》、伊予国の鴨部首《かもべのおびと》、酒人君《さかひとのきみ》、大和・阿波《あわ》・讃岐《さぬき》国等の賀茂宿禰・鴨部、役君《えのきみ》、遠江《とおとうみ》国や土佐国の賀茂宿禰・鴨部、伊予国の賀茂伊予朝臣・賀茂首らがみえる。そのほか上に述べ、また後に触れる伊豆国賀茂郡、伯耆国久米郡・会見郡、紀伊国那賀郡、摂津国三島、和泉国など、枚挙に遑《いとま》がない。さらには、十世紀前葉に編纂された辞典『倭《わ》名類聚抄《みょうるいじゅうしょう》』に見える郡・郷名や式内社の分布なども参考になるが、ここでは指摘にとどめる。

③『続日本紀』和銅四年（711）四月乙未条

賀茂の神祭の日、今より以後《のち》、国司毎年《としごと》に親《みづか》ら臨《のぞ》みて検《かむが》へ察《み》よ。

『類聚三代格《るいじゅうさんだいきゃく》』は、弘仁《こうにん》（820年）・貞観《じょうがん》（869年）・延喜《えんぎ》（927年）に撰進された律令の追加法令である格《きゃく》を、十一世紀に内容別に分類編集したものであるが、そこにも本条と同日付のほぼ同文の詔が載る。これは、国司は毎年賀茂祭を臨検（立ち入り検査）せよとの命であるが、その目的については、祭祀の混乱を整備するためと解するむきもあるが〈青木和夫a〉、①文武天皇二年三月辛巳条や②大宝二年四月庚子条の、禁令が遵守されているか否かの確認にあったと理解するのが穏当である。都が平城京に遷っても、山背賀茂社の祭祀に対する朝廷の姿勢に変化は見られない。

④『本朝月令』所載「秦氏本系帳」

神亀三年三月、家人会集、一切禁断。

『本朝月令』所載「秦氏本系帳」は、「類聚国史云」として、①と③を載せ、続いて右のことを記している。なお、菅原道真《すがわらのみちざね》が六国史の記事を内容別に分類した『類聚国史《るいじゅうこくし》』（892年成立）巻第五は②も載せているが、「秦氏本系帳」には記載されていない。また、『続日本紀』

や現『類聚国史』には、この神亀三年（７２６）三月の禁断令に該当する記事は見えない。
ここに見える「家人」が、右に述べてきたことから考えて全国の賀茂氏同族を指していることは明瞭である。この禁制が事実ならば、山背の賀茂祭に賀茂氏同族が一切参加できなくなったことになる。この時に、山背の賀茂祭そのものも禁止されたのか否かは詳らかでないが、あるいは内々に密やかな祭祀として催されていたのかも知れない。

朝廷が山背の賀茂祭へ賀茂氏同族の参集を禁止した意図は分明ではないが、各地の賀茂氏同族が参集することを苦々しく思っていたことは確かである。どうして朝廷が賀茂氏の同族会集に拒否的であったのか、これらの史料は黙して語らないが、その解明がここでの課題である。

山背の賀茂祭に対する禁制からは、朝廷が山背賀茂氏および同族の動向と賀茂祭の状況に強い関心を懐き、国司に監視、報告させていたことが知られる。また、このことは、雄略朝における高鴨神の土左への放逐、その土左で賀茂氏は秦氏の影響下に置かれていたこと、文武天皇三年（６９９）五月丁丑の役君小角（役行者）の伊豆流罪（『続日本紀』）など、王権の葛城賀茂氏に対する態度と同じ流れの中に位置づけることができる。

ところで、『続日本紀』神亀三年七月乙未条には、「使を遣して、幣帛《みてぐら》を石成《いしなり》、葛木、住吉《すみのえ》、賀茂等の神社に奉らしむ。」とあり、その僅か四か月後に賀茂社は朝廷から奉幣されている。三月に賀茂氏の山背賀茂祭への参加が禁止され、その七月に朝廷から奉幣されるというのも、いささか不審に思われる。この四か月の間に、山背の賀茂社に何があったのか、詳らかではない。

ここに見える「葛木」を名神大社の葛木坐一言主神社にあてるむきもあるが〈青木和夫b〉、葛上・忍海・葛下郡には葛木を冠する式内社は八社（内の七社が大社）を数えるから、それは葛木坐一言主神社ではない可能性も少なくない。なお、石成は、大和国山辺郡石成郷（天理市九条町辺り）に鎮座した石成社（『続日本後紀』承和六年〈八三九〉四月壬申是日条）とみられるが、細かなことは分明でない。

ちなみに、『万葉集』巻第六の一〇一七番歌の題詞から、天平九年（737）四月に、大伴旅人の異母妹である大伴《おおとも》坂上《のさかのうえの》郎女《いらつめ》が（山背の）賀茂神社を拝したことが知られる。ただし、そのあとに琵琶湖を望見していることから、賀茂神社の祭祀に参加したというよりは、祭礼を観覧した物見遊山であろう。このころには、禁制も弛緩していたと思われる。

そうして、漸くその禁制が解かれることになった。

⑤『類聚三代格』天平十年（738）四月二十二日勅
比年《としごろ》以来、賀茂神を祭る日、人馬の会《あ》ひ集《つど》ふこと、皆悉《ふつく》に禁め断《た》つ。今自《よ》り以後、意《こころ》に任《まか》せて祭るを聴《ゆる》す。但し祭礼の庭、闘乱《とうらん》せしむなかれ。

天平十年（738）四月になり、山背の賀茂祭に人馬の会集することが解禁となった。この時に山背の賀茂祭への家人・馬の会集が突然に許された理由も詳らかではないが、「祭礼の庭、闘乱せしむなかれ」とあるように、静謐な祭祀であることが許可条件として示されている。

ここから、禁断の目的が「祭礼の庭、闘乱」を鎮めることにあったことが知られる。何らかのことがあって、山背の賀茂祭ではいつも祭儀の場で闘乱が繰り広げられたのだろうが、史料はその理由を述べていない。全国に散在する賀茂氏同族が参集したのならば、その喧騒は尋常ではなかったであろうが、問題は朝廷が禁止するほどの乱闘的状況にまで拡大した原因の追究である。それは、山背の賀茂氏だけでなく、各地から賀茂氏同族が参集しているところに求められると予察される。

なお、『本朝月令』所載「秦氏本系帳」も④に続いて「天平十年四月、任意祭之。」と記している。

山背賀茂社から下鴨社の分立

都が藤原宮や平城京に置かれていた時期に、そこから離れた山背賀茂社の祭祀に禁制が加えられたのは、「祭礼の庭、闘乱」を鎮めることにあったが、賀茂祭がなぜ武器を振りかざした乱闘の場に変貌したのであろうか。

皇極天皇紀三年（６４４）七月条には、「東国不尽河《ふじ》（富士川）辺の大生部多《おおふべのおお》による常世神《とこよのかみ》祭祀を、葛野《かどの》（京都盆地の地域）の秦造《はたのみやつこ》河勝《かわかつ》を派遣して禁断した」とある。また、『類聚三代格』禁制事によれば、奈良時代後半に「京畿内踏歌《とうか》」（天平神護二年〈７６６〉正月十四日）や「京中街路祭祀」（宝亀十一年〈７８０〉十二月十四日）などの禁断令が出されているが、後者は巫覡《ふげき》（呪術的宗教者）による淫祀《いんし》とあるように、特定の神社の祭祀に対するものではない。

したがって、七世紀末から八世紀初頭にかけての時期に、特定の神社祭祀に禁制を加えるのは、相当に異例のことであったと言えよう。

山背の賀茂社は、愛宕《おたぎ》郡鎮座の名神大社の賀茂別雷神社（上賀茂）と、同じく名神大社の賀茂御祖神社（下鴨）に分立するが、その時期と理由は明確ではない。先の『山城国風土記』逸文の段階では賀茂御祖神社のことは見えないから、『山城国風土記』逸文の所伝が成立して以降に、葛城以来という賀茂氏の祖神である賀茂建角身命と子の玉依日売を、当初に祭られていた三井神社から分離し、祖神を奉斎する賀茂御祖神社として独立させたものと考えられる。その具体的な時期は、祭祀の禁制が解かれた天平十年（738）四月以降、『続日本紀』承和十五年（848）二月辛亥条にひく賀茂御祖大社祢宜《ねぎ》の鴨県主広雄《かものあがたぬしひろお》らの欵《かん》（文書）に神社の所領として「御《み》戸《と》代田《しろた》一町」があてられたとある天平勝宝二年（750）十二月までの間のことと思われる。

　藤原宮から平城京の時期に、宮都から離れた山背賀茂社の祭祀に朝廷が禁制を加えたのは異例のことであるが、そこには特別な理由が存在したに違いない。本来、古代の祭祀にはその神を奉斎する地縁集団、あるいは擬制も含めた血縁集団が参集したことから考えて、規制・禁制が加えられてもなお多くの人で喧騒を極めたという山背賀茂社の祭祀に会集したのは、各地に居住する賀茂氏であったことは確かである。ここで、彼らが発祥地の大和葛城ではなく、その一部の移動先である山背賀茂社の祭祀に会集した歴史的背景を問わなくてはならない。

　賀茂別雷神社は、いわば山背に移住後の賀茂氏の祖神を祭ったものと位置づけられるが、賀茂御祖神社分立の理由は、決して大きくなった山背賀茂氏勢力を分断するための策〈直木孝次郎b／井上光貞b〉などではなく、大和葛城以来の遠い祖神である賀茂建角身命の祭祀を、三井神社から独立させることにあったと思われる。

　遠祖の神である賀茂建角身命の祭祀を独立させることとは、各地の賀茂氏らの望むところであったと考えられる。なぜならば、賀茂氏発祥の地である葛城では、賀茂建角身命を主祭神として祭る神社は存在しないのである。葛城では賀茂氏の祖神は祭られておらず、山背の賀茂氏のもと「蓼倉の里の三井の社」で合祀されていたに過ぎなかった。

要するに、賀茂建角身命を主として祭る賀茂御祖神社（下鴨社）を独立させることにより、各地の賀茂氏の要求を満たし、かつそれが原因であった祭礼の庭での闘乱発生を避けることが可能になったものと考えられる。さらに、このことは山背賀茂氏には賀茂別雷命の宗教的権威を高めるだけでなく、加えて山背賀茂氏が各地の賀茂氏同族集団間において本宗的立場を主張できるという効果が期待できた。

賀茂氏の本宗は葛城賀茂氏（君⇒朝臣）であり、山背賀茂氏（県主）はいわば庶流であったことは、その姓《かばね》の差から明瞭である。先述したように、葛城賀茂氏は雄略天皇の葛城山狩猟の際の怒猪の突出に象徴される出来事により、高鴨神ともども土左に流謫になり勢威と権威は著しく失墜していた。そこで、山背賀茂社の祭祀に各地の賀茂氏同族が会集したが、それは葛城賀茂氏に代えて山背賀茂氏を賀茂氏本宗に準じた集団とみなしたからであろう。しかし、中には山背賀茂氏の動きを快く思わない賀茂氏同族が一部に居たうえに、遠祖である賀茂建角身命の祭祀が十分でなかったことへの不満が嵩じていたことから、山背の賀茂祭が闘乱の庭と化したと考えられる。そこで、賀茂別雷命に並ぶ形で賀茂建角身命の祭祀を独立させたことにより、ようやく闘乱の主たる原因が解消された。それにともない山背賀茂氏が同族集団内での地位を向上させて、かつ静謐な山背賀茂祭もここに実現したのである。

事代主神とその後裔氏族

朝廷が山背賀茂社の祭祀に規制・禁断を加えた理由が、そこに参集した各地の賀茂氏の闘乱

賀茂別雷神社

賀茂御祖神社

にあり、その原因が賀茂氏本宗をめぐる内部の軋轢と、山背賀茂氏に対する祖神祭祀への不満にあったことが明らかになった。氏族集団の祖神祭祀は当然本宗が中心に執り行なうものであるが、二つの原因は互いに連関する問題であるから、それは賀茂氏の祖神の究明により明らかになる。山背賀茂社から賀茂御祖神社を分立させたのも、その問題の解消が目的であった。

ところで、葛城賀茂氏もかつては賀茂建角身命を祖神として崇めていたのではないかと推考されるが、ここで課題として浮上するのが、葛城賀茂氏が奉斎した有力神、事代主神と祖神の関係である。葛城賀茂氏が事代主神を奉斎したことは、事代主神が祀られる名神大社の鴨都波八重事代主命神社という名称からも明らかである。

事代主神を祀る鴨都波八重事代主命神社の鎮座地一帯が、弥生時代から古墳時代にかけての集落や墳墓の分布する大遺跡であり、その由来の久しいことが近年の調査で明らかとなった〈御所市教育委員会〉。ここでの課題は、葛城賀茂氏が事代主神を祖神として崇めていたのか否かの検討である。『記』・『紀』・『風土記』などにはそうした記載は見えないが、『新撰姓氏録』には次のような所伝がある。

①左京神別中：「畝尾連《うねをのむらじ》。天辞代命《あめのことしろのみこと》の子、国辞代命《くにのことしろのみこと》の後なり。」
②右京神別下：「伊予部《いよべ》。高媚牟須比命《たかみむすびのみこと》の三世孫。天辞代命の後なり。」
③大和国神別天神：「飛鳥直《あすかのあたひ》。天事代主命《あめのことしろぬしのみこと》の後なり。」
④大和国神別地祇：「長柄首《ながらのおびと》。天之八重事代主神《あめのやへことしろぬしのかみ》の後なり。」

これらのうち、③の飛鳥直氏は事代主神など四柱を祀る高市郡の名神大社、飛鳥坐《あすかにいます》神社（高市郡明日香村飛鳥）を奉斎したが、「天事代主命の後なり」とあることに関して、事代主神と天事代主命は同名だが事代主神が地祇に分けられるから、別の神であるという説がある〈佐伯有清a〉。地祇とは「くにつかみ」、要するに神話観念上の地上世界の神のことである。しかし、地祇に分けられる④の長柄首氏が「天之八重事代主神の後なり」とあることに関わり、事代主神と天之八重事代主神は同じ神であると認めているから、右の主張の説得力は弱い。長柄首氏は大和国葛上郡（御所市名柄《ながら》）が本貫で、式内社の長柄神社（祭神は高照姫《たかてるひめ》＝下照比売《したてるひめ》）を奉斎し、葛城氏との地縁的関係も想定される。『先代旧事本紀』地神本紀も、飛鳥坐神社の祭神を都味歯《つみは》事代主神と記しているのも参考になる。したがって、この地祇条の天之八重事代主神と天神条の天事代主命を、『新撰姓氏録』における天神・地祇の区分を拠り所として別の神とみなすことはできない。

また天事代主命は、②の伊予部が「高媚牟須比命の三世孫、天辞代命の後なり」とある天辞代命と神名の類似に留意されるが、①の畝尾連の「天辞代命の子、国辞代命の後なり」とある天辞代命と同神である。畝尾連氏は大和国十市《とおち》郡の式内社、畝尾都多本《うねおつたもと》神社（神代記に「香山《かぐやま》の畝尾《うねを》の木本《このもと》の泣沢女神《なきさはめのかみ》」）の鎮座地辺り（橿原市木之本町）が本貫であろう。ちなみに、和泉国神別天神条の畝尾連氏は、天児屋根命の後で中臣氏同祖とあり、左京神別中条の畝尾連氏とは別系を称している。

その先祖の「天辞代命、国辞代命」という名や、④では地祇の氏族が「天之八重事代主神」とあることなどは、ここでの天・地（国）という区分観念が、それほど厳密なものではなかったことを示している。

したがって、③・④は葛城賀茂氏系、①・②も同系である可能性がある。これは葛城賀茂氏と山背賀茂氏の氏族系統論でも当てはまることだが、ここでの天神・地祇の区別は氏族系統を明確に区分できるほどに、厳格な意味をもたなかったということである〈田中卓c〉。

⑤は、左の『続日本後紀』承和二年（835）十月戊子条である。

　摂津国の人従五位下長我孫《ながのあびこ》葛城及び其の同族合せて三人に、姓《うぢ》長宗宿祢《ながむねのすくね》を賜ふ。事代主命の八世孫、忌毛《いみけ》宿祢の苗裔なり。

この摂津国の長我孫（長宗宿禰）氏は、『新撰姓氏録』和泉国神別地祇条に、⑥「長公《ながのきみ》。大奈牟智《おほなむち》神の児、積羽八重《つみはやへ》事代主命の後なり。」と見える、長公氏と同族である。彼らは、承和十二年（845）十二月五日付の「紀伊国那賀郡司解《ながぐんじげ》」（『平安遺文』一―七九）に、⑦「大領《だいりょう》外従八位上長我孫縄主《ただぬし》・大領《ママ》外従八位下長公広雄」と見える、紀伊国那賀郡（和歌山県岩出市・紀の川市辺り）が本貫の長我孫氏や長公氏と同族であった。大領は郡の長官で、その土地の豪族が任命された。

すなわち、⑤の摂津国の長我孫（長宗宿禰）氏・⑥の和泉国の長公氏・⑦の紀伊国那賀郡の長我孫氏や長公氏らは同族であり、事代主命の神裔を称していたことが知られる。

ちなみに、天武天皇紀元年（672）条に、壬申の乱の最中に高市郡大領高市県主許梅《たけちのあがたぬしこめ》に高市社の事代主神と身狭《むさ》社の生魂《いくたま》神が依り付いて「神日本磐余彦《かむやまといはれひこ》天皇の陵（神武天皇陵）に、馬及び種種の兵器を奉《たてまつ》れ」と託宣したとあることから、高市県主氏が高市社（式内大社の高市御県坐鴨事代《たけちのみあがたにいますかもことしろ》主神社《ぬし》）を奉斎していたことが知られる。この高市県主氏は、『新撰姓氏録』右京神別下条には「高市連。額田部《ぬかたべ》と同じ祖。天津《あまつ》彦根命《ひこねのみこと》の三世孫、彦伊賀津命《ひこいがつのみこと》の後なり。」、同じく和泉国神別条でも「高市県主。天津彦根命の十二世孫、建許呂命《たけころのみこと》の後なり。」とあり、いずれも天津彦根命系を称していて事代主神との系譜的関係は窺えない。要するに、大和国高市郡の高市県主氏が事代主神を奉斎していたことは確かであるが、事代主神を祖神としていたのではなく、その理由は他に存在したと思われる。なお、身狭社とは式内大社の牟佐坐《むさにいます》神社（橿原市見瀬町）である。

高市御県坐鴨事代主神社は、一般には奈良県橿原市雲梯《うなて》町の曽我《そが》川畔に鎮座する河俣《かわまた》神社に比定されているが、これには疑問もある。比定の論拠は、『出雲国造神賀詞』に「…己《おのれ》命《みこと》の御子阿遅須伎高孫根の命の御魂《みたま》を葛木の鴨の神奈備《かむなび》に坐《ま》せ、事代主命の御魂を宇奈提《うなて》に坐せ、賀夜奈流美命《かやなるみのみこと》の御魂を飛鳥の神奈備に坐せて、…」とある中の「宇奈提」を橿原市雲梯町と解し、高市御県坐鴨事代主神社をその地の河俣神社にあてたことにある。

橿原市雲梯町に係る地名「ウナテ」は『万葉集』（１３４４・３１００）にも散見するが、それを『出雲国造神賀詞』にみえる「宇奈提」にあてることの妥当性は、別に検討しなければならない問題である。本来「ウナテ」は水路・溝を意味する普通名詞であり、『出雲国造神賀詞』では「阿遅須伎高孫根の命」の鎮座地には地域を特定する「葛木」が冠されているが、続く事代主命の場合にはそれがない。『出雲国造神賀詞』で「宇奈提」に地域を特定する地名が冠されていないのは、「阿遅須伎高孫根の命」の鎮座地記述との重複を避けて省略されているからと解される。『出雲国造神賀詞』のこの文脈に従えば、「宇奈提」は葛上郡内に求めるべきだと考えられる。

要するに、この「宇奈提」に鎮座する「事代主命」を、高市郡の高市御県坐鴨事代主神社に比定することは妥当でない。それは葛上郡の「宇奈提」、すなわち葛城川畔に鎮座する鴨都波八重事代主命神社にあてるべきである。それはこの神の神名表記からも推考される。『延喜式』神名帳では鴨都波八重事代主命神社とあり、鴨都波の鴨は地名もしくは奉斎集団と解されるが、都波の意味がよく分からない。一方、『先代旧事本紀』地神本紀では都味歯事代主神、『新撰姓氏録』和泉国神別地祇の長公条では積羽八重事代主命と記し、いずれも鴨を欠いているから都味歯・積羽の意味が分明でない。これに鴨を補い鴨ツミハ八重事代主命と復原すれば意味が明快になる。「鴨ツミハ」の鴨は右述したが、ツは場所を意味する助詞、ミは水、ハは端であり、葛城川（大和川支流）西岸に鎮座する場所を示した語句であった。それは、葛城川の「宇奈提」であり、鴨都波八重事代主命神社にあてるのが妥当である。

それはさておき、このように事代主神の後裔を称する氏族は存在するが、いずれも中小の傍系氏族であり、賀茂氏本宗にはその主張は見られないことは軽視できない。こうした状況を勘案すれば、葛城賀茂氏は事代主神を奉斎していたことは間違いないが、元来事代主神は氏族の祖神として位置づけられていなかったと考えられる。葛城賀茂氏が事代主神やアヂスキタカヒコネ神を奉斎したのは彼らの祖神としてではなく、別の理由によると思われる。そうであるならば、葛城賀茂氏の祖神は別に求めなければならず、賀茂建角身命がその候補として有力になるが、問題は高鴨神との関係である。

葛城賀茂氏の祖神と高鴨神

すこし迂遠な記述を重ねたが、ここで葛城賀茂氏が本来、祖神として崇敬した神について考えてみよう。

山背賀茂氏（賀茂県主・鴨県主氏）は、先の『山城国風土記』逸文に加えて『新撰姓氏録』山城国神別条の賀茂県主は「武津《たけつ》之《の》身命《みのみこと》の後」、同じく山城国神別条の鴨県主も「賀茂県主と同じき祖、…鴨《かも》建津《たけつ》之《の》身命《みのみこと》」の後とあることから、カモタケツノミ命を祖神と位置づけていたことは確かである。また、葛城賀茂氏と山背賀茂氏は同族とみられるから、本来祖神と仰いでいた神も同じ神であったと考えられ、カモタケツノミ命に求めるのが妥当であろう。

この場合、葛城賀茂氏を大田田根子命の後裔とする所伝は本来のものでないから除外するが、『新撰姓氏録』大和国神別の賀茂朝臣条に伝える「大賀茂都美命〈一名は大賀茂足尼〉」と、賀茂建角身命（鴨建津之身命）の異同が問題となる。これについては、関連史料が僅少で判断は容易でないが、賀茂を共有することもあって同一神である可能性が高いと考えている。

それに関わり、先に引いた『新抄格勅符抄』大同元年牒によれば、高鴨神には葛城復祠の翌天平神護元年（７６５）に土佐国二十戸の神封があてられたが、同年には賀茂建角身命・玉依日売を祀る「鴨御祖神」（賀茂御祖神社）にも山城国十戸と丹波国十戸（丹波国氷上郡賀茂郷か）の神封があてられていることが、『山城国風土記』逸文の所伝とも関わり示唆的である。いずれも、賀茂氏の奉斎する神社への優遇策である。ただし、大同元年牒で天平神護元年に神封のあてられた神は十九柱を数えるから、賀茂氏関連の高鴨神と鴨御祖神だけが優遇されたわけではない。

天平宝字八年（７６４）九月に孝謙《こうけん》上皇が恵《え》美押勝《みのおしかつ》（藤原仲麻呂）を破り、道鏡が大臣禅師《だいじんぜんし》に任じられて実権を掌握、十月には淳仁《じゅんにん》天皇を廃して淡路に流謫とし、孝謙上皇が重祚《ちょうそ》して称徳天皇となった。政治的激動と政情不安の状況が続き、翌天平神護元年八月には舎人《とねり》親王の孫の和気王《わけ》が、天皇位を窺い呪詛《しゅそ》させたという謀反の罪で伊豆国に流謫になったが、配流の途中で絞殺された。不安定極まりない政治情勢の最中に、各地の主要な神へ神封を授けたことの、権力者側の意図は明白である。すなわち、天平宝字八年十一月の高鴨神の葛城復祠、翌天平神護元年九月の高鴨神や鴨御祖神などへ神封を授けたことは、政情安定化策の中における、葛城や山背の賀茂氏優遇策でもあった。

要するに、高鴨神は葛城賀茂氏が奉斎していた彼らの祖神であったことは間違いないが、それは大賀茂都美命とも称えられた賀茂建角身命ではなかったかと思料される。それが高鴨神と称されたのは、高鴨がこの神の本来の奉斎地であったこととともに、土左では流謫になった神として本来の神名を表に出して奉斎することが許されなかったからだと考えられる。一方、別雷命よりも劣る扱いで他の神との合祀であるが、山背賀茂氏が賀茂建角身命の名を現わして奉斎することができたのは、彼らは土左流謫とは別の機会と理由で葛城から山背に移住したからであろう。

おそらく、雄略天皇による葛城地域の占有を示威する狩猟に際して、天皇に親和的、好意的な態度を示した秦氏と、怒猪（嗔猪）に象徴される反友好的な行動をした賀茂氏が存在した。秦氏は彼らの奉じる新しい神の名・一言主神を顕わして奉斎することが認められたが、葛城氏本宗集団と高鴨神は土左へ流謫になった。長我孫同族の土佐国造氏や鴨脚家本『新撰姓氏録』断簡の賀茂朝臣条逸文に見える「土佐国の賀茂宿禰、鴨部」は、彼らの一部と目される。葛城に残された賀茂氏はさらに有力な一部が山背に遷居したこともあり、勢力と権威を喪失して著しく弱体化したことは言うまでもない。葛城賀茂氏が、祖神を大物主神、始祖を大田田根子命と位置づけるのは、この変動を契機とするのちの変転の中に位置づけることができると考えられる。

雄略朝の大きな変動

これまで述べてきた複雑な内容は、大日下王の子の眉輪王（目弱王）による安康天皇の殺害⇓雄略天皇が眉輪王を殺害して日向系日下宮王家が滅亡・同時に葛城円大臣も殺害されて葛城氏本宗が滅亡⇓さらに市辺押磐皇子（市辺押羽皇子）が殺害されて石上市辺宮王家王族が離散⇓雄略天皇の葛城山狩猟にともなう秦氏と賀茂氏の勢威転変、という一連の大きな変動に象徴される、五世紀後半の激的な歴史的転換の一齣であった。少し煩瑣な手続きを経て結論に辿り着いたので、論点を明確にするためにここでの要旨を整理しておこう。

- 高鴨神は本来、葛城賀茂氏には最も重要な神であったが、雄略朝に奉斎集団の葛城賀茂氏とともに土左に流謫になった。
- その理由は、雄略天皇の葛城地域領有を示威する狩猟に際して、怒猪の突出に象徴される非協力的な行動を示したことにある。これは、一言主神を奉斎した秦氏系集団が雄略天皇に親和的、友好的であったことと対照的な動きといえる。
- 土左国内では、高鴨神は一言主神の下にあり、常に賀茂氏は秦氏の影響下に置かれていた。これは、雄略朝の葛城における関係を引き継いだものである。
- 土左流謫に際して、残された葛城賀茂氏の一部は、祖神で大賀茂都美命〈溝口睦子〉と称えられた賀茂建角身命を奉じて山背に移住し、天武朝頃には全国の賀茂氏の本宗的地位を得ていた（『年中行事秘抄』中西日賀茂祭事条所引「秦氏本系帳」）。反対に、文武朝における役小角の伊豆流謫が物語るように、葛城賀茂氏の王権内での信頼と地位の回復は未だ達成されていなかった。

・本宗的地位を得た山背賀茂氏の賀茂祭には、全国各地の賀茂氏が参集し、賀茂氏の氏族祭祀として殷賑《いんしん》を極めていた。しかし、参集する賀茂氏同族間で、山背賀茂氏の地位と賀茂氏の祖神祭祀をめぐり、毎年武器を振りかざしての乱闘騒ぎが発生した。いわば、賀茂氏同族間の内紛であるが、それで文武朝からは山背賀茂祭に各地の賀茂氏が参集することを規制・禁断して、それを防ごうとした。

・山背賀茂氏の側でもそれに応じて、天平十年（738）から天平勝宝二年（750）までの間に、大和葛城以来の遠い祖神・賀茂建角身命と子の玉依日売を三井神社の祭神から分離し、賀茂別雷神社（上賀茂社）とは別に賀茂御祖神社（下鴨社）として分立させた。これにより闘乱は鎮まり、静謐な賀茂祭が実現した。

・これには、賀茂祭における闘乱の鎮静化だけでなく、山背賀茂氏の本宗的地位の顕示という効果が期待された。反面、その動きが葛城賀茂氏らに、大きな衝撃であったことは容易に推察される。

葛城賀茂氏が土左に放逐されていた本来の祖神、高鴨神の葛城復祠にむけて積極的に動きだすのは、こうした状況下であった。これが山背賀茂氏の動きに対抗した葛城賀茂氏の巻き返し、その地位回復の企図より出た動きであったことは明らかである。それが奏功したか否かは、平安遷都にともなう山背賀茂社の宗教的権威の向上を見れば明らかであろう。

ちなみに、この時期に葛城賀茂氏がこうした動きをなし得た背景には、同氏の政治的地位の上昇も与かっている。壬申の乱で活躍した賀茂朝臣（旧姓鴨君）蝦夷は持統天皇九年四月甲午に亡くなったが、天平年間にかけて賀茂氏が中流官人として史上に現われてくる。賀茂氏復権の兆しと言えるが、これは賀茂朝臣蝦夷の娘で藤原不比等の室となった、賀茂朝臣比売の存在が大きいと考えられる〈神田秀夫〉。賀茂朝臣比売が藤原不比等と結ばれた事情は詳らかではないが、賀茂朝臣比売が儲けた藤原宮子は文武天皇との間に後の聖武天皇を産んでいる。こうしたことが、この期の賀茂氏の政治的地位の上昇に寄与したであろうことは記すまでもないが、こうしたことも相俟って高鴨神を葛城に復祠することができたものと考えられる。

最後に、葛城地域に鎮座する式内社に関する残された課題について、少し触れておこう。それは、名神大社である高天彦神社（御所市高天に南接する北窪の金剛山中腹に鎮座）の祭神の神格が詳らかでないことである。かつて葛城山とも称された金剛山（標高1125m）は、高天山とも呼ばれていた。それは、金剛山南側に位置する宇智郡中腹部に式内社の高天《たかま》岸野《きしの》神社（奈良県五條市北山町）、同じく高天《たかま》山佐《やまさ》太雄《だお》神社（五條市大沢町神福山）が鎮座することから知られる。高鴨神を復祠した高鴨阿治須岐託彦根命神社の高鴨、主祭神の阿遅志貴高日子根神（味耜高彦根神）、その対偶《たいぐう》神である高比売命（高照光姫／下照比売）などの地名や神名も、この葛城の「高」に縁りがある。

仁徳天皇紀三十年九月乙丑条に、紀国《きのくに》から帰った皇后磐之媛（葛城襲津彦の娘）が、那羅《なら》山から故郷の葛城を望んで「…我が見《み》が欲《ほ》し国は　葛城高宮（多伽瀰揶）　我家《わぎへ》のあたり」と詠んだとある高宮は、大和国葛上郡高宮郷に求められる。神功皇后五年三月条に葛城襲津彦が新羅から連れ帰った「俘人《とりこ》」を安置したという四邑のなかの高宮でもあり、葛城氏の本拠でもあった。

金剛山中腹の標高約550mに位置する古代山岳寺院である高宮廃寺跡（御所市西佐味）は、藤原宮に並行する時期の金堂跡や塔跡が確認できる山林修行の寺院と見られ、1927年に国史跡に指定された。これは、百済出身の僧円勢《えんせい》が止住《しじゅう》した「高宮山寺」（『日本霊異記』上‐四）、民衆への仏教布教で知られる行基《ぎょうき》に僧が守るべき戒律である具足戒《ぐそくかい》を授けた徳光《とくこう》の住した「高宮寺」（『行基菩薩伝』）にあてられるが、高天彦神社との関係も考えなければならない。

高宮は、高天山中に「宮」が存在したことから生まれた地名と考えられるが、貴人の居地としては標高が高すぎることから、それは神の宮ではなかったかと思われる。高天彦神社は金剛山の支峰である白雲《しらくもの》峰《みね》を神体と伝え、祭神名は高天彦神と想定されるも、その神格と奉斎集団は詳らかではない。四世紀後半から五世紀末にかけて古代史の重要な舞台となった葛城地域の、名神大社の祭神の神格と奉斎集団が全く明らかでない問題は、軽くはない。古の葛城山（高天山／金剛山）中腹に鎮座する高天彦神社の祭神こそが、古代のある時期における葛城地域の主たる神ではなかったかと憶測されるものの、関連史料は皆無であり考究を進めることは困難である。

第六章　雄略天皇と采女と物部氏

―大悪天皇か―

王権と采女と物部氏

雄略天皇紀の特徴の一つに、采女《うねめ》関連記事の集中があり、『記』における唯一の采女関連記事も雄略天皇記に載録されている。また、采女関連記事には物部氏が関わる例が多く、両者の密な関係が予察される。本章では、采女と物部氏の関連記事から、雄略朝の特徴を描出しよう。また、その関連記事には雄略天皇を「大悪天皇」と評する記述も現れるから、これについても検討する。

采女とは、ヤマト王権に帰服した各地の豪族が、帰服の証《あかし》として王権に貢進した姉妹や娘である〈浅井虎夫／門脇禎二a／磯貝正義／倉塚曄子〉。彼女たちは、律令制以前には主に後宮《こうきゅう》（后妃の宮殿）で天皇の身辺雑事に従事したが、帰順した豪族がその証に貢進した人質的性格の女性という特性から、天皇一人に占有された存在として、性的にも禁制下に置かれていた。

その法的な制度化は大化の改革で進められたことは、次に引く孝徳《こうとく》天皇紀大化二年（646）正月甲子朔条の改新の詔《みことのり》から知られる。

> 凡《おほよ》そ采女は、郡《こほり》の少領《すけのみやつこ》より以上の姉妹《いろも》、及《およ》び子女《むすめ》の形容《かほ》端正《きらぎら》しき者を貢《たてまつ》れ。〈従丁《ともよほろ》一人、従女《ともめわらは》二人。〉一百戸《ももへ》を以て、采女一人が粮《かて》に充てよ。庸布《ちからしろのぬの》・庸米《ちからしろのこめ》、皆仕丁《つかへのよほろ》に准《なぞら》へ」とのたまふ。

采女は、各地の郡（大宝令以前は評《こおり》）の長官・次官から貢進するよう定めたとあり、記事には後の大宝令による文飾も考えられるが、実態は大化以前の慣行を制度化したものであろう。養老《ようろう》令の規定もほぼ等しく、後宮職員《しきいん》令には次のように規定されている。

> 其れ采女貢《ぐ》せむことは、郡の少領以上の姉妹及び女の、形容端正なる者をもちてせよ。皆中務《なかつかさ》省に申して奏聞《そうもん》せよ。

貢進された采女は、宮内《くない》省の采女司《うねめのつかさ》が名簿や勤務を管理し、重湯《おもゆ》や各種の粥《かゆ》を奉る後宮の水司《もいとりのつかさ》に六人、御膳を調進する膳司《かしわでのつかさ》に六十人を配置する規定であり、「帰順の証」という意味は消失して単なる女官《にょかん》（女性官人）に変貌する。

物部氏は、河内国渋川《しぶかわ》郡（大阪府八尾市・東大阪市・大阪市の一部）を本拠とする大豪族であり、祖である饒速日命《にぎはやひのみこと》は天皇家の祖である瓊瓊杵尊《ににぎのみこと》と同様な天上からの降臨《こうりん》神話が語られ、初代天皇神武が日向から大和へ東遷した際に帰順したと伝える。のちには大和から難波《なにわ》に流出する大和川とその沿岸の水陸交通の要衝を押さえ、勢力基盤として権勢を振るった。また物部氏は、帰服した諸豪族が王権に奉献した宝器を収納した石上神宮（大和国山辺郡の名神大社石上坐布都御魂神社／奈良県天理市布留町）を奉斎するとともに、大連《おおむらじ》（執政官）に任命されて王権の権力執行を担い、王位継承や仏教信仰の受容などをめぐって大臣《おおおみ》の蘇我氏と激しく対立したことも、周知のところである〈平林章仁ｍ〉。

履中天皇と倭采女と物部氏

『紀』における采女の初見は、仁徳天皇紀四十年是歳条に、隼別《はやぶさわけ》皇子（天皇の異母兄弟）の事件で亡くなった雌鳥《めとり》皇女（天皇の異母姉妹）の手珠《てたま》を着けていた女性として見える「采女磐《いは》坂媛《さかひめ》」であるが、出自など具体的なことは詳らかではない。

次は履中天皇に関わり、その即位前紀の王位継承をめぐる同母（葛城磐之媛）弟の住吉仲《すみのえのなかつ》皇子（『記』は墨江中王）の事件に登場する。関連記事は長いから、その概要を示そう。

仁徳天皇の死後、羽《は》田矢《たのや》代《しろ》宿禰の娘の黒媛《くろひめ》をキサキに迎えることをめぐり、履中は王位を競う同母弟の住吉仲皇子に宮殿を包囲されたが、平群《へぐり》木菟《のつく》宿禰・物部大前《おおまえ》宿禰・漢《あやの》直《あたい》の祖阿知使主《あちのおみ》らに救出され、河内を経て大和の石上振《ふる》神宮に逃れた。住吉仲皇子と親密であった倭 直《やまとのあたい》吾子籠《あごこ》は履中に帰服し、その証に妹の日之媛《ひのひめ》を采女として献じた。履中は、弟の瑞歯別《みつはわけ》皇子（後の反正《はんぜい》天皇）に住吉仲皇子の殺害を命じ、瑞歯別皇子は隼人《はやと》刺領巾《さしひれ》を騙《だま》してそれを果たした。「其《そ》れ倭 直等《やまとのあたひら》、采女貢《たてまつ》ること、蓋《けだ》し此《こ》の時に始るか」。

羽田矢代宿禰と平群木菟宿禰は葛 城曾《かづらきのそ》都《つ》毘《び》古《こ》（葛城襲津彦）らとともに建内（武内）宿禰の

子と伝えられる人物であるが、ここでは黒媛を履中天皇のキサキとして迎えることが、即位を有利にする条件であったことが知られる。ただし、彼女の出自について、履中天皇紀元年七月壬子条では羽田矢代宿禰の娘でなくて葦田《あした》宿禰の娘、履中天皇記でも葛城曾都毘古の子の葦田宿禰の娘黒比売命《くろひめのみこと》と伝えている。五世紀代の葛城氏の権勢からみれば、葛城葦田宿禰の娘というのが本来の所伝と思われる。なお同条の異伝には、「大前宿禰、太子を抱きまつりて馬に乗せまつれりといふ」と、物部氏の活躍を伝えている。

『記』でも物語の基本的展開は等しいが、平群木菟宿禰と物部大前宿禰は事件に登場せず、履中を救出し馬に乗せて石上神宮まで逃れた人物は、渡来人である倭漢直《やまとのあやのあたい》の祖阿知直《あちのあたい》である。また、住吉仲皇子の与党である安曇連浜子《あづみのむらじはまこ》配下の淡路野嶋《あわじののじま》（兵庫県淡路島北部）の海人《あま》の参戦と倭直吾子籠の帰順のことは、『記』に見えない。

こうした差異は、この事件に関する原史料が『記』・『紀』で違っていたことを示唆している。倭直氏は、初代天皇神武の東遷に際して水先案内をした椎根津彦《しいねつひこ》（『記』は槁根津日子《さおねつひこ》）の後裔を称し、のち大倭国造《やまとのくにのみやつこ》に任じられ、大和国山辺郡鎮座の名神大社大和坐大国魂《やまとにいますおおくにたま》神社（祭神は倭大国魂神／天理市新泉町）の祭祀を担った。

右は采女に関する具体的な記述の最初であるが、「倭直等、采女貢ること、蓋し此の時に始るか」と記し、倭直氏からの采女貢進が早くから恒例化していたことを思わせる。

雄略天皇と采女春日童女君と物部氏

雄略天皇紀では、具体的な采女関連記事が豊かになり、かつそこに物部氏が関わることも多く、説話化は進んでいるが、当時の状況も含まれていると考えられる。年次順に見て行くが、雄略天皇紀元年三月是月条は長文なので概要を紹介しよう。

天皇は、もと采女であった春日和珥臣深目《かすがのわにのおみふかめ》の娘の童女君《おみなぎみ》との間に、春日大娘《おおいらつめ》皇女を儲けた。天皇は童女君と一夜のみの交わりで懐妊したことを疑い、春日大娘皇女を養育しなかった。近侍していた物部目大連《もののべのめのおおむらじ》は、皇女の容姿が天皇に酷似していることから、天皇に「一夜に何度お召しになりましたか」と尋ねた。「七度召した」と答えた天皇は物部目大連に諫《いさ》められ、女子を皇女と認め童女君を妃にした。

ここでは、物部目が天皇に近侍し諫言《かんげん》をも行なう大連として描かれているが、この物語本来の関心は、采女であった春日和珥臣深目の娘の童女君の懐妊にあった。彼女が一夜の交わりだけで春日大娘皇女を産んだというのは、童女君が祭りの夜にだけ神を迎えて妻となる一《いち》夜妻《やづま》、巫女《みこ》的な女性であったことを暗示している〈倉塚曄子〉。物部目大連の功績譚でもあり、物部氏が采女とその職務に関わる立場にあったことが知られる。

春日和珥氏は単に丸邇・和邇とも記されるが、大和国添上《そふのかみ》郡和爾《わに》（天理市和爾町）から奈良盆地東北部の春日（奈良市春日野町辺り）を本拠とし、五世紀から七世紀にかけて勢力を有した伝統的な大豪族である。大宅《おおやけ》・櫟井《いちい》・柿本《かきのもと》・粟田《あわた》・小野《おの》氏らが同族と伝え、政治的には外交での活躍が伝えられるが、応神・反正・雄略・仁賢・継体・欽明・敏達の七天皇に后妃を入れた天皇家の外戚《がいせき》氏族としても知られている〈黒澤幸三／岸俊男a／加藤謙吉d〉。右の所伝は、地方豪族だけでなく中央の伝統的大豪族も、采女を貢進していたことが知られる点でも興味深い。

生肉の調理と倭采女日媛

雄略天皇紀二年十月丙子条には、先の履中天皇即位前紀で触れた、倭直吾子籠の妹の日之姫が再び登場するが、ここでも概要を記そう。

> 天皇は吉野宮に行幸して、狩猟を楽しんだ。その際、獲物を生食用の膾《なます》に調理することをめぐり、調理人である膳人《かしわで》や群臣の対応が良くないとして、天皇は従者の大津馬飼《おおつのうまかい》を斬り殺した。容姿端麗で温雅な倭采女《やまとのうねめ》日媛《ひのひめ》が天皇に酒を捧げ、また天皇の母忍坂大《おしさかのおお》中姫《なかつひめ》が膳臣長野《かしわでのおみながの》に宍膾《なます》を作らせたので、天皇の怒りは鎮まった。そこで、大倭国《やまとのくにの》造《みやつこ》吾子《あご》籠宿禰《このすくね》をはじめ、臣下たちは挙って肉の調理人である宍人部《ししひとべ》を貢進した。

吉野宮は吉野川の右岸、今日の奈良県吉野郡吉野町宮滝《みやたき》に営まれた天皇家の離宮で、応神天皇紀十九年十月戊戌朔条に初見し、雄略天皇は四年八月戊申条にも行幸して狩猟を楽しんだとある。その後、斉明・天武・持統・文武・元正・聖武各天皇の行幸が伝えられ、後々まで王家の重要な離宮として経営された。また、乙巳《いっし》の変後の古人大兄《ふるひとのおおえ》皇子、壬申《じんしん》の乱前には大海人《おおあま》皇子らの逃亡先として知られる。

生食用肉料理の調理を担った宍人部の設置を主題とする物語に、宮廷の調理を担当した膳臣長野が登場するのは当然であるが、そこに采女が天皇の母とともに現われることも、采女の古い姿を偲ばせる。律令制下の采女が、後宮の水司や膳司に配置されることに繋がる所伝でもある。

大倭国造吾子籠宿禰と倭采女日媛は先の住吉仲皇子事件に見えるから、二人が履中朝から雄略朝まで五代の宮廷に仕えたというのは、不可能でないが実際的ではない。

倭直氏の貢進した倭采女が、特別に日媛（日之姫）と称されていたと推察される。なお、大倭国造吾子籠宿禰とみえるが、雄略朝には未だ国造の任命はなく、この表記は後世の事実を氏の祖的人物に遡及させた文飾であろう。

祭祀の場で姦された采女

次の雄略天皇紀九年二月甲子朔条は、采女の宗教的性格と性的禁制を主題とする物語である。これ以降も、采女に関する性的な内容の物語が続くが、これは采女の宮中での有様《ありよう》を示唆している。

凡河内直《おほしかふちのあたひ》香賜《かたぶ》と采女とを遣《つかは》して、胸方神《むなかた》を祠《まつ》らしめたまふ。香賜、既に壇所《かむには》に至りて、将《まさ》に事行《おこな》はむとするに及《いた》りて、其の采女を奸《をか》す。天皇、聞しめして曰はく、「神を祠りて福《さいはひ》を祈《いの》ることは、慎《つつし》まざるべけむや」とのたまふ。乃《すなは》ち難波日鷹吉士《なにはのひたかのきし》を遣して誅《ころ》さしめたまふ。時に香賜、退《まか》り逃げ亡《う》せて在《はべ》らず。天皇、復《また》弓削連《ゆげのむらじ》豊穂《とよほ》を遣して、普《あまね》く国郡県に求めて、遂《つい》に三《み》嶋郡《しまのこほり》の藍原《あゐのはら》にして、執《とら》へて斬《き》りつ。

凡河内直は大河内直とも記され、のちに河内国造（『先代旧事本紀』国造本紀）に任命される河内の有力豪族である。式内社である河内国魂《くにたま》神社が摂津国菟原《うはら》郡に鎮座（神戸市灘区）することから、かつての「大河内」はのちの摂津の一部も含み、律令制下の「河内国」より広域であった〈吉田晶a／田中卓b〉。ちなみに、河内国から和泉監《いずみのげん》が分立するのが霊亀二年（716）、若干の変遷を経て和泉国の設置は天平宝字元年（757）のことである。

水運に長《た》けた難波日鷹吉士は、難波（大阪市）を本拠に対外交渉に活躍した渡来系氏族で、日鷹は紀伊国日高郡（和歌山県御坊市・由良町を除く日高郡）との縁りを示しているとされる。

三嶋郡の藍原は、淀川の分流である神崎川上流の安威《あい》川流域に位置する、摂津国島下《しましも》郡安威郷（式内社の安威神社が鎮座。大阪府茨木市安威・太田・耳原）である。凡河内直（大河内直）氏と摂津国三嶋地域の関係は、安閑天皇紀元年（534）閏《うるう》十二月壬午条の、王権の領有地である三嶋竹村屯倉《たかふのみやけ》（茨木市桑原・安威・太田）の設置に関わり、大河内直味張《あじはり》が良田の献上を惜しんだために、配下の領有民をその屯倉の耕作民として提供することになる起源譚にも語られており、凡河内直氏の本拠の一つがこの辺りに存在したとみられる〈佐伯有清a〉。

胸方《むなかた》神は、筑前国宗像郡鎮座の名神大社宗像神社（福岡県宗像市）の祭神（『記』は多紀理毘売《たきりひめの》命《みこと》・市寸島比売命《いちきしまひめのみこと》・多岐都比売命《たきつひめのみこと》の宗像三女神）で、王権が大陸と往来する際に宗像君氏らに奉斎させた国家的航海神である。凡河内直氏と宗像神社（宗像三女神）の関係はよく分からないが、難波日鷹吉士の派遣・凡河内直香賜の三嶋郡藍原での処刑などからみて、凡河内直香賜と采女が筑前国宗像郡まで祭祀に赴いたのではなく、大阪湾岸辺りに祭場を設えて祭祀を予定していたものと思われる。

その直前に凡河内直香賜が采女を姦したということだが、最終的には弓削連豊穂を遣して事の幕引きが行なわれたという。弓削連豊穂の派遣は、物部氏の同族として科刑を担うとともに、采女の事にも関与していたからであろうか。

事件の核心は、胸方神を祭る采女を凡河内直香賜が奸したことにあるが、この采女の出自（地域／集団）は記されていない。ただし、それが分明でなかったのではなく、反対にそれが自明であったから記す必要がないと判断された、とも考えられる。すなわち、宗像君氏出身の宗像采女が胸方神を祭るという共通理解が存在したので、『紀』は敢えてそのことを記さなかったと考えられる。後述する采女と関係を持った歯田根命は、祓除でその罪過が解消されているが、凡河内直香賜が重い斬首とされたのは、王権による胸方神の祭場で宗像采女と通じたことが問われたからとも考えられるが、相手の采女に対する処罰のことは見えない。

ちなみに、凡河内直氏と宗像神との関係は詳らかではないが、凡河内直氏は、神代記の天安河誓約《あめのやすのかわのうけい》段に須佐之男命《すさのおのみこと》が天照大御神《あまてらすおおみかみ》から得た珠に息吹《いぶき》を吹きかけて生まれた「天津日子根命《あまつひこねのみこと》は、凡川内国造《あふしかふちのくにのみやつこ》、額田部湯坐連《ぬかたべのゆゑのむらじ》、茨木《うばらき》国造、倭田中直《やまとのたなかのあたひ》、山代《やましろ》国造、馬来田《うまぐた》国造、道尻岐閇《みちのしりのきへ》国造、周芳《すは》国造、倭淹知造《やまとのあむちのみやつこ》、高市県主《たけちのあがたぬし》、蒲生稲寸《かまふのいなき》、三枝部造等《さきくさべのみやつこら》が祖《おや》なり。」とある中の、凡川内国造氏である。同祖という額田部湯坐連氏は『新撰姓氏録』左京神別下条では、隼人を平定して隼人馬を允恭天皇に献上したとあり、煩雑な考証は割愛するが山代国造は、『先代旧事本紀』国造本紀に「山城国造。橿原朝御世《かしはらのみかどのみよ》に、阿多振命《あたのふるのみこと》を山代国造と為す。」とみえることから、早くに畿内地域に移住した隼人系集団と目される。また、倭淹知造氏についても、『先代旧事本紀』天皇本紀に景行天皇の裔で母系が日向系という奄智君《あむちのきみ》・奄智首《あむちのおびと》・奄智白幣造《あむちのしろにきてのみやつこ》氏が見え、かつ雄略天皇紀二十三年是歳条には筑紫安致臣《ちくしのあむちのおみ》、『先代旧事本紀』天孫本紀にも物部竺志連公《もののべのちくしのむらじきみ》と同祖という奄智蘰連《あむちのかづらのむらじ》が見えることなどから、九州・日向系の集団であったと考えられる。

これらのことから、凡河内直氏は南九州系の集団と近しい関係にあり、そのことから宗像神の祭祀に派遣されたと考えられる。

采女に通じたと疑われた木工

次の雄略天皇紀十二年十月壬午条は、采女に通じたと天皇から疑われた人物の物語であるが、嫌疑をかけられた側はとんだ災難である。

天皇は木工《こだくみ》闘鶏御田《つげのみた》〈一本《あるふみ》に猪名部《いなべ》御田とあるのは誤りである〉に命じて、高層建物である楼閣《たかどの》を建築させた。御田は楼閣上の四方を飛ぶように走り回ったが、その様を見上げていた伊勢采女は驚いて倒れ、捧げていた饌《みけつもの》を覆した。天皇は御田が采女を姦《おか》したと疑い、死罪にしようと物部に引き渡した。その時に近侍していた秦酒君《はたのさけのきみ》が、琴の音に合わせて歌（省略）を詠み、天皇に誤解であると諫めたので、天皇はその罪を許した。

闘鶏は大和国山辺郡都祁《つげ》（奈良市都祁）で、仁徳天皇紀六十二年是歳条には、「額田大中彦《ぬかたのおおなかつひこ》皇子（仁徳天皇の異母兄弟）が闘鶏で狩をした際に、闘鶏稲置《いなき》大山主《おおやまぬし》の営む氷室《ひむろ》を見つけ、夏に氷を宮廷に献上させた」とある。この辺りは東山《ひがしやま》とも呼ばれた山間地で盆地よりも気温が低く、氷室の経営も可能であった。允恭天皇紀二年二月己酉条には、「皇后の忍坂大中姫《おしさかのおおなかつひめ》（応神天皇の孫、稚渟毛二岐皇子《わかぬけふたまた》の娘）が未だ母と暮らしていた時に闘鶏国造に無礼な振る舞いがあったので、立后してから罰として姓《かばね》を稲置に貶《おと》した」とある。ただし、国造の任命は六世紀前半以降のことであるから、国造の職位は祖的人物にそれを遡及させた文飾であろう。采女との交わりを疑われた木工が物部に引き渡されているが、ここでも采女に対する処罰のことは詳らかでない。

王族と通じた采女と物部氏

次の雄略天皇紀十三年三月条にも物部目大連が登場するが、内容はこの時期の采女の実態や社会習俗を知る上で興味深い。

狭穂彦《さほひこ》の玄孫《げんそん》の歯田根命《はたねのみこと》が、秘かに采女山辺小嶋子《やまのへのこしまこ》と通じた。それを知った天皇は、歯田根命を物部目大連に引き渡して叱責させた。歯田根命は馬八匹・大刀八口をもって罪過《つみ》を祓除《はら》い、

　山辺の　小嶋子ゆゑに　人ねらふ　馬の八匹《やつぎ》は　惜《を》しけくもなし

と歌った。大連から歌についての報告を受けた天皇は、歯田根命の資財《たからもの》をあからさまに餌香市《えかのいち》辺の橘の根もとに置かせ、餌香長野邑《ながののむら》を物部目大連に与えた。

大和国山辺郡《やまのへ》（奈良市東部から天理市辺り）の出身と思われる、采女山辺小嶋子にまつわる所

伝である。興味深いのは、歯田根命が采女と通じたことの罪過は、提出した馬八匹・大刀八口をもって祓除すれば解消されると観念されていたことである。死罪を科されていないのは、歯田根命が狭穂彦の玄孫という王族であったからであろうか。私財の提出はいわば贖罪《しょくざい》であるが、ここでの在《あ》り方は後世の財産刑と同じではない。財産刑は、私財を徴収して罪を償わせる罰であり、経済的負担を強制すること自体に目的がある。歯田根命は貴重な多くの私財を提出したが、それは祓除という宗教的儀礼に用いるための資財であった。祓《はらえ》（祓除）は宗教的秩序を侵犯した際に科される宗教的儀礼であるから〈平林章仁f〉、采女との姦通が殺人や窃盗などと同じ世俗的犯罪ではなく、宗教的罪過の範疇で捉えられていたことが知られる。

この場合も采女に対する問責は明らかでないが、歯田根命は「采女山辺小嶋子のためなら、祓の科料の馬八匹など惜しくはない」と歌ったという。采女山辺小嶋子と通じた罪過が祓により解除されると観念されていたことや、もと采女であった春日和珥臣深目の娘童女君が一夜妻的存在と伝えられることなどは、采女の宗教的性格を示すものである。

ちなみに、狭穂彦は、九代開化《かいか》天皇の孫、日子坐《ひこいます》王の子であるが、十一代垂仁《すいにん》天皇の皇后になった同母妹の狭穂姫と男女関係に陥り、死に至ったと伝えられる。当時、父母を同じくする兄妹（姉弟）が男女関係を結ぶことは、呪術宗教的観点から厳しく禁断されていた〈平林章仁k〉。祖の狭穂彦と玄孫の歯田根命が、ともに性的禁忌を犯したと伝えられることも、偶然とは思われない。

さて、物語後半の事の処理にも宗教的雰囲気が色濃いことは、采女に関する問題であったからだろうか。歯田根命が祓除に提出した資財を、餌香市（大阪府藤井寺市国府）辺の橋の根もとに置かせたあとのことは記されていないが、資財はどのように処理されたのだろうか。今日の我々にはまったく理解できないが、古代の人々には私有財を市《いち》に捨て置くことで諒解できたのであろう。

古く、市は世俗法の適用されない無縁《むえん》の地とみなされており〈網野善彦〉、市の神を祀る市の樹、ここでは橘のもとに置かれたことで、歯田根命の私財は世俗関係が断ち切られて所有者のいない無主の財貨、何人も好きに処分可能な存在となったのである。餌香市のことは、顕《けん》宗《ぞう》天皇即位前紀の歌謡に「…旨酒《うまさけ》　餌香市に　直《あたひ》以《も》て買《か》はぬ…」とあり、近くで醸《かも》されたであろう美酒も商《あきな》われていた。

なお、一件の処理に従った物部目大連に褒賞として与えられた餌香長野邑〈河内国志紀郡長野郷／藤井寺市市岡辺り〉は、無主の財貨とは扱えないが、もとは歯田根命の領有地であったのだろう。

采女の女相撲を観て心乱れた木工

次の雄略天皇紀十三年九月条も、先の闘鶏御田と同じく、木工である韋那部真根《いなべのまね》が宮中で采女に関わり失態を演じたことから死罪になるところを、同僚の歌で救われたという物語である。

木工の韋那部真根は、石を台にして斧《おの》で終日材木を削っても、手許を誤り刃を損うことがなかった。それを不思議に思った天皇は、「恒《つね》に石に誤り中《あ》てじや」と問うたところ、真根は「竟《つひ》に誤らじ」と答えた。天皇は、采女を喚《め》し集め、衣裙《きぬも》を脱がせて褌《ふんどし》姿にし、開かれた場所で相撲をとらせた。真根は、暫く手を休め仰ぎ見てのち再び削ったところ、不覚にも手許を誤り刃を傷つけた。天皇は、軽々しく言葉を発したとして、真根を物部に引き渡し、野原で処刑させようとした。その時、仲間の工人が嘆き惜しむ歌（省略）を詠み、それを聞いた天皇は使者を甲斐《かい》の黒駒《くろこま》で刑場に遣わして、真根を許した。

宮中で采女の相撲を観たことが原因で、名工として知られた韋那部真根が思わず心乱れて失態を演じたという。女相撲のことは、雄略天皇紀七年八月条に吉備下道《きびのしもつみちの》臣《おみ》前津屋《さきつや》が催していたとあり、娯楽的習俗として行なわれたのであろう。この場合も、事実ならば采女の実態として興味深いが、今では確かめられない。

闘鶏御田や韋那部真根ら木工の仕事場が、采女の居所近くに存在したので、こうした説話が成立したとも考えられる。律令制下の後宮には木工関連の官司はないが、宮内省には建築関係を担当する木工寮《もくりょう》があり、工部《たくみべ》20人が配されていた。律令制以前には、後宮の近くに、のちの木工寮に相当する部署が置かれていたのであろうか。

甲斐国（山梨県）は、平安時代に馬寮《めりょう》管理下の御牧《みまき》が3か所に置かれ、毎年60疋の馬を貢進するよう規定されて（『延喜左馬寮式』）、馬の飼育が盛んであった。そこに産する黒毛の「甲斐の黒駒」は、南九州の「日向《ひむか》の駒」（隼人馬）とともに駿駒の代表とされた。

韋那部（猪名部）については、応神天皇紀三十一年八月条に、次の起源物語が記されている。

伊豆国の貢進した官船《みやけのふね》が老朽化したので、これを薪《たきぎ》として五百籠の塩を焼き、諸国に配給した。諸国は、五百の船を貢上し、それが武庫水門《むこのみなと》に集まった。その時、新羅の調使《みつきのつかい》も武庫に停泊していたが、そこからの失火が延焼して集まっていた船が焼失した。

それを聞いた新羅王は驚いて、有能な匠者《たくみ》を貢進したが、これが猪名部らの始祖である。

武庫水門とは兵庫県の武庫川河口の港であり、右に何らかの事実が含まれるならば、猪名部（韋那部・為奈部）は渡来系の木工、特に船大工の集団となろう。伊勢国員弁郡にも猪名部造氏の本拠があったが、氏の名の由来になる本貫は摂津国河辺郡為奈《いな》郷（兵庫県尼崎市東北部辺り）と考えられる。

これらの物語の内容を今日的感覚で解釈すれば、天皇の猜疑心《さいぎしん》や悪意が事の原因であり、木工の闘鶏御田や韋那部真根に何ら罪はない。彼が引き渡された「物部」は、雄略天皇紀七年八月条に吉備下道臣前津屋の殺害に派遣されたとある「物部の兵士三十人」と等しい、宮廷の武力集団・刑吏ということであろう。王権では大伴氏や佐伯氏なども武力集団を率いたが、ことさらに物部が罪人の処刑に従ったというは、恨みを残して処刑される人物の荒ぶる霊魂に対峙することができる、宗教的威力を保有する集団と位置づけられていたことによる〈平林章仁m〉。

ちなみに、律令制下で裁判や行刑のことを掌った刑部《ぎょうぶ》省の囚獄《しゅうごく》司（今日の刑務所に相当）には、罪人の決罰に従う物部40人（物部氏からの採用が原則）と、雑務に従事する物部丁《よほろ》20人が配置されていた。雄略天皇紀の科刑に従う「物部」が、当時の事実を伝えたものか、それとも律令制下の制度を遡及させた文飾であるのか、判断は容易でない。

歌を献上して命拾いした三重采女

『記』には、雄略天皇が長谷（奈良県桜井市初瀬・脇本の辺り）の百枝《ももえ》槻《つき》の下で収穫祭である新《にい》嘗《なめ》の豊楽《とよのあかり》（宴会）を催した際に歌われた天語《あまがたりうた》歌3首を中心にした歌物語が載録されている。その中の2首に「日の御子」の詞章が見えることにかかわり、関連記事は先に引いた（36頁）ので重複は控えよう。

この物語の契機は、近侍していた伊勢国の三重婇《みえのうねめ》（采女／三重郡采女郷／三重県四日市市采女町辺り）が盞に槻の葉が浮かんでいるのを知らないで献上したことにある。それを見て怒った天皇は、采女を斬り殺そうとしたが、彼女は長《ちょう》歌《か》を奉って詫《わ》びたので天皇は罪を許した、という。采女が失態をおかしたものの歌で命拾いをしたという物語は、雄略天皇紀十二年十月壬午条の木工闘鶏御田、同紀十三年九月条の木工韋那部真根などと、基本的な型が等しい。また、同紀十三年三月条の歯田根命の場合は、歌謡が負に作用した例であるが、これらは采女が歌の詠われる場に伺《し》候《こう》していたことを示唆している。

采女の性的禁制と物部氏による管理

これまでの記述から明らかなように、采女関連の所伝には性にまつわる内容が顕著である。これは、采女が天皇以外とは性的交わりが禁止されていたことに関わる。諸々《もろもろ》の関連記事が、性的禁制下の采女に対する人々のある種の幻想に由るものか、それとも事実に基づく所伝なのか、判断は容易ではない。ただ、内容や登場人物が個別的であることから、後者である可能性は高いと考えられる。少し時代はくだるが、舒明《じょめい》天皇紀八年（636）三月条には次のようにある。

悉《ことごとく》に、采女姧《をか》せる者を劾《かむが》へて、皆罪《つみ》す。是の時に、三輪君小鷦鷯《みわのきみをさざき》、其の推鞫《かむが》ふることを苦《たしな》みて、頸《くび》を刺して死ぬ。

采女の性的禁制に関して、違反者が調べられて処罰されることがあったという。三輪君小鷦鷯には、思い当たる節があったのであろう、自害して果てた。

采女の性的禁制は、貢進された女性に対する天皇による性的独占と表裏の関係にある。雄略天皇がもとは采女である童女君との間に春日大娘皇女を、舒明天皇は吉備国蚊屋《かや》采女（備中国賀夜《かや》郡／岡山県総社市東部・岡山市西部・高梁市東部・吉備中央町南西部辺り）との間に蚊屋皇子を、天智天皇が伊賀采女（伊賀国伊賀郡／三重県伊賀市・名張市の一部）宅子娘《やかこのいらつめ》との間に大友《おおとも》皇子をもうけているのは、采女に対する天皇の性的独占の結果である。このことは、各地の豪族が服属の証に貢進した伝来の宝器を、天皇が神宝として石上神宮の天神《あめのほ》庫《くら》に収納し、物部氏がその祭祀に従事していたことに照応する〈平林章仁m〉。

さらに、雄略天皇紀九年三月条には、新羅に出征する大将軍紀小《きのお》弓《ゆみ》宿禰に吉備上道采女大海《おおしあま》を与えたとある。また『万葉集』巻二に、

内大臣藤原卿の、采女安見《やすみ》児《こ》を娶《めと》りし時に作りし歌一首

われはもや　安見児得《え》たり　皆人《みなひと》の　得がてにすといふ　安見児得たり（95）

とあるのは、藤原鎌足が天皇から采女安見児を与えられたことを、誇示して詠んだものである。采女が寵臣《ちょうしん》らに下賜されたのは、その全人格が天皇の占有下にあったからである。

物部氏と采女の関係は、安閑《あんかん》天皇紀元年（534）閏十二月是月条の「廬城部連《いおきべのむらじ》枳莒喩《きこゆ》の娘幡媛《はたひめ》が物部大連尾輿《おこし》の瓔珞《くびたま》を盗み皇后の春日山田皇女に献上したが、事が露見したので贖罪に幡媛を春日部采女に仕える丁《よほろ》として献上した」、という伝承からも窺えよう。

律令制以前には、采女臣氏が采女のことを管掌したが、神武天皇記に宇摩志麻遅命《うましまちのみこと》を「此は物部連、穂積臣、婇臣の祖なり」と記すように、采女（婇）臣氏は物部氏の同族であった。采女臣氏が物部氏から分氏したのか、あるいは物部氏と同祖・同族関係を結んだのかは詳らかでない。さきの雄略天皇紀などの采女関連の所伝には物部氏は現われても采女臣氏は登場しないことから、采女臣氏の成立は比較的新しく、本来は物部氏が采女の管掌に従っていた可能性が高い。

舒明天皇即位前紀に、「推古天皇歿後に田村皇子（舒明天皇）と山背大兄王《やましろのおおえ》（廐戸皇子の子）のいずれを推戴するべきか群臣会議が開催された際に、采女臣摩礼志《まれし》ら四名は大伴鯨《おおとものくじら》連の言に賛成して田村皇子を支持した」とあるのが、『紀』における采女臣氏の初見である。采女臣氏の本貫は定かではないが、『続日本紀』天平神護元年（765）二月辛未条には、「摂津《つ》職嶋《しきしま》下郡の人右大舎人《みぎおほとねり》采女臣家麿《いへまろ》、采女司の采部《うねべ》采女臣家足《いへたり》ら四人に姓《かばね》朝臣を賜ふ」とあるのを参酌すれば、摂津国嶋下郡と考えられる。雄略天皇紀九年二月甲子朔条の、凡河内直香賜が胸方神を祭る采女と通じた事件の結末が三嶋郡藍原を舞台としていたのも、采女臣氏の本貫地と無縁ではなかろう。同じ島下郡には穂積郷（大阪府茨木市上・中・下穂積）があり、采女臣氏と同族である穂積氏の本拠と目されるのも参考になるが、物部氏同族でありながら連姓でなく、臣姓であることから穂積氏に近い集団であったと考えられる。

ちなみに、采女のことを管掌した伴造には、采女臣氏の外に采女造《うねめのみやつこ》氏がいる。采女造氏がまず采女のことを管掌し、采女の規模が拡大してから采女臣氏がそれに従事するようになったと説くむきもある〈門脇禎二a〉。しかし采女造氏は、天武天皇十三年（684）十月の「八色《やくさ》の姓《かばね》」制定に前後する氏族の再編に関わる、天武天皇紀十二年十月己未条の連賜姓十四氏の中に見えるのみであり、その具体的な動向は分からない。

このように、雄略天皇紀が伝える采女関連の出来事には、采女臣氏ではなくて物部氏が登場すること、『紀』における采女臣氏の所見が舒明天皇即位前紀であることなどから、采女管掌制度と専掌氏族の任命が比較的新しいことが理解される。

ただし、雄略天皇紀に采女関連記事が急増することは、采女の貢進に象徴される、雄略天皇と各地の豪族に君臣関係が多く結ばれたことを物語る。こうした傾向は認められるものの、それを専掌する采女臣氏が未成立であったことは、王権組織の変革にまで及ぶものではなかったことを示している。

采女と国造と宗教的性格

采女と国造が関わる所伝も少なくないが、これは先述した大化二年正月甲子朔条の改新の詔や後宮職員令で、采女は少領以上の郡司の姉妹子女と定められることに照応する。位階や官職の類別と授与の原則を規定した選叙令《せんじょりょう》には、「其《そ》れ大領、少領、才用《ざいよう》同じくは、先《ま》ず国造を取れ」とあるように、郡司の大領・少領任命には、国造が優先的に採用される規定であった。要するに、これは郡（評）制成立以前には、国造に任命された豪族の姉妹や娘が采女として貢進されたことを示すだけでなく、采女管掌の制度化についても示唆している。

すなわち、采女管掌の制度化は国造制の施行に連動したことであったと考えられる。国造制は、継体天皇系王権による地方統治体制整備に関わる新施策として、六世紀前半から中頃にかけて施行されたものである〈平林章仁ａ／篠川賢ｂ／堀川徹ａ〉。国造制の施行など地方支配制度の改革により、以前よりも多くの采女が貢進されると、その管掌を専らとする伴造が必要になった。国造制施行にともなう采女貢進と管理の制度化であり、そこで以前からそのことに従事して来た物部氏の同族集団の中から、采女臣氏を分立させてその事にあたらせたものと推考される。采女制が整備される以前にも、采女の貢進がなかったわけではないが、王権や後宮の規模からしてその数は未だ少なく、物部氏による一括管理で十分に事が足りたのであろう。

さて、制度化以前の采女の貢進は、春日和珥臣深目の娘の童女君に見るように、地方豪族だけでなく中央氏族も行なっていた。その時期の采女には、史料上は天武朝に始まる中央氏族が貢進する「氏女《うぢめ》」（天武天皇紀二年五月乙酉朔条、同八年八月己酉朔条、後宮職員令）の前身者も含まれていたと考えられるが、ここで注目されることは、この時期の采女に見られる宗教的性格であるが〈折口信夫／岡田精司ａ〉、これまで述べてきた中から要点を列記しよう。

イ天皇と一度交わっただけで春日大娘皇女を産んだ春日和珥臣深目の娘の童女君には、巫女的女性が神を招き祭る夜にだけその妻となる「一夜妻」としての姿が垣間見える。采女の性的禁忌は、天皇による占有だけでなく、祭祀での神婚儀礼で「一夜妻」を担ったこと、すなわち神による占有をも示している。

ロ采女山辺小嶋子を姦した歯田根命の罪過は、祓除という宗教的儀礼で解除され、差し出した財貨は市に置かれて無主の存在とされたように、事が宗教法で処理された。これは、采女には世俗的というよりは、宗教的服属の証としての意義が存在したことを示している。

ハ凡河内直香賜と宗像采女が、胸方神を祀るために派遣された。采女に神に仕える女性という一面が窺われるが、祭場での両人の男女の交わりも、神婚儀礼での「一夜妻」のように、本来は祭祀にともなう儀礼的交合であった可能性も考えられる。

ニ倭采女日媛（日之姫）の出た倭直氏は、大和国山辺郡鎮座の名神大社の大和坐大国魂神社を奉斎し、大倭国造に任命された。「日媛」とは本来、大国魂神に奉仕した女性のことではなかったかと推察される。

新嘗の豊楽に仕奉した三重采女もこれに加えることができようが、これらが偶発的な事象か、それとも采女本来の属性だったか、もし後者ならその宗教性は何を意味しているのか、などのことが問われなくてはならない。

関連史料が限られているから考察は容易でないが、采女はヤマト王権に帰順した豪族が貢進した、単なる人質的女性ではなかったと思われる。古代王権の帯びていた呪術宗教的な性格については別に述べてきたところであるが〈平林章仁h／j／m〉、そうしたヤマト王権の古代的特質からみて采女の宗教性は本来的なものと考えられる。

律令制下の采女が、後宮の重湯・各種の粥を奉る水司や、御膳を調進する膳司に配置されたのも、もともと采女が土地の産物を調理、貢進する儀礼に奉仕したことの遺制であろう。豪族が土地の産物を貢進し、采女が調理し、天皇がそれを摂取することで、支配と服属の関係が確認されたのである。これを食国《おすくに》儀礼というが〈岡田精司a〉、狩猟に際して生食する獣肉調理を担う宍人部の起源物語に、大倭国造吾子籠宿禰と倭采女日媛・膳氏らが登場するのも、これが吉野地域の支配と服属を表象する祭儀に由来する伝承であったからである。

このように、采女の宗教性は服属儀礼に必須と考えられていたことが窺われるが、采女が宗教性を帯びていたために、それに対応可能な宗教的威力を保持している物部氏が管理に従事したのである。

「大悪天皇」か、それとも「有徳天皇」か

さて、雄略天皇がその四年二月に、葛城山に猟に出かけた際に一事主神が現人神《あらひとがみ》として顕現し、友好的に狩猟を楽しんだので「有徳天皇」と称えられたとあることは先に紹介した。『紀』はその少し前、これも先に引いた雄略天皇紀二年十月丙子条には、雄略天皇は吉野宮に行幸して狩猟を楽しんだ。そこで多くの獲物を得たので、「膳夫をして鮮を割らしむ。自ら割らむに何与に」と問うたけれども、群臣はすぐに返答できなかった。それに怒った天皇は、御者の大津馬飼を斬り殺したので、人々は震え怖れた。そこで、倭采女の日媛が酒を進め、群臣は禽獣の宍膾を調理する宍人部を貢進したので、天皇の怒りは収まったとある。

問題は、これに続く雄略天皇紀二年十月是月条が、次のように記していることである。

是月に、史戸《ふみひとべ》・河上舎人部《かはかみのとねりべ》を置く。天皇、心を以て師《さかし》としたまふ。誤りて人を殺したまふこと衆《おほ》し。天下《あめのした》、誹謗《そし》りて言《まう》さく、「大《はなは》だ悪《あ》しくましまます天皇なり（大悪天皇也）」

とまうす。唯《ただ》愛寵《めぐ》みたまふ所は、史部《ふみひと》の身《む》狭村主青《さのすぐりあを》・檜隈民使博徳《ひのくまのたみのつかひはかとこ》等のみなり。

「誤りて人を殺したまふこと衆し」ゆえに、人々は雄略天皇を「大悪天皇」と誹謗したという。それが先の大津馬飼殺害のことか、それとも眉輪王・葛城円大臣・坂合黒彦皇子・坂合部連贄《にえ》宿禰・八釣白彦皇子・市辺押磐皇子・御馬《みま》皇子ら、即位前からの一連の事件の犠牲者を含めてのことなのか明確ではない。ただ、犠牲者が多いということからすれば、後者であろう。

雄略天皇紀は、二年十月是月条で「大悪天皇」と記し、四年二月条では一転して「有徳天皇」と記している。正反対の人物評価であるが、『紀』の筆録者は何も矛盾に思わなかったのだろうか。同様な一言主神顕現伝承を載せる『記』には、天皇評価記事は見えない。『紀』は人々が天皇を誹謗し、逆に称えたと記しているが、実のところは天皇の行為・事績に対する、後世の評価記事である。

例えば、『紀』には他にも次のような天皇評価記事が散見される。

- 敏達天皇：「仏法《ほとけのみのり》を信《う》けたまはずして、文史《しるしふみ》を愛《この》みたまふ」。
- 用明天皇：「仏法を信けたまひ、神道《かみのみち》を尊《たふと》びたまふ」。
- 皇極天皇：「古《いにしへ》の道に順考《かむが》へて、政《まつりごと》をしたまふ」。
- 孝徳天皇：「仏法を尊び、神道を軽《あなづ》りたまふ」。

また、同じ天皇について正反対の評価記事を記している例は、他にもある。五世紀の仁徳

天皇系王統は武烈天皇で途絶えるが、武烈天皇即位前紀は、

長《ひととな》りて刑理《つみなへことわること》を好《この》みたまふ。法令《のり》分明《わきわき》し。日晏《くた》つまで坐朝《まつりごときこ》しめして、幽枉《かくれたること》必ず達《とほししろ》しめす。獄《うたへ》を断《ことわ》ることに情《まこと》を得たまふ。

と善政を布いた名君と褒め称えたかと思えば一転して、

又頻《しき》に諸悪《もろもろのあしきこと》を造《し》たまふ。一も善《よきこと》を修《をさ》めたまはず。凡《おほよ》そ諸の酷刑《からきのり》、親《みづか》ら覧《みそな》はさずといふこと無し。国の内の居人《おほみたから》、咸《ことごとく》に皆震《ふる》ひ怖《お》づ。

と、全く反対の評価を記している。さらに、「妊婦の腹を割いて胎児を見分した・生爪を抜いた手で山芋を掘らせた・頭髪を抜いて樹に昇らせてその樹を伐り倒した・池の樋から人を流し出して三刃の矛で刺し殺した・女性に牡馬との獣婚を強制し他の女性には見ることを無理強いした」などと、様々な悪行を具体的に書き連ねるが、これら一連の悪行記事は武烈天皇で五世紀の王統が断絶したことを説明するための、後の意図的な作文であることは夙に明白である。

ちなみに、武烈天皇紀四年（502）是歳条に、百済系史書である「百済新撰」（「百済新撰」は雄略天皇紀に二カ所、武烈天皇紀に一カ所引用）に基づいて、「百済の末多《まった》王《わう》、無道《あぢきなく》して、百姓《たみ》に暴虐《しひわざ》す。国人《くにひと》、遂に除《す》てて嶋王《せまきし》を立つ。これを武《む》寧王《ねいわう》とす。」と記しているのも、倭国と連携関係にある百済のこととして載せているだけでなく、倭国でも「無道・暴虐」な国王は

廃されるという王位・王統交替についての暗示でもある。すなわち、『紀』が百済末多王（東城王）廃位の理由と武寧王（嶋王／斯麻《しま》王）の即位を記しているのは、倭国と百済の関係が緊密で重要だったことによるが、武烈天皇で王統が断絶することについての間接的な理由説明でもあり、信を喪失した王統は絶えるのが必然だという寓意と解される。

要するに、一人の天皇について正反対の評価記事を併載するという一見矛盾した編纂には、後世の歴史観が投影されているのである。すなわち、雄略天皇についての「大悪」・「有徳」という正反対の評価記事の併載は、雄略天皇が対立する矛盾を内包していたことの暗喩でもあると解される。

雄略天皇が愛寵したのは史部のみ

右に引いた雄略天皇紀二年十月是月条は、「大悪天皇」に続いて「唯愛寵みたまふ所は、史部の身狭村主青・檜隈民使博徳等のみなり。」と記している。これは、第三部の主題である雄略朝における中国南朝・宋《そう》との交渉に関わる問題でもあるので、少し触れておこう。史戸・史部はヤマト王権の書記官であり〈加藤謙吉c〉、身狭村主青と檜隈民使博徳は、雄略天皇紀には八年二月に呉国《くれのくに》（中国南朝の宋）に派遣されて十年九月に帰国、十二年四月に再び派遣されて十四年正月に漢織《あやはとり》・呉織《くれはとり》・衣縫《きぬぬい》の兄媛《えひめ》・弟媛《おとひめ》らを伴い帰国したと伝えられる。

南朝・宋との外交については第三部で述べるが、身狭村主と檜隈民使はともに、応神天皇紀二十年（409）九月条に「倭漢直《やまとのあやのあたひ》の祖《おや》阿知使主《あちのおみ》、其の子都加使主《つかのおみ》、並に己《おの》が党類《ともがら》十七県を率《ゐ》て、来帰《まうけ》り。」と伝えられる、阿知使主後裔の渡来系倭漢《やまとのあや》（東漢）氏の一族である。

身狭村主は大和国高市郡身狭（橿原市見瀬《みせ》）を、檜隈民使は高市郡檜前《ひのくま》郷（明日香村檜前）を本拠とした。なかでも、身狭村主氏が三国時代・呉《ご》の皇帝孫権《そんけん》（在位229～252）の後裔を称していることは（『新撰姓氏録』左京諸蕃下）、南朝への派遣と無縁ではなかろう。

さて、応神天皇紀三十七年二月戊午朔条には、阿知使主と都加使主を呉に派遣したとある。

阿知使主・都加使主を呉に遣《つかは》して、縫工女《きぬぬひめ》を求めしむ。爰《ここ》に阿知使主等、高麗国《こまのくに》に渡りて、呉に達《いた》らむと欲《おも》ふ。則ち高麗に至れども、更に道路《みち》を知らず。道を知る者《ひと》を高麗に乞《こ》ふ。高麗の王《こきし》、乃《すなは》ち久礼波《くれは》・久礼志《くれし》、二人を副《そ》へて、導者《しるべ》とす。是に由《よ》りて、呉に通《いた》ること得たり。呉の王、是に、工女《ぬひめ》兄媛《えひめ》・弟媛《おとひめ》、呉織《くれはとり》、穴織《あなはとり》、四の婦女《をとめ》を与ふ。

彼らの帰国のことは、応神天皇紀四十一年二月是月条に見える。

阿知使主等、呉より筑紫《つくし》に至る。時に胸形《むなかた》大神、工女《ぬひめ》等を乞はすこと有り。故《かれ》、兄媛を以て、胸形大神に奉る。是則《すなは》ち、今筑紫国に在る、御使君《みつかひのきみ》の祖なり。既にして其の三《みたり》の婦女を率て、津国《つのくに》に至り、武庫《むこ》に及《いた》りて、天皇崩《かむあが》りましぬ。及《えまゐあ》はず。即ち大鷦鷯《おほさざきの》尊《みこと》に献る。是の女人《をみな》等の後は、今の呉衣縫《くれのきぬぬひ》・蚊屋衣縫《かやのきぬぬひ》、是なり。

胸形大神とは、筑前国宗像郡に鎮座する名神大社の宗像神社（宗像大社／福岡県宗像市）で、北部九州の海洋民を率いた宗像氏が奉斎し、その奥津宮が鎮座する沖ノ島には古代の祭祀跡がそのまま残されていたことで知られている。ちなみに、筑前国宗像郡に鎮座する式内社はこの宗像神社と、鐘《かね》ノ岬に鎮座する名神大社の織幡《おりはた》神社の2社のみであるが、この織幡神社は胸形大神に貢進された工女兄媛（御使君氏）にかかわる神社である。

応神天皇紀三十七年二月戊午朔条の呉国への遣使に高句麗の助力を得たと伝えられることについて、『晋書《しんじょ》』安帝紀の義熙《ぎき》九年（413）条に、「是の歳、高句麗、倭国及び西南夷《せいなんい》の銅《どう》頭《とう》大師、並びに方物《ほうもつ》を献ず。」とあることと関わらせて理解するむきもある。しかし、応神天皇三十七年は干支二運を補正すれば426年にあたり10年のずれがあるから、義熙九年の倭国朝貢にあてることはできないという説もある〈坂元義種〉。容易には判断できない問題であるが、もしも義熙九年の倭国と高句麗が同時に晋へ朝貢したのが事実ならば、両国の間に何らかの交渉がもたれた可能性はあろう。また、応神天皇紀三十七年二月戊午朔条の所伝は説話化が進んでいるが、倭国の呉国遣使に高句麗の助力があったと伝えていることは、倭国が高句麗広開土王に大敗した（『高句麗広開土王碑文』）暫く後の、倭国と高句麗の関係について再検討が必要なことを示している。

ところで、この所伝が雄略天皇紀十四年正月・三月条と内容が類似していることから、それをもとに祖先伝承として創作されて応神朝に加上されたもので、事実ではないとみるのが大勢であった〈坂本太郎ａ／小島憲之〉。しかし、左に記すように両者の間で基本的な内容に相違点が存在することから、応神天皇紀の記事が雄略天皇紀の所伝をもとにして、祖先の功績譚として創作されたとは言えないと考えられる。

①応神天皇紀三十七年二月戊午朔条では、南朝への渡航に高句麗に協力を要請し、その助力を得て目的が果たされたとあるが、雄略朝の所伝には高句麗のことが見えない。
②倭国に渡来した織姫の貢進先は、応神天皇紀四十一年二月是月条では胸形大神とあるが、雄略天皇紀十四年三月条では大三輪神〈大和国城上郡鎮座の名神大社、大神大物主神社／奈良県桜井市三輪〉とあり、まったく異なる。
③同じく、応神天皇紀四十一年二月是月条は呉衣縫・蚊屋衣縫の祖先譚でもあるが、雄略天皇紀十四年三月条では飛鳥衣縫部・伊勢衣縫の祖先譚であり、後裔集団が異なる。

ちなみに、高市郡檜前郷に西接する奈良県高市郡高取町では、朝鮮半島に起源する地面から土壁を立ち上げ柱を塗り込めた、五世紀後半から八世紀末の大壁《おおかべ》建物跡がこれまでに約40棟も検出され、倭漢氏との関係が想定されて来た。さらに近年、その高市郡高取町「市尾《いちお》カンデ遺跡」からは、それより年代が遡る四世紀末から五世紀初めの大壁建物跡16棟や掘立柱建物跡8棟などが検出され〈高取町教育委員会〉、右の応神朝の渡来伝承を考える上で見逃せない状況がある。

いずれにしても、雄略天皇が渡来系の書記官だけを寵愛したというのは、彼らを重用したこと、文筆・筆録が重要視された時代であったことを物語るが、その理由は第三部で明らかになろう。

第七章　吉備氏の征圧と雄略天皇の死去

吉備下道臣氏の征圧　―禿鶏に擬えられた雄略天皇―

吉備《きび》（岡山県から広島県東部）地域に勢力を誇った吉備氏は、応神天皇紀二十二年九月庚寅条によれば下道《しもつみち》臣・上道《かみつみち》臣・香屋《かや》臣・三野《みの》臣・笠《かさ》臣・苑《その》臣各氏の連合により構成され、四世紀から五世紀を中心に、ヤマト王権内で大きな勢力を誇っていた〈吉田晶a／b／西川宏／近藤義郎・河本清／門脇禎二／狩野久／葛原克人〉。四世紀代にはヤマト王権の国内平定事業に従事し、ヤマトタケルや応神・仁徳・雄略の各天皇にキサキを入れたと伝えられる、ヤマト王権を構成する有力豪族であった。また、この時代は「倭の五王」に象徴される外交の世紀でもあったが、瀬戸内の海運を掌握する吉備氏は、王権の外交政策を主導した葛城氏と連携して海外交渉でも活躍した。なかでも、下道臣氏と上道臣氏は同族集団の中枢的地位にあったとみられる。

ところが、雄略天皇の即位前に円大臣《つぶらのおおおみ》が殺されて葛城氏が勢威を喪失させたことは、連携する吉備氏にも打撃を与えたであろう。それは、以下に述べるように、吉備氏が雄略天皇から征圧される所伝が集中することに現われており、雄略天皇と吉備氏の関係の質的な変化である。

雄略天皇による吉備地域の征圧について、雄略天皇紀七年八月条は吉備下道臣氏の殺害物語を、続く同七年八月是歳条では吉備上道臣氏の謀反物語として、前後二つに分けて記載している。さらに、雄略天皇の歿後のこととして、吉備氏系の星川皇子事件が伝えられる。本来、これらは一連の出来事ではなかったかとも考えられるが、まず雄略天皇紀七年八月条の吉備下道臣氏の事件からみていこう。

官者《とねり》吉備弓削部虚空《ゆげべのおほぞら》、取急《あからさま》に家に帰《まかりかへ》る。吉備下道臣前津屋《しもつみちのおみさきつや》〈或本《あるふみ》に云はく、国造吉備臣山といふ〉虚空を留《とど》め使《つか》ふ。月を経《ふ》るまで京都《みやこ》に聴《ゆる》し上《まうのぼ》らせ背《か》へにす。天皇、身毛《むげの》君大夫《きみますらを》を遣して召《め》さしむ。虚空、召されて来《まうき》て言《まう》さく、「前津屋、小女《をとめ》を以ては天皇の人《みひと》にし、大女《おほめのこ》を以ては己《おの》が人《ひと》にして、競《きほ》ひて相闘《あひたたか》はしむ。幼女《をとめ》の勝つを見ては、即《すなは》ち刀《たち》を抜きて殺す。復小《またこしき》なる雄鶏《みにはとり》を以て、呼びて天皇の鶏として、毛を抜き翼《はね》を剪《き》りて、大《おほき》なる雄鶏《にはとり》を以て、呼びて己が鶏として、鈴・金《かね》の距《あこえ》を著《は》けて、競ひて闘はしむ。禿《つぶれ》なる鶏の勝つを見ては、亦刀《またたち》を抜きて殺す」とまうす。天皇、是の話《こと》を聞《きこ》しめして、物部の兵士《いくさびと》三十人を遣して、前津屋幷《あは》せて族《やから》七十人を誅殺《ころ》さしむ。

女性の相撲、鈴や金属製の蹴《け》爪《つめ》（金の距）を着けた闘鶏《とうけい》などは、この時代の実際の習俗に基づいた記述とみられる。虚空の言葉や物部の兵士三十人・前津屋の一族七十人などは、確かめるすべはないが、当時の人々には有り得る数であったのだろう。

弓削部は王権から弓の製作・貢納を義務づけられた集団であり、弓削部を管掌した伴《ともの》造《みやつこ》が、物部氏同族で河内国若江《わかえ》郡弓削郷（大阪府八尾市弓削）を本貫とする弓削連《ゆげのむらじ》氏であった。また物部とは、大連に任じられた物部氏が職務を遂行するために、王権が設定した人的集団であり、この場合は武力集団として機能している。

雄略朝に、すでに弓削部や物部が設置されていたのか、それとも前身の集団に名称を遡及させて記しているのか、判断は容易でない。ただし、吉備下道臣前津屋が、或本（異説）では六世紀以降に設定される領域「クニ」を治める地方官「国造吉備臣山」とあるのは、後のことを祖先に遡及させた文飾である。吉備下道臣前津屋には叛意が明白であったから誅殺したというが、叛意明白だけで誅殺とは今日的感覚では少々理不尽なことである。

吉備上道臣氏の事件　—人妻に横恋慕した雄略天皇—

下道臣氏の事件が内政に関連した内容であったのに対して、上道臣氏のことは海外交渉に関連した出来事として、雄略天皇紀七年八月是歳条に記載されている。やや複雑な内容で少し長いが、分析に欠かせないのでそのまま引用しよう。

是歳《ことし》、吉備上道臣田狭《かみつみちのおみたさ》、殿《おほとの》の側《ほとり》に侍《はべ》りて、盛《さかり》に稚媛《わかひめ》を朋友《とも》に称《ほめかた》りて曰はく、「天下《あめのした》の麗人《かほよきひと》は、吾《わ》が婦《め》に若《し》くは莫《な》し。茂《こまやか》に綽《きはやか》にして、諸《もろもろ》の好《かほそなは》備れり。曄《あきらか》に温《にこやか》に、種《くさぐさ》の相《かたち》足《た》れり。鉛花《いろ》も御《つくろ》はず、蘭沢《か》も加《そ》ふること無し。曠《ひさ》しき世にも儔罕《たぐひまれら》ならむ。時《いまのとき》に当りては独秀《ひとりすぐ》れたる者《ひと》なり」といふ。天皇、耳を傾《かたぶ》けて遥《はるか》に聴《きこ》しめして、心《みこころ》に悦《よろこ》びたまふ。便《すなは》ち自ら稚媛を求《ま》ぎて女御《みめ》としたまはむと欲《おもほ》す。田狭を拝《ことよさ》して、任那国司《みまなのくにのみこともち》にしたまふ。俄《しばらく》ありて、天皇、稚媛を幸《め》しつ。田狭臣、稚媛を娶《めと》りて、兄君《えきみ》・弟君《おときみ》を生めり。〈別本《ことふみ》に云はく、田狭臣が婦《め》の名は毛媛《けひめ》といふ。葛城襲津彦の子、玉田《たまた》宿禰の女《むすめ》なり。天皇、体貌閑麗《みなりきらぎら》しと聞しめして、夫《をうと》を殺して自ら幸《つかは》しつといふ。〉田狭、既に任所《よさしどころ》に之《ゆ》きて、天皇、其の婦を幸しつることを聞きて、援《たすけ》を求めて新羅に入らむと思欲《おも》ふ。時に、新羅、中国《みかど》に事《つか》へず。天皇、田狭臣の子弟君と吉備海部直《あまのあたひ》赤尾《あかを》とに詔して曰はく、「汝《いまし》、往《ゆ》きて新羅を罰《う》て」とのたまふ。……百済の貢《たてまつ》れる今来《いまき》の才伎《てひと》を大嶋の中《うち》に集聚《つど》へて、風候《さもら》ふと称《い》ふに託《つ》けて、淹《ひさ》しく留《とどま》れること月数《へ》ぬ。任那国司田狭臣、乃ち弟君が伐たずして還ることを喜びて、密《しのび》に人を百済に使りて、弟君に戒《いまし》めて曰はく、「汝が領項《くび》、何の窂錮《かたきこと》有りてか人を伐つや。伝《つて》に聞く、天皇、吾が婦《め》を幸《め》して、遂に児息《こども》〈児息は、己に上の文《くだり》に見ゆ。〉を有《たも》つと。今恐《おそ》るらくは、禍《わざわひ》の身《み》に及ばむこと、足を蹻《た》てて待《ま》つべし。吾が児汝は、百済に跨《こ》え拠《よ》りて、日本《やまと》にな通ひそ。吾《われ》は、任那に拠り有《たも》ちて、亦日本に通はじ」といふ。弟君の婦樟媛《くすひめ》、国家《おほやけ》の情《こころ》深く、君臣《きみやつこ》の義《ことわり》切《たしか》なり。忠《まめ》なること白日《てるひ》に踰《こ》え、節《またきこと》青松《とこまつ》に冠《す》ぎたり。斯《こ》の謀叛を悪《にく》みて、盗《ひそか》に其の夫《せ》を殺して、室《ねや》の内に隠し埋《うづ》みて、乃ち海部直赤尾と与《とも》に百済の献れる手末《たなすゑ》の才伎を将《ひき》ゐて、大嶋に在《さぶら》ふ。天皇、弟君の不在《なき》ことを聞《きこ》しめして、日鷹吉士《ひたかのきし》堅磐《かたしは》固安銭《こあんぜん》を遣して、共に復命《かへりことまう》さしめたまふ。遂に即ち倭国《やまとのくに》の吾砺《あと》の広津邑《ひろきつのむら》に安置《はべ》らしむ。病《や》みて死《みまか》る者、衆《おほ》し。是に由りて、天皇、大伴大連室屋に詔して、東漢直掬《やまとのあやのあたいつか》に命《みことおほ》せて、新漢《いまきのあやの》陶部高貴《すゑつくりかうくゐ》・鞍部堅貴《くらつくりけんくゐ》・画部因斯羅我《ゑかきいんしらが》・錦部定安那錦《にしごりぢゃうあんなこむ》・訳語卯安那《をさしうあんな》等を、上桃原《かみつももはら》・下桃原・真神原《まかみのはら》の三所《みところ》に遷し居らしむ。〈或本《あるふみ》に云はく、吉備臣弟君、百済より還りて、漢《あやの》手人部《てひとべ》・衣縫部《きぬぬひべ》・宍人部《ししひとべ》を献るといふ。〉。

まず所伝の信憑性については、記事は事実ではなく虚構であり〈池内宏〉、「後世に存する事実の起源を説くためか、日本の権威を示すための目的で作られ」たもの〈津田左右吉〉、「顕宗・仁賢天皇の即位を正当化する目的で述作された」物語である〈大橋信弥a〉といった、否定的な見解がある。

しかし、倭国の権威を、一体誰に、どこに向けて示すために創作したのか、将又《はたまた》この所伝が「後世に存する事実」のいかなる事柄の起源を語っているのか、などについて明解に示されていないから説得力がない。あるいは、右の所伝を創作したことで、どうして顕宗・仁賢天皇の即位が正当化されるのか、彼らの即位は正当なものでなかったのか、ならばどうして即位し得たのか〈そのように伝えられたのか〉、などについて論及がなく妥当性が感じられない。『紀』に対して、こうした分析視角が有効で論理的にも適切であるとは考えられない。当該記事は、儒教的な観点からの文飾が施されて説話化が進み、かつ紀年も厳密さを期し難いけれども、人物名や地名が具体的であること、本文に採用された原史料だけでなく「別本」・「或本」など複数の異伝の存在が想定されることなどから、創作説は成り立ち難いであろう。この所伝が一定の事実に基づいていることは、記事の原史料論による考察からも明らかにされているが〈吉田晶b〉、葛城氏は衰亡しているから同氏系の家記は想定できない。なお、葛城襲津彦の子とする玉田宿禰は、允恭天皇紀五年七月条には葛城襲津彦の孫とあり、系譜伝承に揺れがあるが世代関係からは孫とするのが妥当と思われる。

以上を踏まえて、この所伝の要点を、吉備上道氏を中心に列記しよう。

①吉備上道臣田狭はヤマト王権・雄略天皇に仕えていた。
②田狭は朝鮮半島の任那に、子の弟君は新羅に派遣された。
③その隙に、雄略天皇は田狭の妻稚媛をキサキに召し上げた。
④田狭と弟君が王権に非協力的であったのに反して、弟君の妻樟媛と吉備海部直赤尾は服従し、百済系技術集団「今来の才伎」を伴ない帰国した。
⑤田狭のその後の動向は記されていない。

さて、ここでまず留意されるのは、雄略天皇が横奪して妃に召し上げた吉備上道臣田狭の妻である稚媛が、「別本」では葛城玉田宿禰の娘毛媛とあり、出自と名前が異なることである。これについては、毛媛を稚媛に置き替えることにより星川皇子事件の前段の話に作り替えたとみなすむきもあるが〈大橋信弥a/篠川賢d〉、誰がそうした虚偽を創作したのか、それにより誰がどのような利益を得たのか、星川皇子の事件に前段となる物語が不可欠なのか否か、星川皇子事件は雄略天皇の死去が契機ではなかったのか、など多くの疑問が払拭できず従い難い。

吉備上道の稚媛・葛城の毛媛と出自と名が異なることについては、二者択一的な解釈は控えるべきであろう。さらに、雄略天皇紀元年三月是月条分註に引く「一本《あるふみ》」では吉備窪屋臣《くぼやのおみ》の娘ともあり、その系譜的位置は必ずしも安定的ではない。

古代には、一人の人物が複数の名を持つことは珍しくなく、日常に実名（諱《いみな》）使用を避ける傾向もあった〈穂積陳重〉。成長や婚姻により新しく別の名を付け、養育を担った集団の名を通称名に用い、美称・尊称で呼ばれることもあった。稚媛（若々しい御姫様）は婚姻時の美称、毛媛はそれ以前の名と解することもできる。「吉備上道臣の娘稚媛」は雄略天皇が横奪して妃に入れた時の位置づけを示し、「葛城玉田宿禰の娘毛媛」は吉備上道臣田狭と結ばれた際の立場を伝えたものであろう。

こうした吉備上道臣田狭と葛城毛媛の婚姻は、瀬戸内の海運を掌握する吉備上道臣氏と、ヤマト王権の対外交渉を主導する葛城氏の、連携を示すものとしても注目される。王権の対外交渉を主導した葛城氏政権には西日本の水運網掌握が不可欠であったが〈平林章仁g〉、五世紀に吉備氏と葛城氏政権の有力成員である紀《き》氏が瀬戸内海運を介して連携関係にあったことからも〈岸俊男a〉、そのことが知られる。その象徴が、葛城玉田宿禰の娘の毛媛であった。

この点から、雄略天皇による吉備上道臣田狭の妻毛媛の召し上げは、葛城氏と吉備氏の連携断絶の目論みを示していると理解された〈吉田晶b〉。しかし、すでに円大臣が滅ぼされて葛城氏の弱体化が進行していたとみられるから、これは葛城氏衰退に追い打ちをかけると同時に、吉備氏の勢力を削ぐものであったと考えられる。また「吉備と葛城の勢力がヤマト王権と対抗関係にあった」との見方もあるが〈篠川賢d〉、吉備や葛城の勢力はいずれも王権内の存在であるから、厳密にいえば王権内部の権力抗争と捉えるべきであろう。

吉備上道采女大海　―牙を抜かれた大豪族吉備氏―

その後、雄略天皇紀九年三月条には「雄略天皇は、大将軍として新羅に出征するに紀小弓宿《きのおゆみ》𥝱に、吉備上道采女大海《かみつみちのうねめおおしあま》を下賜した」とあり、続く同五月条には「上道采女大海は、病死した紀小弓宿𥝱の喪に従って帰国し、土師連小鳥《はじのむらじおとり》を使って田身輪邑《たむわのむら》（大阪府阪南市淡輪）に帰葬した」と伝える。先に述べたように、服属を保証する人質的な性格の采女を下賜することは異例であるが、これは雄略天皇による紀氏の重用と、紀氏と吉備氏の結びつきを示している。

吉備上道采女が、田狭の事件後に吉備上道臣氏が差し出した人物か、それとも稚媛のように雄略天皇が吉備上道臣氏から召し上げた女性か、分明ではない。いずれにしても、采女貢進により吉備上道臣氏の雄略天皇に対する従属の度合いが、以前よりも強くなったことは間違いない。

吉備下道臣前津屋と吉備上道臣田狭の事件を契機に、吉備氏は勢力を大きく削ぎ落され、采女を差し出す地位に甘んじることになった。雄略朝のこうした政治的動向について、雄略天皇は葛城氏、市辺押磐皇子、吉備氏らを征圧して「国造制・部民制の創設など国政改革に邁進した」という評価もある〈湊哲夫〉。雄略朝を王権専制化の画期と位置付ける理解の可否については第四部で検討するが、雄略朝には未だ国造制や部民制は創設されていないから、右は画期説に影響された過大な解釈と言えよう。

それでは、雄略天皇は一体何を目指していたのだろうか。これは、雄略朝の全体像を明らかにして後に考えることにしよう。

雄略天皇の死去と事件の予感

『紀』に従えば、即位前に雄略天皇は眉輪王とともに葛城円大臣を滅ぼし、即位後は吉備下道臣前津屋を征圧、続いて吉備上道臣田狭の葛城氏出身の妻を略取して勢力を削ぎ、さらに采女を召し上げて上下関係を明確にした。これにより、ヤマト王権内における吉備氏勢力は著しく低下したと思われるが、それを決定づけたのが吉備氏系の星川皇子の事件である。

雄略天皇紀元年三月是月条には、雄略天皇は吉備上道臣の娘稚媛との間に磐城《いわき》皇子と星《ほし》川稚宮《かわのわかみや》皇子を儲けたとある。その星川皇子が、天皇の歿後に跡を窺い、反対に燔殺されたという。なお『記』には、稚媛の横奪や星川皇子の存在、その事件などのことは見えず、不記載の理由も分明でない。

さて、雄略天皇紀二十三年八月丙子条の雄略天皇の死去と、蝦夷の騒擾《そうじょう》から見ていこう。

天皇、疾《おほみやまひ》弥《いよいよ》甚《おも》し。百寮《つかさつかさ》と辞訣《わか》れたまひて、並に手を握りて歔欷《なげ》きたまふ。大殿《おほとの》に崩《かむあが》りましぬ。大伴室屋大連《むろやのおほむらじ》と東漢掬直《やまとのあやのつかのあたひ》とに遺詔《のちのみことのり》して曰はく、「……今星《ほし》川王《かはのみこ》、心に悖悪《さかしまにあしきこと》を懐《いだ》きて、行《わざ》、友于《このかみおとひと》に闕《か》けり。古《いにしへ》の人、言へること有り。臣《やっこ》を知るは、君《きみ》に若《し》くは莫《な》し。子を知るは、父《かぞ》に若くは莫しと。縦使《たとひ》星川、志《こころ》を得て、共に国家を治めば、必ず当《まさ》に戮辱《はぢ》、臣連に遍《あまね》くして、酷毒《からきこと》、民庶《おほみたから》に流《ほどこ》りなむ。夫《そ》れ悪《あ》しき子孫《うみのこ》は、已《すで》に百姓《おほみたから》に憚《はばか》らる。好《よ》き子は、足《あ》くまでに大業《おほきなるつぎ》を負荷《たも》つに堪へたり。此、朕《わ》が家の事なりと雖《いへど》も、理《ことわり》におきて、隠すべからず。大連等、民部《かきべ》広く大きにして、国に充盈《みて》り。皇太子、地《しな》、儲君上嗣《まうけのきみ》に居《あた》りて、仁孝著《あらは》れ聞えたり。其の行業《しわざ》を以《おもほ》すに、朕《わ》が志《こころ》を成すに堪へたり。此《ここ》を以て、共に天下を治《をさ》めば、朕、瞑目《し》ぬと雖《いふと》も、何ぞ復《また》恨むる所あらむ」とのたまふ。〈一本《あるふみ》に云はく、星川王、腹悪《はらあ》しく心麁《あら》きこと、天下に著《あらは》

れ聞えたり。不幸《みつなく》して朕が崩《し》なむ後に、当に皇太子《ひつぎのみこ》を害《やぶ》らむ。汝等《いましら》民部、甚多《にさへ》なり。努力《ゆめ》相助《あひたす》けよ。な侮慢《あなづ》らしめそといふ。〉

雄略天皇は在位二十三年、病気で歿したとあるが、死に臨み大連の大伴室屋と渡来系の東漢掬に遺詔（遺言）したという。雄略天皇紀二十三年己未《きび》は４７９年にあたるが、雄略天皇記分註の崩年干支記事には己巳年（４８９）に死去したとあり、一致しないことは先述した。

まず、ここでの問題は遺詔の内容であるが、前半部は後半部を導くための文飾とみられるから省略した。引用部分にもどれほど事実が含まれているか定かではないが、遺詔の主旨は、「王位は子の清寧《せいねい》（母は葛城円大臣の娘韓媛《からひめ》）に継承させ、性格の悪い星川皇子には継がせないよう務めよ」ということで、分註「一本」も同意の記事である。吉備氏系星川皇子の王位継承からの排除は、雄略天皇の強い意思によるとする。それが事実ならば、星川皇子の事件は雄略天皇の意向に対して星川皇子側が反攻に出たことになるが、事の真相は後に考究する。

雄略天皇歿後の蝦夷の騒擾と吉備氏

雄略天皇の死去と遺詔を記した雄略天皇紀二十三年八月丙子条は、続けて左の記事を載せている。雄略天皇の死去にともなう出来事としては共通するが、内容が異なることから分けて引用した。

是の時に、征新羅将軍《しらぎをうつのいくさのきみ》吉備臣尾《を》代《しろ》、行きて吉備国に至りて家を過《よ》きる。後に率《ひき》ゐたる五百《いほ》の蝦夷《えみし》等《ら》、天皇崩《かむあが》りましぬと聞きて、乃ち相謂《かた》りて曰はく、「吾が国を領《す》べ制《をさ》めたまふ天皇、既に崩りましぬ。時失ふべからず」といふ。乃ち相聚結《あいいは》みて、傍《ほとり》の郡《こほり》を侵寇《あたな》ふ。是に、尾代、家より来《きた》りて、蝦夷に娑婆水門《さばのみなと》に会ひて、合戦《たたか》ひて射《い》る。蝦夷等、或《ある》いは踊《をど》り、或いは伏《ふ》す。能《よ》く箭《や》を避《さ》り脱《さ》る。終《つひ》に射るべからず。是を以て、尾代、空《むな》しく弾《ゆみ》弓弦《づるうち》す。海浜《うみへた》の上にして、踊り伏しし者二隊《ふたたむら》を射死《いころ》す。二嚢《ふたやなぐひ》の箭既に尽きぬ。即ち船《ふな》人《ひと》を喚びて箭を索《こ》はす。船人、恐りて自ら退《しりぞ》きぬ。尾代、乃《すなは》ち弓を立てて末《ゆみはず》を執《と》へて、歌《うたよみ》して曰はく、

道に闘《あ》ふや　尾代の子　母《あも》にこそ　聞えずあらめ　国には　聞えてな

唱《うた》ひ訖《をは》りて自ら数《あまた》の人を斬る。更《また》追ひて丹波国の浦掛《うらかけ》水門に至りて、尽《ことごとく》に逼《せ》め殺しつ。〈一本に云はく、追ひて浦掛に至りて、人を遣りて尽に殺さしめつといふ。〉

事の概要は、雄略天皇が亡くなった際に征新羅将軍の吉備臣尾代が率いる五百人の蝦夷が騒擾したが、尾代がそれを鎮圧したという。雄略天皇紀における吉備氏関連の記事としては異質な内容であり、これを採録した意図とともに当時の吉備氏について考える上で注目される。

古代天皇は倭国の全秩序を体現する存在と観念されていたが〈平林章仁i〉、その死去から新天皇即位までの間は、その秩序が空白の時空とみなされ、様々な事件が引き起こされた。例えば、応神天皇即位前の麛坂《かごさか》王・忍熊《おしくま》王の事件や、雄略天皇が即位前に眉輪王・葛城円大臣・坂合黒彦皇子・坂合部連贄宿禰・八釣白彦皇子・市辺押磐皇子・御馬皇子らを滅ぼした一連の事件は、こうした観点からも理解できよう。ここで取り上げる蝦夷の騒擾や星川皇子事件

も、それに加えることができる。

蝦夷とは、古代に東北の地域に住んだ人々に対する呼称であり、ヤマト王権に帰順した集団もあれば、後まで帰服を拒否した者もいた。帰服して王権の配下に移住させられた集団の一部は、後に王権の武力を担う佐伯部《さえきべ》に編成された。

吉備臣尾代の新羅出兵は、ヤマト王権内で吉備氏が担って来た役割を示している。五百人は実数というよりは多数の意であろうが、蝦夷を率いての海外出兵は他に例がなく注目される。吉備地域は令制下には備前・備中・備後・美作《みまさか》の四か国に分割されるが、尾代の氏が吉備臣とのみあって下道臣から苑臣までの氏の名を欠いていることは、これまで引用した吉備氏関連記事とは異質である。

吉備臣尾代が蝦夷を統率することは唐突に感じられるが、景行天皇紀四十年七月条には日本武《やまとたける》尊《のみこと》の蝦夷征討に吉備氏の祖の吉備武彦《きびのたけひこ》が随行し、同紀四十年是歳条には日本武尊が捕虜にした蝦夷を伊勢神宮に献上、吉備武彦に命じて征討の成果を天皇に報告させたとあり、吉備氏が蝦夷のことを管掌する起源を伝えている。

ところが、景行天皇紀五十一年八月壬子条は、「伊勢神宮の蝦夷は昼夜を問わずに騒動しいので、御諸《みもろの》山《やま》（奈良県桜井市の三輪山）の麓に移動させた。しかし、また神山の樹を伐り人民を脅かしたので、さらに播磨《はりま》（兵庫県）・讃岐《さぬき》（香川県）・伊予《いよ》（愛媛県）・安芸《あき》（広島県）・阿《あ》波《わ》（徳島県）に配置した、これが五か国の佐伯部《さえきべ》の祖である」と伝える。

また、仁徳天皇紀三十八年七月条には、天皇が鳴き声を楽しんでいた鹿を猪名県《いなのあがた》（兵庫県尼崎市東北地域）の佐伯部が狩猟の獲物として献上したので、安芸の渟田《ぬた》（安芸国沼田郡／広島県竹原市東部、三原市の一部）に移配したとある。

右の所伝にどれほどの事実が含まれているのか詳らかではないが、その蝦夷移配地には佐伯部の分布が知られるから、雄略朝以前に吉備氏が蝦夷問題に従事したことは認められよう。これらの佐伯部は、大伴氏の同族という佐伯《さえきのむらじ》連（のち佐伯宿禰）氏や佐伯《さえきのおびと》首氏、これとは別系の佐伯《さえきのあたい》直氏や佐伯《さえきのみやつこ》造氏らの伴造に統率された。雄略天皇紀二十三年八月丙子是時条は、佐伯部に編成される以前の吉備氏による蝦夷の管掌を伝えたものである。

吉備臣尾代が最初に配下の蝦夷と会戦したという娑婆水門は、備後国沼隈《ぬまくま》郡佐波（広島県福山市）、最後の決戦を行なった丹波国の浦掛水門は、丹後国熊野郡（京都府久美浜町）にあてられる。ちなみに、備後国沼隈郡は、蝦夷の移配地である安芸国沼田郡と国は違うが備後国御調《みつき》郡（広島県尾道市、三原市東部）を中に挟んで近接した地であるのも無縁ではなかろう。

吉備臣尾代に関連する所伝が、これまで取りあげてきた雄略天皇紀七年八月条や雄略天皇紀七年是歳条、次述する清寧天皇即位前紀など、この時期の吉備氏関連所伝に特徴的な天皇に対峙する内容ではなく、むしろ王権・天皇に従う立場に描かれていることにも注目される。原史料の性格もあるが、吉備氏内部が必ずしも一枚岩でなかったことを思わせる所伝である。

星川皇子の事件と顚末

清寧天皇即位前紀は、雄略天皇歿後の王位継承をめぐる吉備氏系星川皇子の事件について詳細に伝えている。少し長いが、それから紹介しよう。ちなみに、『記』は吉備氏関連の事件については、星川皇子の名を含めて何ら語るところはないが、その理由は詳らかではない。

二十三年八月に、大泊瀬天皇、崩《かむあが》りましぬ。吉備稚媛、陰《ひそか》に幼子《わかご》星川皇子に謂《かた》りて曰はく、「天下之位《たかみくら》登《し》らむとならば、先《ま》づ大蔵《おほくら》の官《つかさ》を取れ」とのたまふ。…（長子の磐城《いはき》皇子が反対した）…星川皇子、聴かずして、輙《たやす》く母夫人の意《みこころ》に随《したが》ふ。遂に大蔵の官《つかさ》を取れり。外門《ほかと》を鏁《さ》し閉《かた》めて、式《も》て難《わざはひ》に備《そな》ふ。権勢《いきほひ》の自由《ほしきまま》にして、官物《おほやけもの》を費用《つひや》す。是《ここ》に、大伴室屋大連、東漢掬直に言ひて曰はく、「大泊瀬天皇の遺詔《のちのみことのり》し、今至りなむとす。遺詔に従《したが》ひて、皇太子に奉《つかへまつ》るべし」といふ。乃ち、軍士《いくさ》を発《おこ》して大蔵を囲繞《かく》む。外《と》より拒《ふせ》き閉《かた》めて、火を縦《つ》けて燔殺《やきころ》す。是の時に、吉備稚媛・磐城皇子の異父兄兄《ことかぞのあにえ》君《きみ》・城丘前来目《きのをかざきのくめ》〈名を闕《もら》せり〉星川皇子に随ひて、燔殺されぬ。惟《ここ》に河内三野県主小根《かふちのみののあがたぬしをね》、慄然《を》ぢ振怖《をのの》きて、火を避《さ》りて逃《のが》れ出《い》づ。草香部吉士《くさかべのきし》漢彦《あやひこ》が脚《あし》を抱《うだ》きて、因《よ》りて生きむことを大伴室屋大連に祈《のみまう》さしめて曰さく、「奴《やつこ》県主小根、星川皇子に事《つか》へまつりしことは、信《まこと》なり。而《しか》れども皇太子を背《そむ》きたてまつること有ること無し。乞《こ》ふ、洪恩《おほきなるめぐみ》を降《くだ》して、他《ひと》の命《いのち》を救ひ賜《たま》へ」とまうす。漢彦《あやひこ》、乃《すなは》ち具《つぶさ》に為《ため》に大伴大連に啓《まう》して、刑類《ころすつみのつら》に入れず。…輙《すなは》ち難波の来目邑《くめのむら》の大井戸《おほゐへ》の田十《と》町《ところ》を以て、大連に送る。又田地《たところ》を以て、漢彦に与へて、其の恩《めぐみ》を報《むく》ゆ。

是の月に、吉備上道臣等、朝《みかど》に乱《みだれ》を作《な》すと聞きて、其の腹《はら》に生れませる星川皇子を救はむと思ひて、船師《ふないくさ》四十《よそ》艘《ふな》を率て、海に来浮《きうか》ぶ。既にして燔殺されぬと聞きて、海より帰る。天皇、即ち使を遣して、上道臣等を嘖譲《せ》めて、其の領《をさ》むる山部《やまべ》を奪ひたまふ。

　事件の記述は具体的であり、雄略天皇の遺詔を奉じた大伴室屋大連らによる吉備稚媛・星川皇子らの燔殺、星川皇子に仕えた河内三野県主小根の助命懇願、事に直面した吉備上道臣氏の動向を伝えた「是の月」条の三段落から構成される。『紀』編者が、複数の原史料を用いて記事を編んでいることが窺われる。

　具体的には、雄略天皇の歿後に吉備稚媛が子の星川皇子に事を起こすことを勧め兄の磐城皇子が反対、星川皇子は母の言にしたがい王権の大蔵を掌握したが、逆に星川皇子・稚媛・磐城皇子・異父兄（上道臣田狭の子）・城丘前来目らは大連大伴室屋の派遣した軍勢に囲まれて燔殺される、と展開する。

　ところで、当時のヤマト王権のクラ（倉蔵）は未だ大蔵と内蔵に分立していないが〈石上英一〉、大阪市法円坂《ほうえんさか》の難波宮《なにわのみや》下層遺跡から検出された五世紀代のクラ遺構〈直木孝次郎・小笠原好彦〉から知られるように、王宮近くに設けられた大規模なクラを「大蔵」と称したことはあり得よう。

　城丘前来目は、雄略天皇紀九年三月条に、新羅遠征軍の大伴談　連《かたりのむらじ》（大連室屋の子）らと戦死したとある紀岡前来目連の同族で、紀伊国名草《なくさ》郡岡崎（和歌山市岡崎）が本貫であろう。

　第二段落は、星川皇子に仕えていた河内三野県主小根の物語であるが、草香部吉士漢彦を介して大伴室屋大連に助命を嘆願し、難波来目邑の田十町を室屋大連に、吉士漢彦にも土地を贈呈した、という。河内三野県主氏は、河内国若江郡の式内社、御野県　主《みののあがたぬし》神社の鎮座地（八尾市上之島町）辺りが本貫であろう。草香部吉士は天武天皇十年（681）正月丁丑に難波連《なにわのむらじ》を賜姓されていることから、大阪湾に臨む難波（大阪市）を本拠とした渡来系の氏である。なお、草香部は草壁とも表記されるが、仁徳天皇の子の大日下《おおくさか》王（母は日向諸県　君《もろかたのきみ》髪長日売《かみながひめ》）の名代部であり、本来は日下部と表記された。

難波来目邑は、燔殺された城丘前来目（紀岡前来目連）にも縁りの地と思われるが、河内三野県主小根がそこの大井戸の田を室屋大連に贈呈していることから、難波来目邑にも彼の所領が存在したのであろう。河内三野県主小根と草香部吉士漢彦は言わば隣人であって、地縁的関係から助命嘆願の仲介を依頼したものと考えられる。ここに登場する紀岡前来目連・河内三野県主小根・草香部吉士漢彦らは地縁的に知己の間柄にあり、星川皇子が掌握した王権の大蔵も難波に存在し、事件は難波の地を舞台に展開したと推考される。大伴氏が、和泉国の大阪湾沿岸から紀伊国の紀ノ川河口にいたる地域に拠地を有したことも、これに加えることができよう。

第三段落の「是の月」条は、星川皇子の決起にあわせて吉備上道臣氏が援軍を送ったが、すでに事が決していたので引き返したと伝える。吉備稚媛・星川皇子と吉備上道臣氏の間の連絡網が機能していたのであろうが、「船師四十艘」という救援の水軍派遣は、吉備上道臣氏の性格を示すとともに、この事件の舞台が大阪湾沿岸・難波地域だったという推考の傍証にもなる。任那や新羅に派遣されたという吉備上道氏の配下には、海人《あま》（海洋民）を率いた吉備海部直《あまのあたい》氏があり、四十艘という数は定かでないが、星川皇子の救援に水軍の派遣は蓋然性が高い。

ところが思いのほか早くに事が決したので、派遣された水軍は戦わずして吉備に戻ったが、その責任を問われて吉備上道氏配下の山部が王権に召し上げられたという。やや細かく言えば、吉備上道氏配下の人民の一部が召し上げられ、後に山部として編成されたということであろうが、清寧天皇紀二年十一月条や顕宗天皇即位前紀などには、王権が播磨国に派遣した使者に「山部連の先祖伊予来目部小楯《いよのくめべのおだて》」の名が見える。市辺押磐皇子が雄略天皇の即位前に殺害されたことで、隠棲していた子の弘計《おけ》（顕宗天皇）・億計《おけ》（仁賢天皇／母は葛城蟻臣《ありのおみ》の娘荑媛《はえひめ》）の弟兄を、伊予来目部小楯が赤石《あかいし》郡縮見屯倉《しじみのみやけ》（『播磨国風土記』は美嚢《みなぎ》郡志深《しじみ》里／兵庫県三木市）で見い出したと伝えられる。その顕宗天皇のまたの名が「来目稚子《くめのわくご》」ともあり、伊予来目部小楯は来目稚子についての情報を事前に得ていたと思われるが、同時に山部と来目（久米）の近しい関係を思わせる。

要するに、吉備上道氏配下の人民が召し上げられて後に山部に編成されることと、その所伝に城丘前来目や難波来目邑が語られていることは、相互に関連がある。

星川皇子事件の史的位置づけ

最後に、雄略天皇と吉備氏の一連の軋轢に関する歴史的評価であるが、その際に留意すべき点は、事件は葛城氏の衰退後のことであること、もっぱら王家の家政を担って来た大伴氏や物部氏および渡来系集団が大きな役割を果たしていることなどである。これらは、雄略天皇即位時の王権の内部抗争で葛城氏政権が解体して以降の、天皇親政化への志向の表面化と評価できる。これを、宮廷職能団体「部《べ》」の成立・宮廷組織が整備拡充される画期と解するむきもあるが〈山尾幸久a／湊哲夫〉、次述する金石文からも雄略朝における部制の存在は確認できず、その志向が達成されていたとはみられない。

それは、一連の事件で最後に位置する、星川皇子の事件からも読み取ることが出来る。これを清寧天皇と星川皇子の母系から眺めてみれば、前者の母は葛城円大臣の娘韓媛、後者は吉備上道臣の妻稚媛＝葛城玉田宿禰の娘の毛媛であり、ともに葛城氏出身の女性である。葛城円大臣は玉田宿禰の子と伝えられるから、毛媛と韓媛は叔母と姪という関係にある。要するに、清寧天皇と星川皇子はともに母系が葛城玉田宿禰系という関係にあり、母系が同じ王族間で王位を争ったのである。

古代の王位継承において、母系出自が重い位置を占めていたことは、五世紀の王統が武烈天皇で断絶した後、新たに迎えられた継体天皇の事例を見れば瞭然である。『紀』は継体天皇が、父系は「誉田《ほむた》天皇（応神天皇）の五世の孫」、母系が「活目《いくめ》天皇（垂仁天皇）の七世の孫」と明記し、『釈日本紀』所引「上宮記一云」では、その父母両系の詳細な系譜を伝えている。

雄略天皇が遺詔を残したとしても、雄略天皇紀二十三年八月丙子条が記す内容は確かめられない。遺詔のことが語られるのは、雄略天皇の歿後の王位継承に不安が存在したからであり、それは母系を等しくする王族間の争いとなることが予測されたからであろう。これを葛城氏の側から見るならば、円大臣が滅ぼされて勢力が衰微し、葛城氏系王族の王位継承を調整する権威と権能をすでに喪失していたことを物語っている。

一連の事件は、雄略天皇・清寧天皇と吉備氏の軋轢の他に、母系で葛城氏系である王族間の王位継承争いという側面も垣間見える。さらに、その後の王位継承を同じく母系から一瞥すれば、清寧天皇には皇子がなく、二世王である顕宗・仁賢天皇が播磨から迎えられて即位するが、両天皇の母もまた葛城蟻臣《ありのおみ》（葛城襲津彦の孫、葦田《あした》宿禰の子）の娘荑媛《はえひめ》である。すなわち、雄略天皇歿後の王位継承は、母系が葛城氏である天皇が続き、いまだ葛城氏の血脈に繋がることが王位継承で有利に作用する状況が存続しているのである。

ちなみに、天皇が母系において葛城氏の血脈でなくなるのは、春日和珥氏系の春日大娘《おおいらつめ》皇女を母とする武烈天皇であり、ここで五世紀の王統が断絶するのも皮肉なことである。

第二部

埼玉稲荷山古墳出土鉄剣銘文から描く
雄略天皇とその時代

第一章　鉄剣銘文と獲加多支鹵大王

ここでは、埼玉県行田《ぎょうだ》市にある埼玉《さきたま》古墳群の稲荷山古墳から出土した、鉄剣に施された金象嵌《きんぞうがん》銘文から、雄略天皇像とその時代を描出する。雄略天皇について論じる上で、これは必須の史料である。

埼玉稲荷山古墳について

まず、銘文理解に必要な稲荷山古墳の基本情報について記そう〈埼玉県教育委員会／大阪府立近つ飛鳥博物館c〉。埼玉古墳群は五世紀後半から七世紀初頭にかけて造営された武蔵《むさし》国（埼玉県、東京都、神奈川県川崎市と横浜市の大部分）最大の大型古墳群であり、円墳を含む墳丘全長100m以上の大規模古墳5基をはじめ、多くの中小古墳から構成される。その中で一番最初に築造されたのが、稲荷山古墳である。

稲荷山古墳は、1936年に測量調査が実施されたが、後に前方部が土採り工事で消滅した。1938年には埼玉古墳群として国史跡に指定されたが、前方部を復原すれば墳丘全長120mの前方後円墳となり、二重の濠が方形にめぐっていた。1968年には、後円部墳頂の埋葬施設の発掘調査で2基の埋葬施設が検出され、最初に検出された第一主体部は、人頭～拳大《こぶしだい》の川原石で棺を覆った舟形の礫槨《れきかく》（槨は棺を納める施設）で、内法《うちのり》の長さは5,7m（外法は6,7m）、最大幅は1,2mであった。大木を半分に割いて刳り抜いた舟形木棺《もっかん》の棺材の一部が残っていただけで、人骨は残っていなかった。遺物・副葬品は、画文帯神獣鏡《がもんたいしんじゅうきょう》・勾玉《まがたま》・銀《ぎん》環《かん》2・金銅製帯金具《こんどうせいおびかなぐ》・直刀《ちょくとう》4・剣2・鉾《ほこ》2・挂甲《けいこう》・鉄鏃《てつぞく》約200・鉄斧《てつおの》2・鉄鉗《かなはし》2・鉇《やりがんな》・鑷子《せっし》・刀子《とうす》2・砥石《といし》・飾り馬具一式など、豊富であった。

第二主体部は粘土で棺を覆う粘土槨であったと見られるが、後世に盗掘を受けていたため、遺物は直刀・挂甲・鉄鏃・馬具の一部破片と鎌のみであった。

その後1978年に、稲荷山古墳出土の鉄製品の保存処理を奈良県にある元興寺文化財研究所に委託された。そこでの作業中に、鉄剣に細い溝を刻み金の針金を埋め込んだ金象嵌の存在が確認され、X線撮影により後に紹介する金象嵌銘文が刻まれていることが判明した。

稲荷山古墳の築造年代については、墳丘のくびれ部から出土した須恵器《すえき》の型式から、五世紀の後半ごろ、金象嵌鉄剣が出土した礫槨は副葬された馬具の型式がそれより20年ほど新しいことから、六世紀初めごろとされる。稲荷山古墳の築造年代と礫槨の埋葬施設の造営年代が異なるが、それは礫槨や粘土槨の埋葬施設が浅くて後円部頂の縁辺部に位置し〈白石太一郎d〉、後円部墳上部の電磁波探査により中央部にも別の埋葬施設が存在した可能性が指摘されていること〈小川良祐〉、などから説明が可能である。つまり、礫槨とは別に稲荷山古墳の中心的埋葬施設が先に造営され、後にその縁者である礫槨の主が埋葬されたと考えられている。

このことは、金象嵌銘文の解釈や礫槨被葬者の人物像復原、系譜の理解にも影響する。礫槨被葬者は武蔵の有力豪族の一員ではあっても中心的人物（豪族首長）ではなかったことを思わせるが、詳しくは後述する。

稲荷山古墳出土鉄剣の金象嵌銘文

銘文が刻まれた鉄剣は、礫槨遺骸の左脇やや足寄りに副葬されていたが、切先先端部を欠失していた。その全長は73,5㎝、幅3,9㎝で調査の結果、剣身部の表に57字、裏に58字、合わせて115の文字が金象嵌で刻まれていた。いずれも残存状態が良好で、すべての文字が読み取られたことは稀有のことであるが、さらに銘文には「辛亥年」の紀年とともに多くの人名が記されており、この時代の歴史を復原する際に、この上ない貴重な史料を提供したことである。百年に一度の大発見と評される所以でもあるが、その内容は『記』・『紀』の解釈にも必然的に影響する。以下に読み取られた銘文と、その読み下し文を示すが、画数を省いて刻まれた文字は常用の字体に改めた。なお傍線は、筆者による。

辛亥年七月中記乎獲居臣上祖名意富比垝其児多加利足尼其児名弖已加利獲居其児名多加披次獲居其児名多沙鬼獲居其児名半弖比【表】

其児名加差披余其児名乎獲居臣世々為杖刀人首奉事来至今獲加多支鹵大王寺在斯鬼宮時吾左治天下令作此百練利刀記吾奉事根原也【裏】

○

辛亥年七月中、記す。乎獲居臣《をわけのおみ》、上祖《かみつおや》、名は意富比垝《おほひこ》。其児《そのこ》、多加利足尼《たかりのすくね》。其児、名は

弓已加利獲居《てよかりわけ》。其児、名は多加披次《たかひ(は)し》獲居。其児、名は多沙鬼《たさき》獲居。其児、名は半弖比《はてひ》。【表】
其児、名は加差披余《かさひ(は)よ》。其児、名は乎獲居臣。世々《よよ》、杖刀人首《じょうとうじんのおびと》と為《な》り、①奉事し来り今に至る。獲加多支鹵《わかたける》大王の寺《つかさ》、斯鬼宮《しきのみや》に在る時、②吾、治天下《ちてんか》を左《たす》け、此の百練《ひゃくれん》利《のり》刀《とう》を作らしめ、吾が奉事の根原《こんげん》を記す也。【裏】

ただし、銘文の訓読は研究者のすべてが一致しているわけではなく、若干の異同も存在する。例えば、傍線部①は「奉事し来りて、今の獲加多支鹵《わかたける》大王に至る。寺《はべ》りて、斯鬼宮《しきのみや》に在る時」との訓みもあるが〈篠川賢ａ〉、ここでは一般的な読み下しに従った。

また、傍線部②は広く「吾、天下を左治《さじ》し」と読み下されて来たが〈平野邦雄ｃ〉、武蔵の豪族である乎獲居が大王の天下を「左治」することは考えられないことや、後述する熊本県江《え》田船山《たふなやま》古墳出土大刀《たち》の銀象嵌銘文との関係などから、獲加多支鹵大王に対して「吾、治天下を左け」たと解するべきと考えられ、右のように読み下したがなお後にも触れる。

辛亥年と獲加多支鹵大王

金象嵌銘文１１５文字の中で、最も注目されて来たのは「辛亥年」と「獲加多支鹵大王」である。

まず、干支年の表記であるが、元号が定められる以前は干支を用いて年が表記された。干支は十干・十二支を組み合わせたもので、60年に一度同じ干支がめぐってくる。年次表示に干支を用いることは中国文明の影響を受けた古代東アジア地域に共通するが、鉄剣銘文の最初に記された「辛亥年」はこの銘文が刻まれた年を示している。この「辛亥年」を531年にあてるむきもあったが、鉄剣に銘文が刻まれてから稲荷山古墳に副葬されるまでの時間の経過を考慮すれば、471年にあてるのが妥当であろう。これはまた、第一部第一章で述べた雄略天皇の治世期間とも整合する。471年に倭国内で刻まれた115文字の銘文が今日に知られた点で、第一級の古代史の史料といえる。

次に「辛亥年」に倭国で「大王」と称えられた「獲加多支鹵」は、雄略天皇を除いて他には存在しない。雄略天皇について『記』は大長谷若建命、『紀』では大泊瀬幼武天皇と記され、以前はオオハツセノワカタケと訓まれていたが、この銘文が知られて以降はオオハツセノワカタケルの訓に改められた。

ところで、第一部第二章で述べたが、『記』・『紀』に見える人名の特徴の一つは、大・小、大・若（稚）などの称辞を冠されて対になる、対照的な名が散見されることである。すなわち、大サザキ：ワカサザキ、大ハツセ：小ハツセ、大日下：若日下、大タラシ：ワカタラシなどであるが、この場合必ず大が先で、小・ワカ（若・稚）が後にあらわれるのを原則とする。このことを敷衍すれば、獲加多支鹵大王の名について、以下のことが導かれる。

①雄略天皇が、同時代の人々から「ワカタケル」と呼ばれていたことは確かである。

②雄略朝には、「ワカタケル」の名と対になる「大タケル」についての所伝も存在した。「大タケル」は東西征討に赴いた伝説の王族、倭建命《やまとたけるのみこと》（日本武尊）とみて間違いない。

すなわち、治天下大王の名としてワカタケルの名が存在する以上、現『記』・『紀』の所伝との異同は定かでないが、ヤマトタケル像はワカタケル大王の治世以前に成立していたと考えられる。

要するに、獲加多支鹵の名は、倭建命（日本武尊）の名を継承したものであり、そこに雄略天皇とその時代の人々の歴史意識を読み取ることができる。

「大王」はワカタケルの自称か

稲荷山古墳出土鉄剣と後述する江田船山古墳出土大刀の二つの銘文に「獲加多支鹵大王」とあることは、「天皇」号採用以前のヤマト王権・倭国の王の称号と雄略天皇の歴史的評価に関わり、重要な問題を提示している。

その一つは、両銘文に「獲加多支鹵大王」とあることから、大王は天皇号が採用される以前の倭国王の正式の称号だったと解されていることである〈井上光貞d〉。それを承けて、大王は、国内の統一を進めて各地の首長や王族の上に君臨し、王権領域全体に支配を及ぼす政治的統一体の君主号であったと位置づけられている〈鎌田元一b〉。この考えに従って、研究者の間でも古代の天皇を〝雄略大王〟や〝継体大王〟などと表記されることが少なくないが、そのことに違和感を拭いきれないことは先に記した。あるいは、獲加多支鹵の大王号は朝鮮半島諸国より一段上に立とうとする意図から雄略天皇が用い始めたという主張もあるが〈白石太一郎d〉、これが朝鮮半島諸国にたいして上位に立つ意図で用いられた史料は知られていない。

次は、獲加多支鹵大王は王中の王として大王と称された最初であり、大王権力が確立した画期であるとする理解があるが、これは雄略朝王権専制化画期説とも関わるので、第四部で触れよう。

これらとは別に、「大王号は、オオキミという和語と直接結びつくのではなく、独自に漢字の成語として成立したと解するのがよい。倭国の君主号は外交の場ではあくまでも「王」であり、大王は中国南朝の宋から倭王に冊封《さくほう》された君主を、その支配権内で尊んだ称号である」とする見解もある〈東野治之〉。南朝との外交については第三部で述べるが、大王号が自称ではなく他称であるとする点は同意できるが、南朝に遣使した雄略天皇以前の讃《さん》・珍《ちん》・済《せい》・興《こう》の四王には、大王号使用の有無は詳らかでない。

天皇号使用の始原も明瞭でないが、大宝令（701）にその規定があったことは間違いない。天武天皇十年（681）二月に編纂が始まり持統天皇三年（689）六月に諸司に班布された飛鳥浄御原令《あすかきよみはらりょう》の内容は詳らかでないが、関連の規定が存在した可能性が高く、天皇号は七世紀後半の天武・持統朝頃から使用されたとみられている〈東野治之〉。

ここで参考までに、『記』・『紀』・『万葉集』以外の古代史料や、他の金石文にみえる大王号の用例を検討しよう。

A 『元興寺伽藍縁起幷流記資財帳《がんごうじがらんえんぎならびにるきしざいちょう》』〈藤田経世〉は、元興寺の来歴と財産を記したもので、天平十九年（747）の成立とされるが、現存のものは十二世紀半ば過ぎの抄録に他の史料を加えたもので信憑性が定かでないとの理解があるが〈吉田一彦〉、なお古い史料が含まれているとの見解もあり〈田中史生b／川尻秋生〉、評価が揺らいでいる。そこには、即位前の推古を「大々王」、即位後は「大々王天皇」、聖徳太子は「等与刀弥々大王《とよとみみ》」と記している。

B奈良県斑鳩町にある法隆寺金堂の薬師如来像光背に刻まれた「造像記」（『古京遺文』）は、「丁卯年仕奉《つかへまつり》」（607）と結ばれ、銘文通り推古朝の遺文《いぶん》とみる見解もあるが〈八木毅〉、内容や用字から七世紀後半頃のものと解するのが一般である〈奈良国立文化財研究所飛鳥資料館a〉。そこでは、推古天皇を「大王天皇」・「小治田《をはりだ》大宮治天下大王天皇」と記している。

C平安時代初めごろ成立の、聖徳太子の最古の伝記である『上宮聖徳法王帝説《じょうぐうしょうとくほうおうていせつ》』に載録される、太子の死後に妃の橘大郎女《たちばなのおおいらつめ》が作らせたという「天寿国繍帳《てんじゅこくしゅうちょう》」銘文は、現物断片が斑鳩町の中宮寺に現存する。これも推古朝の作ではなく、天武・持統朝頃のものとみられているが〈東野治之〉、その銘文には敏達天皇の子の尾張皇子が「尾治大王」と記されている。

D『釈日本紀』は鎌倉時代後半成立の『日本書紀』の注釈書であり、そこに引く継体天皇の出自系譜を伝えた「上宮記曰一云」は先にも触れたが、母系の祖である垂仁天皇を「伊久牟尼利比古《いくむにりひこ》大王」、継体天皇を「伊波礼宮《いはれのみや》治天下乎富等《をほと》大公王」と記している。

右の大王をオオキミと訓んだか、それともダイオウと音読みしたかは定かでないが、これらの史料からは以下のことが導かれよう。

①「上宮記曰一云」で垂仁天皇を「伊久牟尼利比古大王」と記すように、天皇号採用以前にヤマト王権の王の称号として「大王」が使用されることがあった。

②『元興寺伽藍縁起幷流記資財帳』では即位前の推古を「大々王」、即位後には「大々王天皇」と記し、法隆寺金堂の薬師如来像「造像記」でも推古天皇を「大王天皇」・「小治田大宮治天下大王天皇」と記している。これらをどのように訓んだかは詳らかでないが、大王号と天皇号が別種の称号で、その意味内容が異なると考えられていたことは理解される。「上宮記曰一云」の「伊波礼宮治天下乎富等大公王」の場合、称号は大公プラス王より構成されていると解されることなどから、ヤマト王権の王の称号が大王号から天皇号に単純に移行したとは考えられない。

③『元興寺伽藍縁起幷流記資財帳』が即位前の推古を「大々王」、聖徳太子を「等与刀弥々大王」、『上宮聖徳法王帝説』でも尾張皇子を「尾治大王」と記していることは、皇子女にも大王号が使用されたことを示している。

ちなみに、葛城の一言主神の奉斎集団に関わり先に触れた神と天皇の名告りの場面において、『記』で天皇が「茲《こ》の倭国《やまと》に、吾《お》を除きて亦王《きみ》は無きを」と問いかけ、『紀』では「朕《おのれ》は是、幼武尊《わかたけるのみこと》なり」と名告ったとあるのも参考になろう。

要するに、大王号が有力な皇子女らにも用いられたことは、それが倭国王のみの王号ではなかったことを示している。また、大王号に天皇号を加えて使用されていたことは、大王号と天皇号は意味の異なる称号と解されていたことが知られる。これらのことは、大王号を理解する上で重視される。

「大王」は正式の君主号ではない

これに加えて、1988年に千葉県市原市稲荷台古墳群の稲荷台1号墳から出土した鉄剣の銀象嵌銘文が参考になる。稲荷台1号墳は、墳径27,5ｍで周溝をもつ、五世紀中葉から後半頃の円墳である。墳丘中央部には、木棺直葬の埋葬部が2基あり、鉄製武具や刀剣、鉄鏃、砥石などが副葬されていた。その中央主体部から四分割の状態で検出された鉄剣に施された、次の銀象嵌銘文に注目される〈市原市教育委員会・財団法人市原市文化財センター／前之園亮一〉。

王賜□□敬□（安か）【表】
此廷□□□□【裏】

この銀象嵌銘文が内包する問題は少なくないが、ここでの課題に関わる点を列記しよう。

[イ]本銘文の主旨は、王から鉄剣を授けたこと、下賜にある。
[ロ]これは、王の「下賜刀剣」であることを示す、わが国で作成された最古の刀剣銘文である。
[ハ]王の固有名詞がないが、五世紀中葉に「王」と表記される人物は、ヤマト王権の王をおいて他にない。
[ニ]年号・干支を欠くことは、本鉄剣がある出来事を記念したり、特別に個人の顕彰を目的とするものではないことを示している。下賜対象者を特定していないことは、同じ銘文入りの鉄剣を複数製作し、他にも下賜したことを推察させる。

ホ稲荷台1号墳の被葬者は、武人としてヤマト王権に仕奉し、その証に鉄剣を下賜された。

右からは、当時のヤマト王権の君主（倭国王）の正式称号は「王」であり、「大王」ではなかったということが理解される。「獲加多支鹵」に付された大王号は、ヤマト王権内の人物がその君主を尊び称したものであり、かつそれは君主以外の特定の王族にも使用されたことから、大王は正式称号ではなく、「大王制」も存在しなかったと解するのが妥当である〈吉村武彦a／e〉。

このように、銘文に刻まれた大王号は、臣下の立場にある人物が「獲加多支鹵」を敬い尊び、その偉大なことを称えて刻んだものであり、次代の君主に継承される性格の称号ではない。このことは雄略朝の実態理解とも関わるが、大王号を過大に評価することは慎まなければならない。

「治天下」が意味するもの

先に銘文の傍線部②は「吾、治天下を左《たす》け」（「吾左治天下」）と訓むべきであると述べたが、ここではこの問題について取り上げよう。

まず、「吾左治天下」を「吾、天下を左治《さじ》し」と訓めば、「吾」、すなわちこの銘文を刻ませた乎獲居が獲加多支鹵大王の天下統治を佐《たす》ける重要な地位に在ったことになる。これに関わり、「吾が奉事の根原《こんげん》を記《しる》」させた乎獲居の人物像と銘文鉄剣を副葬された被葬者の異同の問題も生じる。

たとえば、乎獲居が武蔵地域の豪族の一員ならば、宮廷で雄略天皇を補佐する地位にあったとみることは難しい。すなわち、武蔵の豪族が獲加多支鹵大王の「天下を左治」することは考えられないという理由で、乎獲居を畿内地域の豪族とみる説が唱えられている〈和田萃a／森田悌〉。しかし、「天下を左治」の訓みが妥当でないならば、これらの問題は解消する。

要するに、「吾、天下を左治し」という訓みは、乎獲居の政治的地位の過大評価に繋がることになるから、留意を要する。これを「吾、治天下を左け」と訓むならば、「乎獲居が、獲加多支鹵大王の下で、任じられた職務を遂行した」という意となり、乎獲居が武蔵の豪族の一員であっても疑問は生じない。さらに、乎獲居を礫槨の被葬者とみても、礫槨が後円部墳頂の中央部から外れた位置であることに矛盾しない。これは下賜刀の問題にも絡んでくるが、下賜刀のことは後述する。

ところで、古代の史料には「左（佐）治天下」の用例は知られていないが、「治天下」は以下に幾つかを列記するように、成句として広く用いられている。

①継体天皇出自系譜を伝える『釈日本紀』所引「上宮記曰一云」は、継体天皇を「伊波礼《いはれの》宮《みや》治天下乎《を》富《ほ》等《と》大公王」と記している。

②『上宮聖徳法王帝説』は用明天皇を「伊波礼《いはれ》池辺双槻宮《いけのへのなみつきのみや》治天下橘豊日《たちばなのとよひ》天皇」、敏達天皇を「他田宮《をさだのみや》治天下天皇」、推古天皇を「少治田宮《をはりたのみや》治天下止余美気加志支夜比売《とよみけかしきやひめ》天皇」と記している。また、いわゆる「天寿国繍帳」銘文にも欽明天皇を「斯帰斯麻宮《しきしまのみや》治天下天皇」と記している。ただし、推古天皇について「少治田宮御宇天皇」という後の表記も混在している。

③法隆寺金堂の薬師如来像光背の「造像記」は、用明天皇を「池辺大宮《いけのへのおほみや》治天下天皇」、推

古天皇を「小治田大宮《をはりたのおほみや》治天下大王天皇」と刻んでいる。

④「船首王後墓誌《ふねのおびとおうごのぼし》」（『古京遺文』）は、江戸時代に河内国の大和川畔の松岳山《まつおかやま》（大阪府柏原市国分）から偶然出土した。船首氏は、王辰爾《おうじんに》を祖とする百済系渡来氏族である（欽明天皇紀十四年〈553〉七月甲子条）。銘文には戊辰年（天智天皇七年／668）十二月に松岳山上に殯葬《ひんそう》（改葬か）したとあるが、墓誌は八世紀初頭の追納とみる説もある〈奈良国立文化財研究所飛鳥資料館b〉。そこには敏達天皇を「乎娑陁宮《をさだのみや》治天下天皇」、推古天皇を「等由羅宮《とゆらのみや》治天下天皇」、舒明《じょめい》天皇は「阿須迦宮《あすかのみや》治天下天皇」と記している。

⑤「小野毛人《をののえみし》墓誌」は、江戸時代初めに今の京都市左京区上高野（山城国愛宕郡小野郷）から出土したもので、小野毛人は推古朝の遣隋使として知られる小野妹子《いもこ》の子である。銘文には丁丑年（天武天皇六年／677）十二月に葬ったとあるが、少し後の追納とみられている〈奈良国立文化財研究所飛鳥資料館b〉。そこに、天武天皇を「飛鳥浄御原宮《あすかきよみはらのみや》治天下天皇」と記している。

⑥『記』では初代の神武天皇・「坐畝火之白檮原宮《うねびのかしはらのみや》治天下」から、末尾の推古天皇・「坐小治田宮治天下」まで、天皇即位記事に一貫して「治天下」の成句が用いられている。但し、和銅五年（712）正月に太安万侶《おおのやすまろ》が認めた序文では、天武天皇を「飛鳥清原大宮御大八州天皇」（飛鳥の清原《きよみはら》の大宮に大八州御《おほやしまぐにしら》しめしし天皇）と記し、最早「治天下」は用いられていない。

⑦『紀』の天皇に関わる表記では、顕宗天皇即位前紀の天皇の出自を語る歌謡で「於市《いちの》辺宮《へのみや》治天下天万国万《あめよろづくによろづ》押磐尊《おしはのみこと》」（市辺押磐《いちのへのおしは》皇子、ただし追号である）、持統天皇紀三年五月

甲戌条の新羅弔使への詔の中に、孝徳天皇を「難波宮治天下天皇」、天智天皇を「近江宮治天下天皇」などと見える。

「治天下」は「アメノシタシラシメシシ」の和訓が妥当であり、⑥の市辺押磐皇子に関する追号的使用があるものの、右の用例からは即位した天皇に用いるのが原則であったことが理解される。大宝令以降には、「治天下」は「御宇」に置き換えられるから、稲荷山古墳出土鉄剣銘文の「治天下」は確認できる最古の用例としても意義がある。

「治天下」はもちろん、中国思想で天に認められた君主が支配者として君臨する世界として、中国で使用されていた成句である。これが中国南朝との交渉の中で、意図的に導入して獲加多支鹵大王の領域内に適用したものと解することができるか否か〈上田正昭e〉、という問題が存在する。当時の東アジア世界において、「天下」は中国皇帝のそれしか存在しないというのが共通の認識であったから、倭国の王が「天下」を用いることは、中国皇帝中心の世界とは別な「天下」を形づくることになる。すなわちこれは、中国とは別に、自国を世界の中心に位置する優れた文化国家と誇示する中華思想に基づいた国家観が倭国でも形成されていた、ひいては雄略朝を古代国家形成過程の画期であると位置づける考えにも連なる。

要するに、中国南朝の宋との交渉については後述するが、中国の皇帝が周辺諸国の王に冊《さく》（辞令書）によって官爵《かんしゃく》を授与して君主との間に君臣《くんしん》関係を設定することを冊封《さくほう》というが、「倭の五王」の時期の倭国は中国・宋と冊封関係にあった。つまり、当時の倭国は宋の皇帝の「天下」に存在したが、獲加多支鹵大王が「治天下」を称したことで、宋の冊封体制から離脱して自立化を示したのであると主張する〈上田正昭d／e〉。

また、六世紀前半に中国の天下観念を取り入れて「治天下」を称することで統治行為に自覚的になったという主張もあるが〈河内春人b〉、『記』の即位記事に見える「坐○○宮治天下」の用例については触れていない。

しかし、それとは反対に銘文の「治天下」は、中国皇帝の臣下である王の統治を示すものとして意図的に使用されている可能性が強く、必ずしも倭国に独自な中華思想が存在した傍証とはできないという説もある〈東野治之〉。

その正否の判断は容易ではないが、熊本県和水《なごみ》町の江田船山古墳から出土した大刀の棟に、判読不明字も含めて75字の銀象嵌銘文が刻まれている〈東京国立博物館〉。全文は後に紹介するが、その銘文冒頭に「台天下獲□□□鹵大王」とあり、「治天下獲加多支鹵大王」と復元されている。また、末尾には「書者張安也」とある。

ここでは「治天下」と「大王」が対句的に用いられていることから、この「治天下」が「大王」の統治を指していることが確かめられる。なお、「治天下」・「大王」を自称と解するむきもあるが〈熊谷公男〉、「書者張安也」とあるように渡来系と目される人物による撰文・書であり、稲荷山古墳鉄剣銘文の場合も乎獲居ないしは彼に近しい史官（フヒト／書記官）の手になるもので、いずれも自称ではないと考えられる〈山尾幸久b／田中史生a〉。

加えて、王名「獲加多支鹵大王」まで同じ表記であることは、当時の情報伝達の状況を思えば、両刀剣の銘文を撰文・書写した人物が近しい間柄にあった、もしくは同じ工房で行なわれた可能性が大きい。撰文・筆録に長けた人物が各地にも多数存在した時代でないことから、「書者張安」や鉄剣銘文の撰文・書写をなしたのは、王宮に仕える史官であり、金・銀の銘文を象嵌したのも王宮付属の工房・工人であったと考えられる。雄略天皇の王宮には、中国南朝に差し出す長大な上表文を作成できる史官らが仕えており、刀剣銘文の撰文・書写は十分に可能であった。乎獲居や大刀銀象嵌銘文の「典曹人牟利弖《むりて》」が、雄略天皇の王宮に「奉事」（この句も両銘文で使用）していた際に、金・銀銘文の象嵌を王宮付属の工房に依頼したと考えられる。つまり、両銘文の撰文・書は雄略天皇に近侍した史官が担当し、より権威的な新たな表記として「治天下」・「大王」が導入されたと推考される。王権中枢部が、そのことを容認していたであろうことは記すまでもない。

要するに、両銘文は、乎獲居や牟利弖ら臣下が雄略天皇近侍の史官に撰文・書写を、王宮付属の工房に象嵌を依頼して製作されたものであり、雄略天皇がそのように自称していたかは詳らかでない。

問題は、こうした成句が、渡来系の史官が活躍する王権内部で、単なる称辞として新たに採用されただけなのか、それともそれに相応しい実態もしくは必要性が王権内部に存在したのかということである。それは、多角的に雄略天皇・雄略朝について分析、考察した結果と照応した上での判断となろう。これらの成句のみを用いて、性急にその歴史像を復原することは慎まなければならない。

第二章　鉄剣銘文の八代の系譜について

「上祖意富比垝」は実在したか

これまで、稲荷山古墳鉄剣金象嵌銘文の基本的な事項について述べてきたが、ここからは銘文の具体的内容について考察を行なうことにする。まずは八代の系譜であるが、五世紀代に刻まれた系譜史料として稀有なものであり、ここでの便宜を考えて系譜部分を再掲しよう。

上祖名意富比垝其児多加利足尼其児名弖已加利獲居其児名多加披次獲居其児名多沙鬼獲居其児名半弖比其児名加差披余其児名乎獲居臣

【上祖《かみつおや》、名は意富比垝《おほひこ》。其児、多加利足尼《たかりのすくね》。其児、名は弖已加利獲居《てよかりわけ》。其児、名は多加《たか》披次《ひ(は)し》獲居。其児、名は多沙鬼《たさき》獲居。其児、名は半弖比《はてひ》。其児、名は加差披余《かさひ(は)よ》。其児、名は乎獲居臣。】

115字の銘文中、八代の名を繋げた系譜部分で60字を数え、全体の半分以上を占めていることは銘文におけるこの系譜の重要さを示して余りある。八代の系譜の示す問題は、この銘文全体の理解においても重い位置を占めている。

この系譜は、乎獲居の出自系譜であるだけでなく、彼とその一族の歴史を語るものでもあったと考えられる。一見して、後には一般的である氏の名が見えないこと、比垝・足尼・獲居などの敬称を付された前半の五代と、それを持たない後半の三代に二分されることなどの、特徴が目につく。氏の名の見えないことは氏の成立時期を、敬称の有無は系譜の形成過程を示唆しているが、系譜の解釈や信憑性についても多様な見解が示されている。

そのことは徐々に触れていくが、まず「上祖意富比垝」に関する問題を述べ、次にこれを首長継承系譜と解する説の妥当性について検討しよう。

この「上祖意富比垝」に関して重要なことは、『記』・『紀』に記されるオオヒコ像との関連である。そこで左に、『記』・『紀』のオオヒコ関連記事を列記して、その人物像の復原から始めよう。

い　孝元天皇記

此の天皇、穂積臣《ほづみのおみら》等の祖、内色許男命《うつしこをのみこと》の妹《いも》、内色許売命《うつしこめのみこと》を娶《めと》して、生みませる御子《みこ》、大毘古命《おほびこのみこと》。次に少名日子建猪心命《すくなひこたけゐごころのみこと》。次に若倭根子日子大毘毘命《わかやまとねこひこのおほびびのみこと》。……故、若倭根子日子大毘毘命は、天《あめ》の下治《したし》らしめしき。其の兄《いろせ》大毘古命の子、建沼河別命《たけぬなかはわけのみこと》。〈阿倍臣《あへのおみ》等の祖。〉次に比古伊那許士別命《ひこいなこじわけのみこと》。〈此は膳臣《かしはでのおみ》の祖なり。〉

ろ 崇神天皇記

又此の御世に、大毘古命をば高志道《こしのみち》に遣《つか》はし、其の子建沼河別命をば、東の方十二道に遣はして、其の麻都漏波奴《まつろはぬ》人等《ひとども》を和平《やは》さしめたまひき。又日子《ひこ》坐　王《いますのみこ》をば、旦波国《たにはのくに》に遣はして、玖賀耳之御笠《くがみみのみかさ》を殺さしめたまひき。故《かれ》、大毘古命、高志国に罷《まか》り往きし時、腰《こし》裳服《もき》たる少女《をとめ》、山代《やましろ》の幣羅《へら》坂に立ちて歌《うた》曰ひけらく、

御真木入日子《みまきいりひこ》はや　御真木入日子はや　己が緒《を》を　盗《ぬす》み殺《し》せむと　後《しり》つ戸《と》よ　い行き違《たが》ひ　前つ戸よ　い行き違ひ　窺《うかが》はく　知らにと　御真木入日子はや

とうたひき。是に大毘古命、恠《あや》しと思ひて馬を返して、其の少女に問ひて曰ひしく、「汝《な》が謂《い》ひし言《こと》は何の言ぞ」といひき。爾に少女答へて曰ひしく、「吾《あ》は言《もの》はず。唯歌を詠《よ》みつるにこそ」といひて、即ち其の所如《ゆくへ》も見えず忽ち失《う》せにき。故、大毘古命、更に還り参上《まゐのぼ》りて、天皇に請《まを》す時、天皇答へて詔《の》りたまひしく、「此《こ》は為《おも》ふに、山代国に在る我が庶兄《まませ》建波邇安《たけはにやすのみこ》　王、邪《きたな》き心を起せし表《しるし》にこそあらめ。伯父《をじ》、軍《いくさ》を興《おこ》して行でますべし」とのりたまひて、即ち丸邇臣《わにのおみ》の祖、日子国夫玖命《ひこくにぶくのみこと》を副へて遣はしし時、即ち丸邇坂に忌　瓮《いはひべ》を居《す》ゑて罷《まか》り往《い》きき。…(日子国夫玖命の尽力で建波邇安王を征圧)…故、大毘古命は、先の命《みこと》の随《まにま》に、高志国に罷り行きき。爾に東の方より遣はさえし建沼河別と、其の父大毘古と共に、相津《あいづ》に往き遇ひき。故、其地《そこ》を相津と謂ふなり。是を以ちて各遣はさえし国の　政《まつりごと》を和平《やは》して　覆　奏《かへりことまを》しき。爾に天の下太《いた》く平らぎ、人民《たみ》富み栄えき。是に初めて男《をとこ》の弓端《ゆはず》の調《みつき》、女《をみな》の手末《たなすゑ》の調を貢らしめたまひき。故、其の御世を称《たた》へて、初国知《し》らしし御真木天皇と謂《い》ふ。

イ孝元天皇紀七年二月丁卯条

欝色謎命《うつしこめのみこと》を立てて皇后とす。后《きさき》、二の男《ひこみこ》一の女《ひめみこ》を生《あ》れます。第一をば大彦命と曰《まう》す。第二をば稚日本根《わかやまとね》子《こ》彦大日《ひこおほひ》日《ひ》天皇と曰す。第三をば倭迹《やまとと》迹《と》姫命《ひめのみこと》と曰す。〈一に云はく、天皇の母弟《いろど》少彦男《すくなひこを》心命《こころのみこと》といふ。〉……兄《いろね》大彦命は、是阿倍臣《あへのおみ》・膳臣《かしはでのおみ》・阿閉臣《あへのおみ》・狭《さ》狭《さ》城《き》山君《やまのきみ》・筑紫国造《つくしのくにのみやつこ》・越国造《こしのくにのみやつこ》・伊賀臣《いがのおみ》、凡《すべ》て七族の始祖《はじめのおや》なり。

ロ崇神天皇紀十年九月甲午条

甲午に、大彦命を以て北陸《くぬがのみち》に遣《つかは》す。武渟川別《たけぬながはわけ》をもて東海《うみつみち》に遣す。吉備津彦《きびつひこ》をもて西道《にしのみち》に遣す。丹波道《たにはのち》主命《ぬしのみこと》をもて丹波に遣す。因《よ》りて詔して曰はく、「若《も》し教《のり》を受《う》けざる者あらば、乃《すなは》ち兵《いくさ》を挙《あ》げて伐《う》て」とのたまふ。既にして共に印綬《しるし》を授《たま》ひて将軍《いくさのきみ》とす。壬子に、大彦命、和珥坂《わにのさか》の上《ほとり》に到る。時に少女《をとめ》有りて、歌《うたよみ》して曰はく、〈一《ある》に云はく、大彦命、山背《やましろ》の平坂《ひらさか》に到る。時に、道の側《ほとり》に童女《わらはめ》有りて歌して曰はく〉

　御間城入彦《みまきいりひこ》はや　己《おの》が命《を》を　弑《し》せむと　窃《ぬす》まく知《し》らに　姫遊《ひめなそび》すも〈一に云はく、

　大き戸より　窺《うかが》ひて　殺《ころ》さむと　すらくを知らに　姫遊すも〉

是に、大彦命異《あやし》びて、童女に問ひて曰はく、「汝《いまし》が言《いひつること》は何辞《なにこと》ぞ」といふ。対《こた》へて曰はく、「言《ものもい》はず。唯《ただ》歌ひつらくのみ」といふ。乃ち重《かさ》ねて先の歌を詠《うた》ひて、忽《たちまち》に見えずなりぬ。大彦乃ち還《かへ》りて、具《つぶさ》に状《ありつるかたち》を以て奏《まう》す。是に、天皇の姑《みをば》倭迹《やまとと》迹《と》日《び》百襲《ももそ》姫命《ひめのみこと》、聡明《さと》く叡智《さか》しくして、能《よ》く未然《ゆくさき》を識《し》りたまへり。乃ち其の歌の怪《しるまし》を知りて、天皇に言《まう》したまはく、「是、武埴安彦《たけはにやすひこ》が謀反《みかどかたぶ》けむとする表《しるし》ならむ。吾《あれ》聞く、武埴安彦が妻吾田媛《あたひめ》、密《ひそか》に来《きた》りて、倭《やまと》の香山《かぐやま》の土《はに》を取りて、領巾《ひれ》の頭《はし》に裹《つつ》みて祈《の》みて曰さく、『是、倭国の物実《ものしろ》』とまうして、則《すなは》ち反《かへ》りぬ。〈物実、此をば望能志呂と云ふ。〉是を以て、事有らむと知りぬ。早《すみや》に図《はか》るに非《あら》ずは、必ず後《おく》れなむ」とまうしたまふ。……復《また》大彦と和珥臣の遠祖彦国葺《ひこくにぶく》とを遣して、山背に向《ゆ》きて、埴安彦を撃たしむ。爰に忌瓮《いはひべ》を以て、和珥の武鐰坂《たけすきのさか》の上に鎮坐《す》う。則ち精兵《ときいくさ》を率《ゐ》て、進みて那羅山《ならやま》に登りて軍《いくさだち》す。……

オオヒコの人物像

『記』・『紀』に描かれたオオヒコの人物像を知るために、関連記事をやや長く連ねたが、[い]と[イ]、[ろ]と[ロ]がそれぞれ対応関係にある。前者はその系譜関連記事、後者は建波邇安王（武埴安彦）の謀反伝承の一部であるが、その地域的舞台として大和の丸邇坂（和珥坂／和珥の武鐰坂／天理市和爾町辺り）や山代の幣羅坂（山背の平坂／奈良・京都府県境の丘陵か）が見えるのも等しい。ただし、事件を示唆する歌謡が『記』・『紀』間で部分的に異なるから、原史料は異なっていたと思われる。

事件の歴史的状景を知るために、登場する人物などについて、簡単に説明しよう。

まず、若倭根子日子大毘毘命（稚日本根子彦大日日天皇）は九代開化《かいか》天皇、御真木入日子（御間城入彦）は十代崇神《すじん》天皇である。

倭迹迹日百襲姫命は、右の記事に続いて、三輪山《みわ》（桜井市三輪）の大物主神の妻となったが箸で陰部を衝いて亡くなり、最古の大規模な前方後円墳である箸墓《はしはか》古墳（墳丘全長280m、桜井市箸中）に葬られたという、いわゆる箸墓型三輪山神婚《しんこん》物語の主人公と伝えられる、王家最高位の巫女《みこ》的女性である。

丸邇（和爾／和珥／春日和珥《かすがわに》）氏については第一部第六章に触れたので割愛するが、日子坐王（彦坐王）は開化天皇（王宮は春日率川宮《かすがのいざかわ》）の子、母は丸邇氏の意祁都比売命《おけつひめのみこと》（姥津媛《ははつひめ》）と伝える。

穂積氏も先に記したが、摂津国島下郡穂積郷（茨木市穂積）を本貫とした物部氏の同族である。

阿倍氏は、大和国十市郡阿部（桜井市阿部）を本貫とした豪族で、大臣に次ぐ大夫《まえつきみ》に就いた名族である。北陸地域や蝦夷の征圧に活躍したと伝えられ、地方豪族の服属儀礼における食物供献儀礼、すなわち饗《あえ》に関わったことが氏の名の由来と考えられる〈志田諄一〉。その同族の膳氏は、大和国十市郡膳夫《かしわで》（橿原市膳夫）と本貫とした氏で、氏の名の通り宮廷の食膳のことを管掌した。

右のオオヒコ関連史料から、その人物像をまとめておこう。

①オオヒコは、八代孝元天皇の子で、母は物部氏同族、穂積氏の祖のウツシコメと伝えられる。

②オオヒコは、阿倍臣・膳臣・阿閉臣・狭狭城山君・筑紫国造・越国造・伊賀臣氏らの始祖と伝えられる。

③崇神天皇の世に、子のタケヌナカワワケは東海地域に、父のオオヒコは北陸地域の平定に派遣されたと伝えられる。

④北陸遠征の途次に、オオヒコの異母兄弟タケハニヤスヒコ（母は河内青玉繫《あおたまかけ》の娘ハニヤスヒメ）の反乱に気づき、大事を防いだという功績が伝えられる。

⑤崇神天皇の世が平穏であったのは、オオヒコらの働きによると記されている。

もちろん、『記』・『紀』に描かれたオオヒコ像の全てが史実に基づいているという保証はなく、銘文が刻まれた雄略朝におけるオオヒコ像復原はほとんど不可能である。こうしたなか、乎獲居の始祖としてオオヒコが見えることを積極的に評価する立場もあれば〈森田悌〉、オオヒコの名は後裔という阿倍氏や膳氏が五世紀後半以降に創作したもので実在の人物ではないと、否定的に捉える説もある〈前川明久〉。

しかし、仮に中央の有力豪族が五世紀後半以降に祖先とする人物を創造したとしても、ほぼ同じ時期に乎獲居一族がそれを自己の祖先として取り入れることがあり得るだろうか。また、創作されて間もない人物を始祖と位置づけて系譜の意義を見出し得たであろうか、いずれも疑問に思われる。

要するに、『記』・『紀』の伝えるオオヒコ像と銘文系譜のオオヒコを直接に結びつけることはできないが、乎獲居一族が始祖と仰ぐに相応しい人物として、五世紀の系譜伝承の中に存在していたことは間違いない。

八代の系譜は首長継承系譜か

系譜は血縁関係や系統関係を示すものであるが、常にその信憑性が問題となる。『記』・『紀』の神統譜は論外であるが、氏族同族系譜のように擬制《ぎせい》と思しき系譜が存在することは事実である。ただし、架空の内容を含む擬制的な系譜も、血縁関係を志向したものである〈和田萃a〉。

ところが、鉄剣銘文の八代の系譜は血縁系譜ではなく、豪族の首長継承系譜とする主張が唱えられ、研究者間で通説化しつつある。これは乎獲居の人物像はもちろん銘文全体の理解に関わる重要な問題であり、そのことの考察は避けて通ることができない。

その論拠は、丹後《たんご》国与謝《よさ》郡鎮座の名神大社、籠《こ》神社（京都府宮津市大垣）の社家に伝わる、平安時代前期の書写という国宝の「海部《あまべ》氏系図」（籠明神社祝部氏系図）にある。そこでは、「児海《あま》部直《べのあたい》○○」という表記が続くが、これを七世紀後半から九世紀半ばまでの代々の祝《はふり》（神官）の継承次第と解する点にある。すなわち、この「海部氏系図」や鉄剣銘文系譜の「児」は、父子関係をさしているのではなくて、地位継承者を意味する「児」と解されるから、銘文系譜も「族長（首長）位継承次第系譜」であると主張する〈義江明子a／b〉。これに左祖する研究者も少なくないから〈仁藤敦史b／狩野久a／b〉、影響するところが大きい。なお、論者によって族長位継承、地位継承、首長（位・権）継承などと表現は異なるが、示すところに大きな差異はないと思われるから、混乱を避けるためにここでは「首長継承」の表記を用いることにする。

ちなみに、この説をさらに敷衍して、鉄剣銘文の「児」の観念は、首長のもつ共同体統治に関わる霊力の継承が血縁原理以外によって行なわれたという主張まである〈義江明子a〉。しかしながら、「首長のもつ共同体統治に関わる何らかの霊力」とは何なのか、はたして首長位とともにそうした霊力の継承が行なわれたのか、具体的に論及されておらず説得力がない。

この問題を考えるうえで、銘文鉄剣の副葬された礫槨が参考となる。稲荷山古墳礫槨の位置が墳丘中央部から西に、粘土槨は南に少しずれていることや、稲荷山古墳の築造年代と礫槨の造営年代が異なることは、銘文鉄剣を副葬された礫槨被葬者の一族内での地位を示唆している。さらに、後円部墳上の電磁波探査で、中央部にも埋葬施設が存在する可能性が判明したことは〈小川良祐〉、軽視できない。要するに、まず古墳の築造時に中心的埋葬施設が構築され、後に彼の縁者であろう礫槨の主がやや離れて埋葬されたと考えられている。

礫槨が中心的埋葬施設でないとするならば、乎獲居は稲荷山古墳の中心となる被葬者ではないことになり、彼が古墳ゆかりの豪族の首長に就いていたことについては疑わしくなる。乎獲居は豪族首長の近親であろうが、その首長に就いていないなら、八代の系譜を首長継承系譜と解することはできなくなる。

次に、この系譜の人名は、比垝〈日子／比古／彦〉・足尼〈宿禰〉・獲居〈別〉などの称号を持つ前半の五代と、それを持たない後半の三代の二群に分けられる。宿禰は、蘇我蝦夷《そがのえみし》宿禰のように七世紀中葉まで豪族首長らの尊称として用いられ、天武天皇十三年〈684〉十月に「八色《やくさ》の姓《かばね》」の第三位に位置づけられた。別は、人名だけでなく豪族名にも広く用いられたが〈佐伯有清g〉、のちの姓には採用されなかった。こうした系譜の人名表記の異質性から、前半五代は阿倍氏など他氏の系譜であり〈仁藤敦史b〉、そこに乎獲居の実際の系譜である後半三代が接合されたものであるとみなす理解もある〈鬼頭清明／篠川賢c／佐藤長門c〉。

ちなみに、乎獲居臣の臣は名の最尾に置かれていることから謙称とみるのは不自然とする考えもあるが〈篠川賢a〉、本来は上表文である「臣安萬侶」と表された『記』序文とは異なり、上中文書ではない銘文だから名の最尾に記したとも考えられ、この場合の臣は称号や姓ではなく乎獲居自身の謙《へりくだ》りを表わしていると解するのが妥当であろう〈岸俊男b／狩野久a〉。

異質な系譜が接合されたものならば、五代と三代は異なる集団に属する人物であった可能性が高いが、それでもって乎獲居による豪族首長の継承を示すことが妥当であると信じられたとは考えられない。そもそも異集団の系譜を接合しているなら、豪族首長を継承していないのだから、首長継承系譜と解すること自体に無理がある。異なる系譜を接合する営為には、かえって血縁への強い志向を推し量ることができる。

「児」で継がれる古代系譜としては、他に聖徳太子の伝記である『上宮聖徳法王帝説』の古い系譜部分や、乎富等大公王（継体天皇）の出自を伝えた『釈日本紀』所引「上宮記一云」の系譜などがある。「上宮記一云」の系譜でも、父系は「娶…生児」・母系は「児」で繋がれており、これが首長継承系譜ではなくて血縁系譜であることは明白である。とくに、その母系の布利比弥命《ふりひめのみこと》系譜は、この八代の系譜と表記が酷似しているが、これが首長継承を示した系譜でないことは言うまでもない。また、崇神天皇記に載る、大物主神と河内美努《みの》村（大阪府堺市の南部）の陶津《すえつ》耳命《みみのみこと》の女《むすめ》の「活玉依毘売《いくたまよりひめ》の生子—櫛御《くしみ》方命《かたのみこと》之子—飯肩巣《いひかたす》見命《みのみこと》之子—建甕槌命《たけみかづちのみこと》之子—意富多多泥《おほたたね》古命《このみこと》」という系譜も同様であり、事実関係は別にして首長継承系譜でないことは明瞭である。

さらに、群馬県高崎市山名町の「辛己（巳）年」（681）と記される「山ノ《やまの》上碑《うえひ》」（高さ111㎝）には、「新川臣児斯多々弥足尼孫大児臣」（新川臣の児—斯多々弥足尼の孫—大児臣）という系譜が刻まれている〈熊倉浩靖〉。これも血縁系譜であり、八代の系譜と表記が似ているのも参考になる〈木下礼仁〉。

そもそも乎獲居が、この八代の系譜を保持していたから、獲加多支鹵大王に仕奉して杖刀人首に任じられ、かつそれを銘文に刻んだのである。後述するように、当時の君臣関係は一代限りであり、乎獲居もしくは獲加多支鹵大王の死と同時に終焉するものであったから、彼の屍に副えて埋葬されたのである。八代の系譜はこうした乎獲居の出自を表示した系譜であり〈溝口睦子〉、首長位の継承を語るものではなかった。

それでもなお、乎獲居を、ヤマト王権の直接的な地域基盤である後の畿内地域を本拠とする豪族の一員とみるか、それとも東国の豪族の出身と捉えるかにより、系譜の理解が違ってくる。これについては、雄略天皇紀九年五月条の朝鮮半島で死亡した紀小弓《きのおゆみ》宿禰や、継体天皇紀二十四年是歳条の対馬で死亡した近江毛野《おうみのけな》臣、推古天皇紀十一年二月丙子条の筑紫で死亡した来目《くめ》皇子などの例が参考となる。遠隔の地で歿した彼らは本貫へ帰葬されていることから、乎獲居も東国武蔵の出身と解される。

ところが、銘文鉄剣が下賜されたものと解するならば、乎獲居の位置づけや銘文の解釈が違ってくる。ここでは、乎獲居は本貫に埋葬されたと捉え、かつ鉄剣は乎獲居が製作したと解するのが妥当と考えて、その立場で記してきた。刀剣の下賜問題は、後に触れよう。

「世々」とは何か ―君臣関係は一代限り―

さらに、「其児、名は乎獲居臣。世々、杖刀人首と為り、奉事し来り今に至る。」とある中の「世々」の理解も、八代の系譜に連なる問題として見逃せない。

この部分は、「杖刀人首」の職にあったのは乎獲居、「今に至る」は「獲加多支鹵大王の寺、斯鬼宮に在る時」と解される。世々には歴代の意があり、父祖から乎獲居に至る代々との理解もあるが〈鎌田元一a／b〉、複数の大王の世々のことで「乎獲居および父祖が、複数の倭王の世に亘り杖刀人首に任じられ、獲加多支鹵大王が斯鬼宮に在る今に至った」と解するのが、今日では一般である〈平野邦雄b／c／鈴木靖民a／篠川賢a／義江明子a／狩野久a／田中史生c〉。

しかしながら、世々が乎獲居の父祖代々の杖刀人首任命をいうものではなく、乎獲居の仕奉した状況を語っていることは、銘文の文脈からも明白である。そうすれば世々は、獲加多支鹵大王を含む複数の王の治世との理解に導かれるが、これについてもよく考えなくてはならない。つまり、銘文には「奉事し来り今に至る」とあるから、ここで乎獲居が奉事先を問う必要がある。乎獲居が獲加多支鹵大王以外の王に奉事したことは、刻まれていない。これからすれば、世々は、獲加多支鹵大王の治世以外は考えられない。

もし、乎獲居が何代もの王に杖刀人首として奉事して今に至ったのならば、乎獲居とその一族には最初に杖刀人首に任じられた時こそ、記念すべき大きな画期であったに違いない。例えば、先に引いた「船首王後墓誌」（『古京遺文』）は、「…奉仕等由羅宮天皇治天下之朝至阿須迦宮治天下之朝…」（…等由羅宮天皇治天下之朝に仕へ奉り阿須迦宮治天下之朝に至り…）と、仕奉期間の最初と最後を明記している。その職への初任の時こそ、八代の系譜に匹敵する重要事項として、「世々」と刻して済ませることのできない大事であったと考えられる。ところが、銘文にそれが記されていないことは、これまでの理解の妥当性に疑問を懐かせる。要するに、この銘文からは乎獲居が獲加多支鹵大王の先代や先々代の治世から、杖刀人首に就いていたと解することはできないのである。

それでは、世々はどのように理解すればよいのだろうか。手許の漢字辞典には、「世」について、「三十年間。途絶えない。一王朝・一王者の代。時・歳・代々。世々は代々。」などと記されている。それで世々は、乎獲居の「祖先から代々」、あるいは「大王の代々」と解されて来たのであるが、それが疑問となれば他の意味にも目を向けなければならない。

　ところで、乎獲居が奉事したのは獲加多支鹵大王であるから、それは獲加多支鹵大王の世々と解する外にない。ここまで来れば、その意は自ずから見えてこよう。それは、獲加多支鹵大王一代の世々、すなわち「その時代、途絶えることなく、年年歳歳」などの意以外には考えられない。これは、「今＝辛亥年」だけでなく、今に至るまで「獲加多支鹵大王の治天下の年々、途切れることなく」奉事して来たということであり、世々はそのことを強調した表現と解するのが妥当であると考えられる。

　前方後円墳の築造はヤマト王権の構成員であったことを示す象徴的営為であったが、埼玉古墳群で最初に築造された稲荷山古墳を造営した集団には、そのこと自体が記念すべき画期的事業であった。稲荷山古墳の中心的被葬者とそれより若干遅れて埋葬された乎獲居は、ヤマト王権に仕奉したのである。その中心的被葬者のことは分明でないが、乎獲居の仕奉の実際が、獲加多支鹵大王の世々における杖刀人首の職にあったことは間違いない。

　ところが、ある時、乎獲居の政治的地位は上昇した。それは「獲加多支鹵大王の寺、斯鬼宮に在る時」に、「吾、治天下を左け」たことである。獲加多支鹵大王の王宮は他の場所から斯鬼宮に移動してきたのであろうが、その時に乎獲居の政治的地位が杖刀人首よりも上昇したのである。だから彼は、それを記念して「此の百練利刀を作らしめ、吾が奉事の根原を記」したのである。つまり、乎獲居が鉄剣に記念の銘文を刻ませたのは、杖刀人首であったからではなく、獲加多支鹵大王の「治天下を左け」る地位に就いたからである。乎獲居が任を終えて武蔵に帰った時に、この金象嵌鉄剣をかざして故郷に錦を飾ったのであろう。要するに、世々とは、「獲加多支鹵大王が前王宮にいた時から斯鬼宮に遷居した現代まで」、という意味である。なお、雄略天皇の王宮が複数存在したことは、先にも引いた『日本霊異記』冒頭の説話に「磐余宮《いはれ》」が見えることから推察される。

ただし、留意しなければならないことは、こうした獲加多支鹵大王と乎獲居の君臣関係は一代限りだったことである。例えば、大臣・大連の任命が一代限りであり、代替わりにともなう再任の場合も、改めてその任命、職位の確認が行なわれていた〈吉村武彦b〉。こうした仕組みが採られた歴史的な理由は、天皇がヤマト王権の政治（世俗）と宗教（非世俗）の全秩序を体現する存在であると観念されていたことにある〈平林章仁h／i〉。したがって、天皇の死、代替わりは国の政治・宗教など全秩序の更新と観念された。このように、天皇に体現される秩序は一代限りのものであり、代替わりはその更新と観念されていたから、臣下の仕奉が先代から留任の場合でも改めて任命することが必要であった。

要するに、乎獲居もしくは獲加多支鹵大王の死去により、杖刀人首・「左治天下」という仕奉関係は解消されるものであった。そのことは、乎獲居の死去にともない、貴重この上無い銘文鉄剣が副葬されていることからも明白である。銘文に刻まれた君臣関係は解消され、職位は子孫に継承されず、鉄剣を後世に伝える社会的意味が喪失したから、彼の屍に副えて墓に葬られたのである。それが子孫に継承されるものであったなら、銘文鉄剣は副葬されず乎獲居の後裔集団に伝世されたに違いないが、そうはならなかった。

ちなみに、銘文に見える「斯鬼宮」の所在地については、延久《えんきゅう》二年（1070）の「興福寺《こうふくじ》大和国雑役免坪付帳《やまとのくにぞうやくめんつぼつけちょう》」（『平安遺文』九）に載る「城島　荘《しきしまのしょう》」関連部分に初瀬《はせ》川と粟原《おうばら》川に挟まれた地に「式島《しきしま》」の小字《こあざ》があり、欽明天皇の磯城島《しきしま》金刺宮《のかなさし》との関連が想定される。さらに、莊園の東半分にあたる桜井市脇本には雄略天皇の泊瀬朝倉宮に比定される脇本遺跡があることから、ここが「斯鬼宮」と称されても矛盾はないという主張がある〈和田萃a〉。一方、河内国丹比《たじひ》郡（大阪府松原市・大阪狭山市・堺市南東部・大阪市、羽曳野市、八尾市の一部）には雄略天皇陵（丹比高鷲《たかわしのはら》原陵）の築造が伝えられるが、それに近い河内国志紀《しき》郡（大阪府八尾市南部・藤井寺市東部・柏原市《かしわら》）にあてる説もある〈山尾幸久a〉。限られた史料の中で、性急には判断できない。

乎獲居の出自 ——畿内豪族説の検討——

これまで乎獲居を東国の豪族と解する立場で述べてきたが、いわゆる畿内豪族とみなす説もあるから、ここで乎獲居の出自について考える。次に、乎獲居を東国豪族の出身とみなす場合の問題点の考察を通して乎獲居の人物像に迫ろう。

乎獲居を畿内豪族出身と解する理由は、「吾左治天下」や「世々杖刀人首」の文言にある。この「吾左治天下」を「吾、天下を左治し」と訓んで、東国豪族が獲加多支鹵大王の政治を補佐することは考え難いから、畿内豪族の阿倍氏や膳氏につながる人物であると主張する〈和田萃a／森田悌〉。

あるいは、乎獲居に至る歴代の族長が「世々杖刀人首」として大王に仕奉したが、杖刀人首は伴《とも》・部《べ》を統率した伴　造《とものみやつこ》であるから、畿内豪族の阿倍氏系の人物と解されると説く〈鎌田元一a／b／鈴木靖民d〉。これらの説は続けて、銘文鉄剣は杖刀人首の乎獲居から、配下の杖刀人である東国豪族に下賜されたと言うが、銘文鉄剣下賜説については後に検討を加える。

右が論拠とする「左治天下」や「世々」に関する私見は先述したが、これらは「治天下を左け」と訓み、また「獲加多支鹵大王が前王宮にいた時から斯鬼宮に遷居した現代まで」という意と解されるから、右説の論拠にはなり得ないと考える。

これとは別に、八代の系譜の名前の異質性から、五代までは中央から東国に派遣された王族将軍的な人物で、乎獲居はその宗家の系譜を継承した人物であるとみる考えもあるが〈小林敏男〉、オオヒコを除く四代に東国派遣の王族将軍的伝承は未確認である。先に触れたように、当時の有力者は本貫へ帰葬する習わしであったことも、乎獲居＝畿内豪族出身説に不利である。

東国豪族説の問題点

このように、乎獲居の出自については、論者により論拠に差異があるものの、東国豪族説に妥当性があると認められる〈篠川賢a／吉村武彦c／佐藤長門c／田中史生c〉。

ところで、埼玉古墳群を築造した集団は武蔵国埼玉郡の最有力の豪族で、乎獲居もその一員とみられるが、なかには具体的な豪族名にまで論及する論者もいる。この地域を本拠とした有力豪族には武蔵国造が知られるが、国造とは継体朝から欽明朝、六世紀前半から中葉にヤマト王権が「クニ」という領域統治のために設けた地方官であり〈平林章仁a／篠川賢b／堀川徹a〉、「クニ」の有力豪族が任命された。「屯倉《みやけ》」は同様な目的でヤマト王権が設定した王権の所領であるが、国造は管轄領域「クニ」のなかの屯倉や、王権の支配下に置かれて労役・貢納の義務を負った集団「部《べ》」のことなどを管掌した。『隋書《ずいしょ》』倭国伝には、推古朝の倭国には「軍尼《くに》一百二十人あり」と見え、120人ほどの国造が任命されていた。

乎獲居の出自に関わり、武蔵国造で注目されているのが、次に引く安閑天皇紀元年（534）閏十二月是月条である。

武蔵国造笠原直《かさはらのあたひ》使主《おみ》と同族小杵《をき》と、国造を相争ひて、〈使主・小杵、皆名なり。〉年《とし》経《ふ》るに決《さだ》め難《がた》し。小杵、性《ひととなり》阻《うぢはや》くして逆《さか》ふこと有り。心高びて順《まつろ》ふこと無し。密《ひそか》に就《ゆ》きて援《たすけ》を上毛《かみつけ》野君小《ののきみを》熊《くま》に求《もと》む。而《しかう》して使主を殺さむと謀《はか》る。使主覚《さと》りて走げ出づ。京《みやこ》に詣《まう》でて状《そのかたち》を言《まう》す。朝庭《みかど》臨断《つみさだ》めたまひて、使主を以て国造とす。小杵を誅《ころ》す。国造使主、悚憙懐《かしこまりよろこびこころ》に交《み》ちて、默已《もだ》あること能《あた》はず。謹《つつし》みて国家《みかど》の為に、横渟《よこぬ》・橘《たち》花《ばな》・多氷《おほひ》・倉樔《くらす》、四処《よところ》の屯倉《みやけ》を置き奉《たてまつ》る。

右の所伝は国造任命、国造制施行にともなう地域社会の動揺と混乱、軋轢を伝えたものであるが〈平林章仁a〉、武蔵地域では東国最有力の上毛野君氏を巻き込んだ広域の騒動に拡大したため、記録にとどめられた。

右から武蔵国造が笠原直氏であったことが知られるが、鉄剣銘文に見える乎獲居の父「加差披余」はこの笠原のことで、乎獲居は後の武蔵国造の一族と解する説がある〈篠川賢a〉。ただし、銘文に刻まれるのは個人名だけであり氏の名が見えないことは、この時点では王権による氏の名と姓《かばね》という政治的仕組みが未成立であったことを示している〈溝口睦子／熊谷公男〉。これは時代が近い他の金文史料、例えば、同じ「獲□□□鹵大王」と見える熊本江田船山古墳の大刀銀象嵌銘文や、「癸未年」（503年か）とある和歌山県橋本市隅田八幡神社所蔵の国宝人物画像鏡《じんぶつがぞうきょう》銘文などにも、氏や部の名は見えないことも傍証となる。

このことは、銘文系譜に見える人物名と後の氏の名の類似から、乎獲居の出た豪族名を探究する方法に疑問を抱かせるものであり、「加差披余」を氏の名の「笠原」と解することが躊躇される。

さらに、乎獲居の祖は「意富比垝」（大毘古命／大彦命）とあるが、武蔵国造の祖は天照大神と素戔嗚尊《すさのおのみこと》のウケヒを語る神代紀第七段の一書第三では、素戔嗚尊の児「天穂日命《あまのほひのみこと》。此《これ》出雲臣・武蔵国造・土師連《はじのむらじ》等の遠祖《とほつおや》なり」、神代記でも「天菩比命《あめのほひのみこと》の子、建比良鳥命《たけひらとり》、〈此出雲国造、无邪志《むざし》国造、上菟上《かみつうなかみ》国造、下菟上《しもつうなかみ》国造、伊自牟《いじむ》国造、津島県直《つしまのあがたのあたひ》、遠江《とおつあふみ》国造等が祖なり。〉」とあって、祖神名と氏の系統が銘文系譜と異なるから、乎獲居を後の武蔵国造一族にあてることには無理がある〈岸俊男C〉。

ちなみに、後の史料だが『続日本紀』神護景雲元年（767）十二月壬午・甲申条には、武蔵国足立郡（埼玉県南東部から東京都足立区）の丈部直《はせつかいべのあたい》不破麿《ふはまろ》らに武蔵宿禰を賜姓し武蔵国の国造に任命したとあるから、武蔵国造氏には笠原直氏の他に丈部直氏も存在した。丈部については、『新撰姓氏録』左京皇別下条に、「天足彦国押人命《あめたらしひこくにおしひとのみこと》の孫、比古意祁豆命《ひこおけつのみこと》の後なり。」という丈部氏が見える。比古意祁豆命は春日和珥《かすがわに》氏系の人物として『記』・『紀』に見えることから、この条の丈部氏は春日和珥氏系を称していたことが分かる。丈部は杖部とも記され杖刀人と類似するから、杖刀人を後の丈部にあてるむきもある〈岸俊男C／佐伯有清C〉。乎獲居を東国の丈部直氏と解する立場であるが、断定するに足る史料がない。

このように、乎獲居は東国武蔵の豪族であると解されるものの、具体的な豪族名を示すことができる段階にはない。

第三章　銘文から雄略朝の時代と社会を描く

「人制」とは何か　―ヤマト王権の統治の仕組み―

稲荷山古墳鉄剣銘文から提起される古代史上の問題は少なくないが、ここでは「杖刀人」と関わり、五世紀代のヤマト王権の政治的仕組みとされる「人制《ひとせい》」の問題、銘文鉄剣を獲加多支鹵大王もしくは畿内の有力豪族から下賜されたと解する説、および熊本県和水町の江田船山古墳出土大刀の銀象嵌銘文の、三点から雄略朝の実態に迫ってみよう。

まず「人制」は、古代の史料に倉人《くらひと》・舎人《とねり》・酒人《さかひと》・宍人《ししひと》など「○人」と記される人物が散見されることに着目し、当初には「○人」はヤマト王権の官職名として用いられ、後には「人制」と称すべき官司制的組織の一部を構成し、さらにその職が世襲されて氏姓《うぢかばね》としても用いられたと指摘されたことで〈直木孝次郎a〉、律令制以前の政治実態を示すものとして注目されるようになった。

今日では、人制とは、五世紀のヤマト王権において渡来人がもたらした知識の影響下に成立した、職務を分掌して仕奉する人物（トモ）を「○人」と称して組織化した制度とされている〈鈴木正信〉。五世紀のトモ＝「○人」の仕組みは、そのまま六世紀以降に施行される部《べ》制（部民制）に移行し両者の間に本質的差異はないと解する説もあるが〈鎌田元一a〉、後の部制ではトモが王権中央に仕奉するだけでなく、王権の支配がトモの出た豪族だけでなく支配下の人民にまで及んだ点において、質的に大きく発展しているとみなすのが一般である〈鈴木靖民c／吉村武彦c／溝口優樹／堀川徹b〉。何らの内部的な変革もなく、人制がそのまま部制に移行したとは考えられず、後者のように質的な段階差を想定するべきであろう。具体的に言えば、部制には、土地に対する支配（屯倉）や領域管掌制度（国造）との政策的連環が窺われるが、人制にはそれは見られない。人制は、王権・天皇と各地の豪族間の個別的、個人的な仕奉関係であり、普遍的な地域支配制度としては敷かれていない。それは王権が官司制的組織を必要としない段階における、原初期の官人制と捉えられる。

ここでの問題は、杖刀人や銀象嵌銘文に刻まれた「典曹人」が、右の人制の概念で理解してよいか否かということである。杖刀人・典曹人は、今は音読されているが後の国内史料には見えないことから、当時の倭国の言語にあてられた漢語表記とみなすことも出来よう。杖刀人は武官であろうが、一般には「刀を杖つく人」を意味し、東宮《とうぐう》（皇太子）を護衛した後の帯刀《たちはきの》舎人《とねり》的な職務に従事していたとみられている。また、先に触れたように丈部が杖部とも記されるから、ハセツカベ・ハセツカヒベ（駆使）との関係を重視する立場もある。一方、典曹人は文官とみられているが、中国の官制で「曹」名を有する官司は軍事と断獄《だんごく》（非違《ひい》検察《けんさつ》）を扱ったから、典曹人は文官ではあるが警察力など威嚇的手段を有していたと解する説もある〈平野邦雄b〉。「倭の五王」が中国南朝・宋へ遣使朝貢を繰り返し、安東《あんとう》将軍や安東大将軍に任じられたことは第三部で述べるが、中国の仕組みでは皇帝から将軍に任じられると将軍府（将軍の役所）

を開くことが認められた。府官《ふかん》はこの将軍府の幕僚《ばくりょう》のことであるが、雄略天皇も府官を任命し組織化していたという理解もある。その仕組みは「府官制」と称されるが、人制と府官制の重層化や結びつき、あるいは内政と外交の役割を分担したなどと説かれている〈鈴木靖民c／河内春人a／廣瀬憲雄〉。府官制についても後述するが、人制との関係は詳らかではない。

このように、人制をめぐる問題は少なくないが、杖刀人や典曹人を人制の範疇で理解してよいか否か、さらには府官制との関連の有無など関連史料が僅少なこともあり、いまだ確かな答えを得る段階にはない。

銘文鉄剣は下賜されたものか

埼玉稲荷山古墳の銘文鉄剣について、獲加多支鹵大王もしくは畿内の有力豪族から下賜されたものとみる説と、乎獲居が自ら製作させたものと解する説が対立している。これまで乎獲居製作説の立場で述べてきたが、下賜されたものならば乎獲居の人物像だけでなく、当時のヤマト王権と地方の政治的関係にも問題が波及することになるから、ここで検討を加えておこう。

下賜説には、その主体を獲加多支鹵大王、畿内の有力豪族、乎獲居と解する三つの立場がある。研究者により論拠や論点が異なるから、まず主な先行説を列記しよう。

①獲加多支鹵大王からの下賜説

獲加多支鹵大王から乎獲居に下賜されたという説であり、この立場では乎獲居を東国の豪族、礫槨の被葬者と解する。

・獲加多支鹵大王から乎獲居に賜与されたものである〈前川明久〉。
・「獲加多支鹵大王…治天下」は刀剣の下賜主体を表示しており、南朝・宋に臣下への将軍号除正を推薦することに対応した国内施策として、倭国王から刀剣の分与（刃のワケ）が行われた〈川口勝康a／b／c〉。
・銘文の内容を形式的な指標とすれば下賜とは言えないが、「大王…治天下」が下賜主体を示しているとの議論は有効で、製作を許可した真の発注者は大王である〈仁藤敦史b〉。
・地域社会統合の過程は権力の統合と言い換えられるが、刀剣は政治的な結合原理を推定できる有効な資料であり、稲荷山古墳銘文鉄剣・江田船山古墳銘文大刀・市原市稲荷台1号墳王賜銘鉄剣は王への奉仕などに関係して賜与されたものである〈新納泉〉。

②乎獲居からの下賜説

乎獲居から東国の豪族に下賜されたと解する主張であり、故に乎獲居は畿内の有力豪族と位置づけられるが、鉄剣を副葬した礫槨の墓主の名は銘文には刻まれていないことになる。
・稲荷山古墳礫槨の被葬者は乎獲居の部下で、乎獲居からこの鉄剣を授与された〈山尾幸久a／川﨑晃〉。
・畿内の有力豪族である乎獲居が、その職務に協力する地方豪族に与えたものである。彼は畿内豪族と擬制的同族関係を結び、それを介して間接的に大王と結びついていた〈白石太一郎b／c／d／e〉。
・乎獲居は畿内豪族で、雄略朝に大王に奉事した証拠を記し、統率した稲荷山古墳の被葬者に与えた。鉄剣は、乎獲居と地方豪族の政治的関係を表徴する下賜物である〈鈴木靖民a／b〉。

・鉄剣は、杖刀人として獲加多支鹵大王の「斯鬼宮」に出仕した稲荷山古墳の被葬者が、中央豪族の乎獲居から下賜された。江田船山古墳出土の銘文大刀も典曹人の牟利弖《むりて》が作らせ、彼が江田船山古墳の被葬者に賜与したものである〈鎌田元一b〉。

③乎獲居自身が製作・副葬説

銘文鉄剣は乎獲居が記念に製作したものであり、乎獲居の死とともに礫槨に副葬されたという理解であり、広く受け入れられている説と思われる。

・鉄剣を作らせたのは乎獲居、礫槨の被葬者も乎獲居とみるのが最も自然である。乎獲居が獲加多支鹵大王への「奉事根原」を記した特別な意味を持つ鉄剣を、作って間もなく他人に与えるというのはあり得ない。下賜刀ならば、市原市稲荷台1号墳出土「王賜」銘鉄剣のように、下賜刀であることを明記した銘文になっていた〈篠川賢a／c〉。

・「吾が奉事の根原」を記すという銘文の内容から、下賜説が成立する余地はない。但し、江田船山古墳出土銀象嵌大刀は、治天下獲加多支鹵大王とその治世を明示し、吉祥句を記していることは賜刀儀式を前提にして意味があるから、下賜されたものとみられる〈狩野久a／b〉。

・銘文の、乎獲居の系譜や「奉事根原」という個人的・個別具体的な内容から、下賜されたものとは考えられない。乎獲居は東国・武蔵からヤマトに上番してきたトモであり、王権に供奉する際の「奉事根原」が非常に重要な関心事であり、それを刻んだ鉄剣を他人に下賜することは考えにくい〈佐藤長門a／b／c〉。

・「奉仕根原」を記した鉄剣は、乎獲居が所持することで意味を持つが、それを他人に譲渡することは鉄剣の特殊性を失わせる行為である〈田中史生c〉。
・朝鮮半島に派遣された乎獲居が、現地で金錯《きんさく》（象嵌）銘文を刻んで帰還、ほどなく亡くなり副葬された〈小川良祐〉。

海外製作説を除けば、表面的にはいずれとも決し難いように見える。そこで次に、それぞれで指摘されている千葉県市原市稲荷台1号墳出土鉄剣の「王賜」銘文の検討を含め、古代の上・下間における刀剣贈与の習俗分析から、下賜説の妥当性について検討しよう。

古代における刀剣贈与の意味

古代社会には刀剣を贈与する習俗が存在したが、それには上・下の二方向があった。すなわち、ヤマト王権に服属した豪族らは、その証に刀剣や玉類など伝来の宝器を献上した。その実態は上からの強制的な徴収であるが、その宝器は石上神宮（大和国山辺郡の名神大社石上《いそのかみに》坐《います》布都御魂《ふつのみたま》神社／天理市布留町）の天神《あめのほ》庫《くら》に収納するのが原則であった。反対に、王権から刀剣などが臣下に下賜される場合もあった。帰服した諸豪族には、その褒賞に刀剣類が下賜されが、それは王権との関係を地域社会に示威する宝器となった。すなわち、刀剣を介した王権と豪族の関係には、王権が豪族伝来の聖器である刀剣類を服属の証に徴収する場合と、反対に王権に帰順した褒賞として豪族に下賜される場合があった。

成務《せいむ》天皇紀五年九月条には、次のようにある。

諸国《くにぐに》に令《のりごと》して、国郡《くにこほり》に造長《みやつこをさ》を立て、県邑《あがたむら》に稲置《いなぎ》を置《た》つ。並に盾矛《たてほこ》を賜ひて表《しるし》とす。

ヤマトタケルの兄弟という十三代成務天皇の時に、国・郡・県・邑の地域区画が施行され造長や稲置など官人的な職が定められたとは、到底考えられない。また成務天皇記に、「大国小国の国造《くにのみやつこ》、国国の境、大県小県の県主《あがたぬし》を定めた」とあり右の所伝に照応するが、国造の任命やその管轄領域の確定は、先にも触れたように六世紀・継体天皇以降のことである。

ヤマト王権・天皇からの刀剣の下賜は、王権を構成する臣僚としての政治的地位の公認でもあり、下賜された刀剣は地域社会において権威の象徴として機能した。継体天皇紀二十一年（527）八月辛卯朔条に、北部九州で発生した筑紫君磐井《つくしのきみいわい》の乱の鎮圧に、大将軍として派遣される物部大連麁鹿火《あらかひ》が筑紫より西の軍事・行政権を委ねられて天皇から「斧鉞《まさかり》」が授けられたとあるが、斧鉞は彼に認められた生殺与奪《せいさつよだつ》の権限を象徴している。

宮廷の御膳を職掌とした高橋氏（膳氏）が延暦八年（789）に朝廷に提出した『高橋氏《たかはしのうぢ》文《ぶみ》』逸文（『本朝月令』所引）が、左のように伝えることも参考になる。

景行天皇が、膳氏の遠祖の磐鹿《いはか》六獦命《むつかりのみこと》に末長く膳職の長として仕奉するよう命じられた際に、若湯坐連《わかゆあのむらじ》の始祖の物部意富売布連《おほめふのむらじ》が帯していた大刀を脱がせて、与えられた。

磐鹿六獦命の物語は神話的始祖物語であるからそのまま史実とは出来ないが、天皇に帰服した豪族が臣下として王権の職務を分掌した際に、盾矛・刀剣などを下賜されていたことは認められよう。

少し時代は降るが、天智天皇紀三年（６６４）二月丁亥条には、大化五年（６４９）の冠位十九階から二十六階への改定を命じたことに続いて、次の記事が見えることも参考になる。

其の大氏《おほきうぢ》の氏上《このかみ》には大刀《たち》を賜《たま》ふ。小氏《ちひさきうぢ》の氏上には小刀《かたな》を賜ふ。其の伴造等の氏上には干楯《たて》・弓矢を賜ふ。

前年の朝鮮半島白村江《はくすきのえ》での大敗による国内体制再建策の一つとして、氏の階層の確定と、それに応じた武器の下賜を伝えたものである。支配体制の引き締め策でもあろうが、その階層により下賜される武器の種類には差があった。

ヤマト王権は、地域支配において服属の証に豪族から刀剣など権威を象徴する聖器を召し上げるとともに、その関係を受容し職位を得た豪族には刀剣などを下賜して来たのである〈平林章仁ｍ〉。豪族にとって、それは王権との関係を示威する宝器として、地域社会で権威の象徴として機能したが、天皇が交代あるいは豪族が死亡すれば職位関係は終焉し、彼の墳墓に副葬された。王権における職位をめぐる関係は一代限りであり、自動的に次代へ継承される性格のものではなかった。

千葉県稲荷台1号墳出土鉄剣の銀象嵌銘文

千葉県市原市にある五世紀中葉の稲荷台古墳群の、稲荷台1号墳中央埋葬部から四分割の状態で検出された鉄剣に銀象嵌銘文が刻まれていたことは先に紹介した。参考までに、銘文のみを再掲しよう。

王賜□□敬□(安か)【表】
此廷□□□□【裏】

「王賜」と刻まれていることから、この銀象嵌銘文鉄剣が王から後の上総《かずさ》国市原郡の豪族に下賜されたものであることは明らかである。

稲荷台1号墳から「王賜」銀象嵌銘鉄剣が出土したことから、五世紀中葉にはヤマト王権から各地の豪族に刀剣が下賜されていたことは確かとなった。ただし、これはヤマト王権からの強権的で一方的な働きかけによるものではなく、王権に帰順し職位を得て仕奉することへの代償として「王賜」銀象嵌銘鉄剣が下賜されるという、互恵的な動きであったと理解するべきである。

それでは、埼玉稲荷山古墳出土の金象嵌銘文鉄剣は、下賜されたものと捉えられるであろうか。下賜説に対する疑問と批判は右の「③乎獲居自身が製作・副葬説」に紹介した先行説で十分であるが、加えるに稲荷山古墳の鉄剣銘文には、稲荷台1号墳の鉄剣銀象嵌銘文のように、下賜を示す文言が一字も刻まれていないことも傍証となる。

それに対して稲荷山古墳鉄剣銘文では、八代の系譜と乎獲居の獲加多支鹵大王への「奉事根原」を、輸入品である貴重な金を用いて刻ませている。また、「吾」なる一人称が二度も使われており、これが乎獲居であることも明白である。乎獲居にとり、「世々、杖刀人首と為り、奉事し来り今に至る。獲加多支鹵大王の寺、斯鬼宮に在る時、吾、治天下を左け」た、まさに記念の重器であるから、これを他人に与えることは考えられない。それは、常に乎獲居とともに存在してこそ、意義があったのである。これはまた、乎獲居を畿内豪族の出身とみなす説の反論ともなる。先にも記したが、この銘文鉄剣は副葬されたが、そのことの意味も考えなければならない。獲加多支鹵大王と乎獲居の君臣関係に基づいた職位は一代限りであり、彼の子孫に継承されるものではなかったことを示している。この銘文鉄剣は、乎獲居の死後も、彼とともに存在するべきものであった。

熊本県江田船山古墳出土大刀の銀象嵌銘文

埼玉稲荷山古墳出土の鉄剣に金象嵌銘文が刻まれ、雄略朝のことを記していることが判明したことで、再び注目された大刀銘文がある。それは明治六年（1873）に熊本県玉名郡和水町にある五世紀後半の江田船山古墳（全長62mの前方後円墳）から検出された、現存長91cm、刃幅4cm、棟幅0,8cmの大刀の棟に刻まれた、75字の銀象嵌銘文である。

この銀象嵌銘文は発掘以来さまざまに読まれてきたが、平成三年（1991）に精密な調査と保存修理が実施され、より正確な銘文の釈読と読み下しが示された〈東京国立博物館〉。

台天下獲□□□鹵大王世、奉事典曹人名牟□弖、八月中、用大鐵釜、并四尺廷刀、八十練、□十振、三寸上好□刀、服此刀者、長壽、子孫洋々、得□恩也、不失其所統、作刀者名伊太□、書者張安也

なお、□は象嵌の剥落などにより不明な文字、「台」は治の三水偏《さんずいへん》を省画したもの、また「牟□弖」は牟利弖、「□十振」は九十振、「□刀」は刊刀、「伊太□」は伊太和である可能性が高いとされる。その読み下しは、以下の通りである。

天の下治らしめしし獲□□□鹵大王の世、典曹に奉事せし人、名は牟利弖、八月中、大鉄釜を用い、四尺廷刀を并《あ》わす。八十たび練り、九十たび振《う》つ。三寸上好の刊刀なり。此の刀を服する者は、長寿にして子孫洋々、□恩を得る也。其の統《す》ぶる所を失わず。刀を作る者、名は伊太和、書する者は張安也。

銘文の釈読を担当した東野治之氏は、右の報告書の中でさらに次のように指摘している。「獲□□□鹵大王」は稲荷山古墳の鉄剣銘文と同じ獲加多支鹵大王にあてられ、「奉事典曹人」は鉄剣銘文の杖刀人との関係から「奉事せし典曹人」とも読めるが、この銀象嵌銘文の構造からみると「典曹に奉事せし人」と読むのがよい。「并四尺廷刀」の「并」を「ならびに」と解しては文が不明瞭になるので、「并わす」と読み、鉄を混合して製作する意と解される。「大刀銘も本来は漢文として音読されるよう意図されていたとみるべきであろう」、と。

ただし、「奉事典曹人名牟利弖」を「事《つか》へ奉りし（奉事せし）典曹人、名は牟利弖」と読み下すならば〈佐伯有清e〉、先述の「人制」の関連史料とできようが、右のように読み下せば対応関係は弱くなる。また、「□恩」は主君のいつくしみや寵愛、恩栄を意味する「主恩」の語句が想定されている。

さて、この銀象嵌銘文で重要なことは、これまでは「台天下獲□□□鹵大王」の部分が「台天下復□□□歯大王」と釈読され、『記』に「蝮《たじひの》之水歯《みずは》別命《わけのみこと》」、『紀』に丹比柴籬宮《たじひのしばかきのみや》を正宮とした「瑞歯別天皇」とみえる反正天皇《はんぜい》（父は仁徳天皇、母は葛城磐之《いわの》媛命《ひめのみこと》）にあてられてきたが、改めて雄略天皇にあてるのが妥当だとする見解が確定したことである。

次に「台天下獲□□□鹵大王」は「天の下治らしめしし獲□□□鹵大王」と読み下されているが、東野氏自身が「本来は漢文として音読されるよう意図されていた」と述べるように、文意は変わらないが「台《ち》天下《てんか》獲《わ》□□□鹵《る》大王」と読み下すことも出来よう。このことは、稲荷山古墳の鉄剣銘文の「吾左治天下」とある部分を、「吾、治天下を左け」と読み下すことに照応する。

「典曹に奉事せし人、牟利弖」は肥後国の豪族で、この大刀を副葬された江田船山古墳の被葬者と考えられる。ただし、古墳は五世紀後半の築造と目されているが、埋葬施設は追葬が可能な横穴式系の横口式《よこぐちしき》石棺式《せっかんしき》石室《せきしつ》であり、三時期に分類可能な副葬品の出土から、追葬が考えられている。初葬は五世紀後半、次いで六世紀初頭前後、さらに六世紀前葉ごろの、三人の被葬者が想定される。銀象嵌銘文大刀は、刀身の型式などから五世紀末から六世紀初頭頃のものとみられるから、二人目の被葬者の副葬品であったと考えられている〈白石太一郎d／e〉。

ちなみに、大刀銘文には下賜を示す文言がないこと、牟利弖が製作させたもので彼とともに存在する宝器であったと見られることなどから、獲加多支鹵大王から下賜されたもの、あるいは牟利弖が他者に与えたものとは考えられない。また、大刀が五世紀末から六世紀初頭頃のもので、それを保有した二人目の被葬者＝牟利弖が埋葬されたのが六世紀初頭頃とすれば、銀象嵌の銘文が刻まれたのは五世紀末、雄略天皇の晩年頃が想定される。銀象嵌銘文大刀は常に牟利弖とともにあったが、乎獲居の場合と同様に銘文に刻まれた関係、「奉事典曹」は彼一代のことであったから、牟利弖の屍に副えて江田船山古墳に葬られたのである。

二つの銘文から知られる雄略天皇の支配

埼玉稲荷山古墳の鉄剣金象嵌銘文と、熊本江田船山古墳の大刀銀象嵌銘文は、ともに獲加多支鹵大王＝雄略天皇の時に刻まれたものであるが、両銘文からはどのような時代像を描くことが出来るであろうか。一般には、雄略朝にはヤマト王権の勢力が、東の武蔵地域から西は肥後地域まで及んでいたことが明らかとなり、列島支配が大きく進展した画期とされる。雄略朝画期説は筆頭の検討課題であるが、東・西からそろって獲加多支鹵大王名を刻んだ銘文刀剣が出土している事実は軽くはない。

そうしたことから、大王に武蔵の乎獲居や肥後の牟利弖が奉事したことは、東国の毛野《けの》（群馬県・栃木県）、九州の筑紫（福岡県・大分県北部）という遠隔地の強大な勢力を牽制、利用しながら、王権が基盤を強固にした、という理解も示されている〈新納泉〉。確かに、継体天皇紀二十一年（５２７）六月甲午から二十二年十一月甲子条にかけて、いわゆる筑紫君磐井《つくしのきみいわい》の乱が記され、先にも引いた安閑天皇紀元年（５３４）閏十二月是月条には武蔵の笠原直使主と同族小杵の国造職をめぐる争いに、反王権側の人物として上毛野君小熊が登場する。

しかし、これらの事件は、六世紀以降の継体天皇系王権における国造制という新たな地方支配制度施行にともなう軋轢であり〈平林章仁ａ〉、かつ前者には外交権の一元化問題も関連していたと思われる。ここで論の分岐点となるのが、毛野や筑紫の豪族がこの時まで王権からは独立、あるいは対抗的勢力として存在していたのか、それともすでに王権を構成する内的存在であったのかということである。筑紫君磐井は、近江毛野臣と共器同食の間柄であった。すなわち、武蔵の乎獲居や肥後の牟利弖が獲加多支鹵大王の王宮に奉事したことは間違いないが、その歴史的評価は研究上の大きな課題である。貴重な銘文象嵌刀剣が乎獲居や牟利弖の屍に副葬されていることは、銘文に刻まれた獲加多支鹵大王と彼らの君臣関係は一代限りのものであったことを示している。王権内部の権力・職位関係の後代への継承の実態は、なお考えなければならない。

また、二つの銘文には氏の名や部などが見えないことも、この時代を考える上で留意する必要がある。これは、氏の名の確定や部の設置が未然であったことを示している。しかし、両銘文は王権の権力が肥後や武蔵にまで及んでいたことも語っており、この間の溝を埋める理解が求められている。

地域連合・豪族同盟と称される五世紀代のヤマト王権の統治実態の解明は容易でないが、乎獲居や牟利弖が獲加多支鹵大王に帰順、奉事したことで、彼の属した豪族の支配下にあった地域や人民にも、間接的ではあるが中央権力の影響が及んだことも否定できないであろう。ただし、それは点と点を結んだ関係であり、西は肥後から東は武蔵まで、獲加多支鹵大王の勢威で一面的に塗りつぶされるものではなかったと思われる。また、王権の基盤領域内に位置する葛城地域でも、天皇が直接に触手を伸ばしたならば、友好的に協力する集団がいた反面、反抗的な態度を示して奉斎する高鴨神ともども放逐される実態が存在したことは、先述した。王権による直接的、継続的な人民と領域の統治は、国造・屯倉・部の施行により進展するが、雄略朝には未だ達成されていなかった。

第三部

『宋書』倭国伝から知られる倭王武とその治世

東アジア世界の変動

倭国は、常に周辺の諸地域、諸国と多様な関係のもとに国家形成を進めてきたが、それは雄略天皇の時代も変わらない。ここでは、中国の歴史書『宋書』から、倭王武＝雄略天皇の中国・南朝交渉とそれにかかる諸問題について考えるが、まず東アジアの状況を一瞥しておこう。

220年に後漢《ごかん》が滅んで、400余年に亘る統一が崩れて以降、589年に隋が統一するまでの370年近く中国は分裂、激動の時代であった。当然、そのことは周辺諸地域に大きな影響を与えて、東アジア地域でも転変が連続した。

具体的には、後漢が滅んだあと、魏《ぎ》（220〜265）・蜀《しょく》（221〜263）・呉《ご》（222〜280）の三国に分裂していた中国は、西晋《せいしん》（265建国、280〜316）により統一された。しかし、その勢威が衰えて316年に匈奴《きょうど》により滅ぼされると、遊牧騎馬《ゆうぼくきば》文化を特徴とする匈奴・羯《けつ》（匈奴の一派）・鮮卑《せんぴ》・氐《てい》・羌《きょう》などの異民族が華北に侵入して、次々に国家を建てて抗争を繰り返した。五胡十六国《ごこじゅうろくこく》であるが、これにより西晋の王侯貴族の一部は江南に遷り、317年に晋（東晋《とうしん》、317〜420）を再建した。これにより江南の開発は進んだが、土着豪族との対立や支配層の堕落などで弱体化し、420年には東晋に代わって宋《そう》が建国され、479年まで存続した。その後、斉《せい》が502年まで、さらに梁《りょう》が557年まで統治した。一方、五胡十六国が興亡した中国北部では、鮮卑の建てた北魏《ほくぎ》が439年に統一し、534年に分裂するまで華北を治めた。いわゆる南北朝時代である。

朝鮮半島では、前漢の武帝が、衛満《えいまん》が紀元前190年頃に建国した衛氏《えいし》朝鮮を紀元前108年に滅ぼして、楽浪《らくろう》・真番《しんばん》・臨屯《りんとん》・玄菟《げんと》の四郡をおいて植民地支配を進めたことは、この地域に大きな影響を与えた。真番・臨屯・玄菟の三郡は紀元前75年までに廃止または縮小されて、各地域は楽浪郡（郡治はピョンヤン近く）に吸収された。北接する遼東《りょうとう》地域（中国遼寧《りょうねい》省）では、後漢末期に遼東太守の公孫度《こうそんたく》が自立して、孫の公孫淵《えん》は燕《えん》王を称したが238年に魏に敗れて滅亡する。この公孫氏は、三世紀初めに楽浪郡を支配下に置き、205年頃に郡の南半に帯方《たいほう》郡を設置した。公孫氏の滅亡後は、楽浪郡は魏・西晋に継承されたが、313年に高句麗に攻略されて滅亡した。

帯方郡（郡治はソウル近く）は朝鮮半島西海岸、黄海道《こうかいどう》を中心とし、韓《かん》族・濊《わい》族を統御した。これも公孫氏のあとは魏・西晋に継承されたが、313年に韓族・濊族らに滅ぼされた。

朝鮮半島における中国植民地の盛衰は、この地域の古代国家形成に大きな影響を与えており、高句麗はすでに後漢初めには国家形成を進めている（『後漢書』高句驪伝）。百済・新羅のそれは、楽浪郡・帯方郡の滅亡後のこととみられる。一方、倭国は、『三国志』魏書東夷伝（『魏志』倭人伝）にいう邪馬台国がヤマト王権に移行、発展したのか否か明瞭ではないが、定型的な大規模前方後円墳の築造を古代国家形成の指標とみてよいならば、三世紀半ば過ぎにはその歩みを進めていたであろう。

倭国の東アジア外交の展開

邪馬台国のことは措くが、ヤマト王権が東アジアの諸国と外交関係を結んだ確かな最初は、大和国山辺郡に鎮座する名神大社の石上神宮（石上坐布都御魂神社）に伝来する七支刀《しちしとう》（七枝刀／国宝）から知られる。百済から贈られた七支刀には、中国・東晋の「泰《たい》（太）和《わ》四年（369）」で始まる金象嵌銘文が施されており、銘文は先に示した（89頁）ので再掲は控えるが、倭国の国際関係を考察する上で貴重な史料である。

1145年に高麗《こうらい》の金富軾《きんふしき》が撰述した高句麗・新羅・百済三国の歴史書である『三国史記《さんごくしき》』高句麗本紀や同じ百済本紀によれば、百済は近肖古《きんしょうこ》王の二十六年（371）に、高句麗軍の侵攻を迎撃して撃退した。冬十月になると王と太子（十四代近仇首《きんきゅうしゅ》王）は三万の精兵で高句麗を攻撃、高句麗の十六代故《こ》国原《こくげん》王（在位331～371）は流れ矢が当たり死亡した。百済が中国・東晋へ遣使したのは372年1月と373年2月、東晋の百済使派遣が372年6月である。

これらのことから、「原七支刀」は「太（泰）和四年」に東晋で製作され、372年1月もしくは6月に東晋から百済の近肖古王へ下賜されたと見られる。百済は高句麗との戦に勝利し、東晋との国交も開けて、国家意識が高揚していた時期である。

第一部第四章で述べたように、石上神宮に伝わる七支刀は、銘文に未確定部分がありゆるぎない解読は困難であるが、百済の近肖古王と世子《せいし》（後嗣、近仇首王か）が倭国との関係強化を意図し、東晋から下賜された重宝「原七支刀」をもとに百済で瓜二つの模造刀を製作し、さらに新たな銘文を裏に付加、象嵌して、372年中に七子鏡などとともに倭国に贈与したものとみられる〈山尾幸久b／濱田耕策／深津行徳〉。

百済からの七支刀（七枝刀）の贈与については、左の神功皇后紀摂政五十二年（372）九月丙子条にも見える。

久氏《くてい》等、千熊長彦《ちくまながひこ》に従ひて詣《まうけ》り。則ち七枝刀《ななつさやのたち》一口・七子鏡《ななつこのかがみ》一面、及び種種《くさぐさ》の重宝《たから》を献る。

この久氏は百済からの使者で、神功皇后紀にはしばしば登場する。

・四十七年四月：百済王は久氏・弥州流《みつる》・莫古《まくこ》らを派遣して朝貢したが、その際に新羅の使者が貢物を百済のものとすり替えたので、そのことの詰問に千熊長彦を新羅に派遣した。
・四十九年三月：久氏は荒田別《あらたわけ》・鹿我別《かがわけ》（東国の上毛野《かみつけの》氏の祖）とともに新羅を攻撃した。
・五十年五月：千熊長彦と久氏が、百済から帰り至った。
・五十一年三月：百済王が久氏を派遣し、朝貢した。

一連の所伝からは、新羅の妨害を撥《は》ね退《の》け、懸案であった倭・百済の安全な交渉路が確保できたことを記念して贈与されたのが七枝刀などである、という位置づけが理解される。倭国の使者である千熊長彦のことはよく分からないが、右の神功皇后紀摂政四十七年四月条は、次の註を付している。

千熊長彦は、分明《わきわき》しく其の姓《かばね》を知らざる人なり。一《ある》に云はく、武蔵国の人。今は是額田《ぬかた》部槻本首《べのつきのもとのおびと》等が始祖《はじめのおや》なりといふ。百済記に、職麻那那加比跪《ちくまななかひこ》と云へるは、蓋《けだ》し是《これ》か。

「百済記」は、『紀』が編纂の原史料に用いた三種の百済系史料（百済記・百済新撰・百済本紀）の一つで、今日では他に見えない貴重なものである。『紀』編者は、千熊長彦についての確かな史料を有していなかったようである。額田部は額田大中《ぬかたのおおなか》彦皇子《つひこ》（応神天皇の子）の名代《なしろ》であり、額田部槻本首氏は武蔵の額田部を管掌した伴造とみられるが、他の史料には見えない。『紀』編纂の頃には、千熊長彦の後裔を称していたのであろう。

乎獲居より一世紀余り以前に、ヤマト王権に仕奉した東国の毛野や武蔵の人物が伝えられることは興味深い。神功皇后紀摂政四十九年三月条の、上毛野氏の祖の荒田別・鹿我別との関連も想定されるが、事実関係を確かめる術はない。関連所伝や七支刀から、四世紀半ば過ぎから倭国と百済が和親的連携関係にあり、それに東国の豪族が与かることもあったと考えられる。

一方、新羅は高句麗の影響下にあり、その従属下で国家的発展をはかっていた。『三国史記』や『紀』によれば、倭の侵入にも悩まされ人質を出していたと伝えられる。そのことが高句麗への依存に拍車をかけたようであるが、雄略朝のころからは高句麗から自立する動きを示している。

倭と高句麗の対立

高句麗は、鮮卑《せんぴ》族の慕容《ぼよう》氏が建てた前燕《ぜんえん》（307〜370）との間で緊張が高まり、342年に侵攻した前燕軍に大敗したことで遼東《りょうとう》地域への進出を中断し、南下策に方針を転換した。かつての楽浪・帯方郡の地を吸収した高句麗は、広開土王《こうかいどおう》（好太王《こうたい》、在位391〜412）の時代には西方地域との関係がおおむね好転したこともあって南下姿勢を鮮明にし、対する百済は倭や新羅と結んで対抗しようとした。

高句麗の長寿《ちょうじゅ》王（在位413〜491）は、414年に父の広開土王を称えた巨大な碑文を建立した。中国吉林《きつりん》省集安《しゅうあん》に残るその広開土王碑（高さ6,4mの方柱石）には1800余字が刻まれており、第一段には広開土王の即位から薨去、第二段には広開土王の勲功、第三段には王墓の守墓人徴発法とその売買禁止を記している。とくに第二段では、遼東地域への進出は記さずに、紀年記事の大半が百済と倭であることは、当時の関係国の構図と高句麗の意識をよく示している〈木村誠c〉。なかでも倭に関わる次の四か条は、剥落して読み取れない文字もあるが、その具体的な状況を知る上で貴重である。先にも一部を引用したが（97頁）重複を厭わずに、関連部分の全原文〈東方書店／読売テレビ放送〉と試みの読み下し文および意訳文を示そう。碑文中の王・太王は、広開土王であるが、欠字や剥落があって十分に意味のとれない箇所もある。

①百残新羅旧是属民由来朝貢而倭以辛卯年来渡海破百残□新羅以為臣民以六年丙申王躬率水軍討伐残国…而残主困逼献出男女生口一千人細布千匹跪王自誓従今以後永為奴客太王恩赦始迷之愆録其後順之誠於是得五十八城村七百将残主弟并大臣十人旋師還都

【百残《ひゃくざん》（百済の蔑称）・新羅、旧《もと》是れ属民にして、由来朝貢す。而《しか》るに倭、辛卯年を以て来《このかた》、海を渡りて百残を破り、□□新羅、以て臣民と為す。六年丙申を以て、王、躬《みずか》ら水軍を率ゐ、残国を討伐す…而して残主、困逼し、男女生口《せいこう》一千人・細布《さいふ》千匹を献出し、王に跪きて、自ら今従《よ》り以後、永く奴客《どきゃく》と為ることを誓ふ。太王、始迷の愆《あやまち》を恩赦し、其の後順の誠を録す。是に於て、五十八城・村七百を得、残主弟并びに大臣十人を将《ゐ》て、師を旋《かへ》して都に還る。】

②九年己亥百残違誓与倭和通王巡下平穣而新羅遣使白王云倭人満其国境潰破城池以奴客為民帰王請命太王恩慈称其忠誠特遣使還告以密計

【九年己亥、百残、誓ひに違《たが》ひ、倭と和を通ず。王、平穣に巡下す。而して新羅、使を遣《つか》はし、王に白《まう》して云《いは》く、倭人、其の国境に満ち、城池を潰破《かいは》し、奴客《どきゃく》を以て民《たみ》と為す。王に帰《き》して命《みこと》を請《こ》はんと。太王、慈《いつくしみ》を恩《めぐ》み、其の忠誠を称《たた》へ、特に使を還《かへ》し遣はし、以て密計を告ぐ。】

③十年庚子教遣歩騎五万往救新羅従男居城至新羅城倭満其中官軍方至倭賊退　　　　自倭背急追至任那加羅従抜城城即帰服安羅人戍兵抜新羅城塩城倭寇大潰城内……（空白部は壁面剥落）

【十年庚子、歩騎五万を遣はして、往きて新羅を救は教《し》む。男居城従《よ》り、新羅城に至る。倭、其の中に満つ。官軍方《まさ》に至り、倭賊退く。…倭の背自《うしろよ》り急追し、任那加羅の従抜城に至る。城、則ち帰服す。安羅人戍兵《じゅへい》、新羅城・塩城を抜く。倭寇、大潰す。城内…】

④十四年甲辰而倭不軌侵入帯方界和通残兵□石城□連船□□王躬率往討従平穣□□□鋒相遇王幢要截盪刺倭寇潰敗斬殺無数

【十四年甲辰、而して、倭、不軌《ふき》にして、帯方界に侵入し、残兵と和と通ず。□石城□連船□□、王、躬ら率ゐ往きて討つ。平穣従《よ》り□□□鋒、相遇す。王幢、要截盪刺《ようせつとうし》す。倭寇、潰敗し、斬殺無数なり。】

①の辛卯年は391年、六年丙申は広開土王の治世時の元号である永楽六年丙申で、396年にあたる。「以辛卯年来渡海」は一般には「辛卯年を以て来りて、海を渡り」と読まれているが、この箇所はこれ以降の倭と高句麗の抗争、広開土王の功績の始まり告げる重要な意味を付与された前置文であるから、右のように読み下した〈金廷鶴／西嶋定生c／武田幸男b／鈴木靖民b〉。その意訳を示そう。

百済と新羅はもとは高句麗の属民であり、もとから朝貢していた。ところが、倭が辛卯年（391）より以来、海を渡り百済を破り、□□新羅、臣民とした。六年丙申（396）に、広開土王が自ら水軍を率いて百済を攻撃した。…そうして、困逼した残主（百済国王）は男女生口（隷従民）一千人・細布（上質の布）千匹を献上し、広開土王に跪《ひざまず》いて、今より以後、永く奴客（隷属者）となることを誓った。広開土王は当初の過ちを赦《ゆる》し、その後に帰順した誠《まこと》を記録した。ここに於いて、広開土王は百済から五十八城・村七百を獲得し、百済国王の弟と大臣十人を（虜囚として）引き連れて凱旋した。

広開土王の大勝利、百済の大敗であるが、371年に故国原王（祖父）が殺されたことへの報復が達せられたということであろう。

②の九年己亥は399年にあたり、意訳は次の通りである。

九年己亥（399）に、百済は（六年丙申の）誓いに反して、倭と誼《よしみ》を結んだ。広開土王は平穣（平壌）に巡下した。そこで新羅は使者を遣わして広開土王に申し述べた、「倭人が新羅の国境（国内）に満ち、城・池を潰《つぶ》し破り、奴客をもって民としています、広開土王に帰服して命令を要請します」と。太王は（新羅に）慈愛を示し、その忠誠を称え、特に使者を還し遣わして、密計を告げた。

③の十年庚子は400年、意訳は次の通りである。

十年庚子（400）に、広開土王が歩騎五万人を派遣し、出かけて新羅を救援した。（高句麗軍が）男居城より、新羅城（都の慶州）に至った。倭がその中（新羅城中）に満ちていた。官軍（高句麗軍）が至ると、倭賊は退却した。…（高句麗軍が）倭の背後から急追して、任那加羅（釜山・金海辺り）の従抜城に至ると、城はすぐに帰服した。安羅人戍兵（安羅〈咸安辺り〉人の守備兵）が新羅城・塩城を抜いた。（しかし）倭寇は大潰した。城内…。

高句麗軍と倭軍が、初めて直接に対戦した記録である。新羅の王城内には多数の倭人がおり、安羅人戍兵を用いて警護させていたが、高句麗軍が倭の背後、任那加羅から新羅王城内の倭を攻撃したので、倭軍は大敗したという。

④の十四年甲辰は４０４年、意訳は次の通りである。

十四年甲辰（４０４）に、倭が不軌にも（道理に背いて）、帯方地域（ソウル辺り）に侵入し、残兵（百済軍）と誼を通じた。□石城□連船□□、それで広開土王は、躬《みずか》ら（軍を）率いて討伐した。平穣より□□□鋒、相遇した。王幢（高句麗軍）は、要截盪刺した（必ず斬り忿に刺した）。（それで）倭寇は潰敗し、無数の敵を斬殺した。

欠字があって細かな文意は読み取れない部分もあるが、高句麗軍が倭軍に大勝し、大敗された倭軍が帯方地域まで進軍していたことなどは理解できる。

右の所伝を中心に、倭国に関連する広開土王碑文の関連記事の要点を、列記しよう。

A広開土王碑文に国や民族の現われる回数は、倭が11、百残が9、新羅7、安羅3、東扶余3、任那加羅1などであり、倭が一番多い。

B碑文では、倭は百済と結び、任那加羅や安羅とも連携し、高句麗に帰順した新羅に侵入している。

C碑文では、倭は高句麗影響下の帯方地域まで侵攻し、一貫して高句麗の南下策に対抗する動きを示している。

D碑文の内容は、左に記すように『三国史記』や紀年を修正した『紀』の関連記事とも、おおむね整合的である。

・碑文②は『三国史記』百済本紀阿莘《あしん》王六年（３９７）条、同腆支《てんし》王即位前紀、応神天皇紀八年（３９７）三月条分註所引百済記と整合的である。

・碑文③は『三国史記』新羅本紀実聖尼師今《じっせいにしきん》四年（４０２）三月条、同訥祇麻立干《とつぎまりつかん》（４１８）条、同列伝朴堤上《ぼくていじょう》伝、『三国遺事』奈勿《なこつ》王三十六年庚寅（３９０）条、神功皇后紀摂政五年（３８５）三月条などとほぼ照応する。

このように、碑文からは、倭は百済と利害を共通にし高句麗とは鋭く対立する構図、高句麗は倭に対して警戒的、敵対的であることを読み取ることができる〈鈴木靖民ｂ／武田幸男ｂ〉。これらのことから、碑文に現われる倭を、朝鮮半島南端の倭人、あるいは北部九州の倭人の海賊などと解釈することが妥当でないことは明白である。ヤマト王権は、少なくとも３９１年以来、新羅に侵攻するとともに、百済と連携して南進策をとる高句麗と対峙、抗争を重ねていたが、碑文による限り４００年・４０４年と大敗し、国際的な危機に面していたことが理解される。

高句麗・百済・新羅が覇権を争っていた朝鮮半島では、対立する高句麗と百済は主に中国南朝・宋に、時には北朝・北魏に遣使して、国際的な地位の維持に努めていた。こうした状況において、倭国の採用した外交策が、南朝・宋への遣使朝貢であった〈木村誠ａ〉。

東アジアの国際情勢について述べてきたのは、倭国の南朝外交策の必要性を示すためであった。倭国の南朝外交は、宋の権威を背景にして、朝鮮半島における倭国の立場を有利にしようとする政策である。高句麗に大敗した倭国は、ここで直接的な武力抗争策から南朝遣使策へと、高句麗に向き合う外交政策を大きく転換したのである。沈約《しんやく》が五世紀後半に撰述した南朝・宋の歴史書『宋書』によれば、倭国からの遣使は421年から478年の60年足らずの間に10回を数え、それをいかに重視していたかが窺われる。五世紀は、倭国の対南朝積極外交の世紀と言えよう。

「倭王武」の中国南朝・宋への遣使

宋に遣使した倭国の五人の王の名「讃《さん》・珍《ちん》・済《せい》・興《こう》・武《ぶ》」が『宋書』倭国伝などに伝えら、これを「倭の五王」と称している。倭の五王のうち、武＝雄略天皇、興＝安康天皇、済＝允恭天皇にあてられることに異論はなく、珍＝反正天皇もほぼ妥当とみられているが、讃については応神天皇・仁徳天皇・履中天皇などにあてられきたが、確定的でない。なお、この五王の漢字一文字で表された名は、すべて倭国側からの名告りであり、国内で称されていた名とは別に、中国に向けて自ら一字名で称したものである〈大庭脩〉。

ところで、『晋書《しんじょ》』安帝紀《あんていき》義熙《ぎき》九年（413）に「是の歳、高句麗、倭国及び西南夷《せいなんい》の銅頭《どうとう》大師《たいし》、並びに方物《ほうぶつ》を献ず。」と見えるが、倭王への官爵の除正が伝えられないことから疑念が残る。これは実際の倭国使ではなく、遣使した高句麗が東晋の歓心を買うとともに自己の威勢を誇示する目的で、戦闘で捕虜にした倭人を倭国使に仕立てたものみなす説もある〈坂元義種c〉。また、宋に続く『南斉書《なんせいしょ》』倭国伝に建元《けんげん》元年（479）に倭王武を鎮東《ちんとう》大将軍に、さらに次の『梁書《りょうしょ》』武帝紀には天監《てんかん》元年（502）に倭王武を征東《せいとう》将軍に進めるとあるが、いずれも南朝において新王朝が開かれたことにともなう儀礼的、形式的な除正で、倭王武の遣使はなかったとみられている〈坂元義種d〉。

「倭の五王」が積極的な外交活動を展開した目的は、宋に求めた官爵や上表文から窺うことができる。倭王武による宋との交渉の状況から、雄略朝の外交の方針と実態を分析するが、便宜上「倭の五王」による遣使・朝貢の全体を表にして示そう。なお、（ ）の倭王は記載がなく、推定である。

西暦	元号	倭王名	記事の概要（○○帝紀とある以外は倭国伝）
421	永初2	讃	倭讃が、朝貢した。除授を与えるように詔した。
425	元嘉2	讃	讃、司馬曹達を遣わし、上表し、方物を献じた。
430	元嘉7	（讃）	倭国王、使を遣わし、方物を献じた。（文帝紀）
438	元嘉15	珍	讃が死し、弟珍が立ち、「使持節都督倭百済新羅任那秦韓慕韓六国諸軍事安東大将軍倭国王」と自称し、遣使上表して除正を求めたので、「安東将軍倭国王」に除した。また珍が、倭隋ら十三人に平西・征虜・冠軍・輔国将軍号を除正されることを求めたので、許した。 倭国王珍を以て「安東将軍倭国王」となす。（文帝紀）

443	元嘉20	済	倭国王済、使を遣わし朝貢したので、また以て「安東将軍倭国王」となす。 倭国王、使を遣わし、方物を献じた。（文帝紀）
451	元嘉28	済	済に、「使持節都督倭新羅任那加羅秦韓慕韓六国諸軍事」を加え、「安東将軍」は故のもとのままで、要請のあった二十三人を軍郡に除した。 倭王倭済を、安東将軍から「安東大将軍」に進めた。（文帝紀）
460	大明4	（興）	倭国、使を遣わし、方物を献じた。（孝武帝紀）
462	大明6	興	倭王世子興に、「安東将軍倭国王」を授けた。 倭国王世子興を以て、「安東将軍」となす。（孝武帝紀）
477	昇明元	（武）	倭国、使を遣わして方物を献じた。（順帝紀）
478	昇明2	武	武が、「使持節都督倭百済新羅任那加羅秦韓慕韓七国諸軍事安東大将軍倭国王」を自称して、遣使上表した。それで「使持節都督倭新羅任那加羅秦韓慕韓六国諸軍事安東大将軍倭王」を授けた。

武、使を遣わして方物を献じた。武を以て「安東大将軍」となす。
（順帝紀）

中国の皇帝が朝貢してくる周辺諸国の首長に冊《さく》（任命書）を授けて封建《ほうけん》（臣下を王などに任じ封地を賜与）することを冊封《さくほう》というが、この冊封により成立した中国皇帝と周辺諸国の王との君臣（主従）関係を軸とする秩序を冊封体制と称している〈西嶋定生b〉。倭の五王は中国・宋との間に冊封関係を結んでいたのであり、倭国には高句麗をはじめ百済・新羅との関係において、宋の権威を利用する必要が生じたのである。それは倭王の主張の正当性を承認されることでもあったが〈河内春人a〉、その主張は倭王が自称し、あるいは宋から除正された官爵から読み解くことが出来る。

倭王が宋に求めたそれは、「節・都督諸軍事・将軍・王」であったが〈木村誠b〉、節を与えられる者には、使持節・持節・仮節があり、総称して持節という。主として軍事に関して皇帝の専殺権を委任されている資格を意味する。本来の節は、皇帝の使臣が路程で用いた身分証明であり、状況により材料や形状も様々であった。秦以降には、節は使者の旗印である旄《ぼう》節《せつ》を指すようになり、八尺の竹に犛牛《ぼうぎゅう》（からうし）の尾で作った三重の房飾りをつけたもので、赤い長柄に半円形の赤い毛房が三個付いていた。使持節はこれを授けられる身分、すなわちその地域の最高の軍政官ということで、この官号とともに節が授けられたので、倭王珍や済のもとにも実際に旄節が届けられたと思われる。

都督は、もろもろの軍事を都《すべ》て督《ひき》いる、諸軍を統《す》べるということで、皇帝からの都督諸軍事号の授与は、特定の地域に対する軍事支配権の承認を意味する。使持節都督は節を授けられる官の最上位の「使持節」と、諸軍を統べる官の最上位の「都督」の二官からなり、支配を委ねられた地域での最高の軍権を意味した。使持節・都督・諸軍事は、軍事上の指揮命令に関して、その地方の最高の軍権を有していること、軍事的支配権を保持していることを示している。

倭王には、除正された将軍号にみえる朝鮮半島の地域で、実際に兵士や軍需物資の徴発が可能であることを意味している。要するに倭王は、朝鮮半島南部の徴兵可能な全軍を指揮し、新羅に駐屯する高句麗軍を含め高句麗に対抗すべき軍事的な最高の地位を宋の皇帝から認められたのである。ただし、倭王に軍政権を認められた地域内には宋の皇帝の権限は及ばないから、実際の権限行使は倭国・倭王次第である〈坂元義種c／山尾幸久b〉。

倭王武が昇明《しょうめい》二年（478）に「其の余」に除正を求めた内容は詳らかではないが、倭王済が元嘉《げんか》二十八年（451）に二十三人に除正を求めた軍郡《ぐんぐん》とは、将軍号と軍の太守号である。この時の軍郡も具体的には明らかでないが、倭王珍が元嘉十五年（438）に要請して、倭隋《わずい》ら十三人に授けられた平西《へいせい》・征虜《せいりょ》・冠軍《かんぐん》・輔国《ほこく》将軍号と同様なものであろう。倭王が除正を要請した人物は、王権を構成する王族や有力豪族であり〈熊谷公男〉、倭隋は王族とみられる。ただし、このことの重点は国内よりもむしろ朝鮮半島南部の軍事的支配と関係したものであり〈坂元義種c〉、倭王臣下の将軍の朝鮮半島南部における軍事行動権の国際的承認にあった〈山尾幸久b〉。倭王による臣下への除正要請をめぐる問題は、後に府官制を論じる際に取り上げるので、まず倭王武が宋の皇帝に提出した上表文を中心に分析しよう。

『宋書』が伝える倭王武の外交

『宋書』倭国伝によれば、宋・孝武帝《こうぶてい》の大明《たいめい》六年（462）三月に倭王世子興が遣使朝貢してきたので、興に「安東将軍倭国王」を授けたとある。世子とは王の後継者の意であり、世子興は安康天皇にあてられている。允恭天皇紀や安康天皇紀では、允恭天皇歿後に木《き》梨軽《なしのかる》皇子の事件を鎮圧して直ぐに、安康天皇が即位したように記されているが、安康天皇には即位式をせずに政務を執る称制《しょうせい》期間が存在した可能性が高い。

さて、右に続けて『宋書』倭国伝は、興が死して弟の武が立ち、「自ら使持節《しじせつ》・都《と》督倭《とくわ》・百済《くだら》・新羅《しらぎ》・任那《みまな》・加羅《から》・秦韓《しんかん》・慕韓《ぼかん》七国諸軍事、安東《あんとう》大将軍、倭国王と称」したと伝える。したがって、大明六年の遣使から間もなくして興が亡くなり、弟の武＝雄略天皇の即位したことが知られるが、正確な年次は分からない。

ところが、『宋書』順帝《じゅんてい》紀の昇明元年（477）十一月に倭国が遣使朝貢したとあるが、倭王の名はない。興もしくは武とみられるが、昇明二年（478）の遣使との関連が想定されることや〈山尾幸久b〉、稲荷山古墳鉄剣銘文から知られる雄略天皇の在位期間を考えれば、武であった可能性が高い。『宋書』倭国伝は、翌昇明二年に倭王武が左に掲げる周知の上表文を携えた使者を派遣し、順帝は倭王武を「使持節・都督倭・新羅・任那・加羅・秦韓・慕韓六国諸軍事、安東大将軍、倭王」に除正したとある。百済王は倭王より早くから遣使し、より高い鎮東《ちんとう》大将軍に除正されているから、倭王武の自称官爵は、百済を除いて認められた。

これが倭の五王による南朝・宋への遣使の最後であり、開皇《かいこう》二十年（600／推古天皇八年）の遣隋使《けんずいし》派遣まで、中国との正式国交は中断する。

ここで、倭王武が除正された官爵にみえる地域名について少し説明を加えよう。

任那：邪馬台国のことを記した『魏志』東夷伝に弁辰《べんしん》と見え、百済と新羅に挟まれた朝鮮半島南部の地域で十二の小国家が分立、早くから倭国との結びつきが深い。
加羅：加耶《かや》とも。金官《きんかん》が大加耶（地域の盟主）として内実を有していたのは五世紀前半までで、それ以降は高霊《こうれい》が大加耶となり〈田中俊明〉、建元元年（４７９）に国王荷《か》知《ち》は南朝・南斉に遣使朝貢し輔国将軍に除正された（『南斉書』加羅国伝）。
秦韓：『魏志』東夷伝に辰韓《しんかん》とある朝鮮半島南東部で、新羅の領域外の地域。
慕韓：『魏志』東夷伝に馬韓《ばかん》とある朝鮮半島南西部で、百済の領域外の地域。

いずれにしても、倭王が南朝・宋に遣使朝貢した目的は、宋に求めた官爵に明らかである。それは南下をうかがう高句麗に対抗するために、朝鮮半島南部地域における最高の軍政権、軍事的支配権の国際的承認であったが、ヤマト王権と倭王が除正された官爵に見える地域を日常的に実効支配していたわけではない。

倭王武の上表文

倭王武の宋への遣使朝貢の意図と、ヤマト王権の当時の国家形成観を垣間見ることができるのが、昇明二年（４７８）に宋の順帝に提出した上表文である〈石原道博／坂元義種c／藤堂明保・竹田晃・影山輝國／中華書局本で一部改訂〉。おそらく、これは中国との外交交渉や文筆に長けた渡来系の知識人、例えば江田船山古墳の大刀銀象嵌銘文に見える「書者張安」のような中国系人物と思しき史官の筆になるもので〈山尾幸久b／田中史生a〉、彼らはヤマト王権に直属の書記官＝史《ふひと》（史戸）としてその職務に従事していた〈加藤謙吉c〉。

そのことに関わる『紀』の関連記事、雄略天皇紀二年十月是月条を再び掲げよう。

是月に、史戸《ふひとべ》・河上舎人部《かはかみのとねりべ》を置く。天皇、心を以て師《さかし》としたまふ。誤りて人を殺したまふこと衆《おほ》し。天下《あめのした》、誹謗《そし》りて言《まう》さく、「大《はなは》だ悪《あ》しくまします天皇なり（大悪天皇也）」とまうす。唯愛寵《ただめぐ》みたまふ所は、史部《ふみひと》の身狭村主青《むさのすぐりあを》・檜隈民使博徳《ひのくまのたみのつかひはかとこ》等のみなり。

「大悪天皇」という天皇評価記事については先に記したが、雄略天皇が史戸を置き史部のみを寵愛したと伝えられることは、南朝交渉や左の上表文の筆録と照応する。

順帝の昇明二年、使を使わして上表して曰く。

「封国《ほうこく》は偏遠《へんえん》にして、藩《はん》を外に作《な》す。昔自《むかしよ》り祖禰《そでい》、躬《みずか》ら甲冑《かっちゅう》を擐《つらぬ》き、山川《さんせん》を跋渉《ばっしょう》して寧《ねい》所《しょ》に遑《いとま》あらず。東は毛人《もうじん》を征すること五十五国、西は衆夷《しゅうい》を服すること六十六国、渡りて海北を平ぐること九十五国。王道融泰《ゆうたい》にして、土を廓《ひろ》げ畿を遐《はるか》にす。累葉朝宗《るいようちょうそう》して、歳に愆《あやま》らず。臣、下愚《かぐ》なりと雖《いえど》も、忝《かたじけな》くも先緒《せんしょ》を胤《つ》ぎ、統《す》ぶる所を駆率《くそつ》し、天極《てんきょく》に帰崇《きすう》す。道は百済を逕《よぎ》り、船舫《せんぼう》を装治《そうち》す。而るに、句麗《くり》無道にして、図《はか》りて見呑《げんどん》せんと欲し、辺隷《へんれい》を掠抄《りゃくしょう》し、虔劉《けんりゅう》して已《や》まず。毎《つね》に稽滞《けいたい》を致し、以て良風を失い、路を進まんと曰うと雖も、或は通じ、或は不《しか》らず。臣が亡孝《ぼうこう》済、実に寇讎《こうしゅう》の天路《てんろ》を壅塞《ようそく》するを忿《いか》り、控弦《こうげん》百万、義声に感激し、方《まさ》に大挙せんと欲せしも、奄《にわか》に父兄を喪《うしな》ひ、垂成《すいせい》の功をして、一簣《いっき》を獲ざらしむ。居、諒闇《りょうあん》に在りて、兵甲《へいこう》を動かさず。是を以て、偃息《えんそく》して未だ捷《か》たず。今に至りて、甲を練り兵を治めて、父兄の志を申《のべ》んと欲す。義士虎賁《こほん》、文武、功を効《いた》さんとし、白刃前に交わるとも、亦顧みざる所なり。若《も》し帝徳の覆載《ふくさい》するを以て、此の彊敵《きょうてき》を摧《くじ》き、克《よ》く方難《ほうなん》を靖《やす》んぜば、前功を替えること無からん。竊《ひそ》かに自ら開府儀同三司《かいふぎどうさんし》を仮《ゆる》し、其の余《よ》も咸各《みなおのおの》仮授《かじゅ》して、以て忠節を勧めん」と。詔して武を使持節・都督倭・新羅・任那・加羅・秦韓・慕韓六国諸軍事、安東大将軍、倭王に除す。

右に「開府儀同三司」という特別な用語が見えるので、簡潔に説明しておこう。開府は軍政のための府（官庁）を設置できること、儀同三司とはその待遇が三司（三公）と同格であることをいう。宋の三公は、武官の最高官位である太尉《たいい》、土地と人民を管掌した司徒《しと》、監察と法の執行を管掌した司空《しくう》である。開府は本来この三公にだけ許されていたが、後には将軍にも認められ、開府儀同三司といえば三公待遇の開府者という名誉称号であるが〈坂元義種a／熊谷公男〉、高句麗の長寿王は獲加多支鹵大王より早くに開府儀同三司に除されていた（大明七年／463、『宋書』高句驪伝、『三国史記』高句麗本紀）。

漢文の知識を駆使した名文として整えられた上表文の要旨は、以下の通りである〈坂元義種b〉。

①倭国は僻遠の地にある、宋の外藩国（冊封関係にある国）である。
②領域を拡大した倭王の祖先は、代々、宋に朝貢していた。
③ところが、高句麗が朝貢路を塞いだために、朝貢が困難になった。
④そこで父の済が、高句麗征伐を計画したが、突然に父・兄が死去して、その計画も頓挫した。
⑤〔私は〕父・兄の意思を継ぎ、高句麗の征伐を進めたいが、もし皇帝のお力添えが得られたならば、朝貢を続けるつもりである。
⑥〔戦いの門出にあたり〕開府儀同三司の官号を自称しているが、他の者にも、皇帝から正式に授与して戴きたい。

高句麗・広開土王碑文に記された倭と高句麗の対立関係は、碑文が記す広開土王の勝利で終ったのではなく、むしろそれは始まりであり、倭の五王の世を通じて継続していたことが理解される〈坂元義種c〉。とくに、倭王武の昇明元年・二年と続けての遣使には、475年に高句麗の長寿王が大軍を率いて百済を攻撃し、蓋鹵《がいろ》王が戦死し都の漢城も陥落して一時的に百済が滅んだ事件が、大きく影響していたことは明白である。

百済再建と倭国

それについて『三国史記』百済本紀蓋鹵王二十一年九月条は、「高句麗王巨璉《きょれん》（長寿王）の率いる兵三万が王都漢城《かんじょう》を包囲し、蓋鹵王は城門を閉ざし、出て闘うことができなかった。高句麗軍は兵を分けて、四道から挟み撃ちにし、風に乗じて火を縦《はな》ち、城門を焚《もや》し焼いた」、と記している。同じく、『三国史記』高句麗本紀長寿王六十三年九月条も、「長寿王が兵三万を率いて百済に侵入し、王都の漢城を陥し、王の扶余慶《ふよけい》（蓋鹵王）を殺害して、男女の捕虜八千人を連れ帰った」と、高句麗の大勝利を記している。広開土王碑文に刻まれた広開土王の企図は、子の長寿王によりここに達成されたとも言えよう。

七支刀贈与以来、盟友国であった百済の一時的滅亡は、倭王武の政権には大きな衝撃であったことは間違いない。雄略天皇紀二十年（476）条は、それについて左のように伝えている。

　冬に、高麗《こま》の王《こきし》、大きに軍兵《いくさ》を発《おこ》して、伐《う》ちて百済を尽《ほろぼ》す。爰《ここ》に小許《すこしばかり》の遺衆《のこりのともがら》有りて、倉下《へすおと》に聚《いは》み居《を》り。兵粮《かて》既に尽《つ》きて、憂泣《いさ》つること茲《ここ》に深し。是に、高麗の諸《もろもろ》の将《いくさのきみ》、王《こにきし》に言《まう》して曰《まう》さく、「百済の心許《こころばへ》、非常《おもひのほかにあや》し。臣《やつこ》、見る毎《ごと》に、覚《おもほ》えず自《おの》づからに失《まど》ふ。恐るらくは更蔓《またうまは》生りなむか。請《こひねが》はくは逐《お》ひ除《はら》はむ」とまうす。王《こにきし》の曰はく、「可《よ》くもあらず。寡人《おのれ》聞く、百済国は日本国《やまとのくに》の官家《みやけ》として、由来《ありくること》遠久《ひさ》し。又其の王、入《まゐ》りて天皇に仕《つかへ》す。四隣《よも》の共に識《し》る所なり」といふ。遂に止む。〈百済記に云はく、蓋鹵王《かふろわう》の乙卯年の冬に、狛《こま》の大軍《いくさ》、来《きた》りて、大城《こにさし》を攻《せ》むること七日七夜。王城《こにきしのさし》降陥《やぶ》れて、遂に尉礼《ゐれ》を失ふ。国王《こきし》及び大后《こにおるく》・王子等《せしむら》、皆敵《あた》の手に没《し》ぬといふ。〉

なお、蓋鹵王の乙卯年は475年であり、『紀』の紀年と一年のずれがある。続いて、雄略天皇紀二十一年三月条には、百済の再建を記している。

天皇、百済、高麗の為に破れぬと聞きて、久麻那利《こむなり》を以て汶洲王《もんすわう》に賜ひて、其の国を救ひ興《おこ》す。時人、皆云《い》はく、「百済国、属《やから》既に亡《ほろ》びて、倉下《へすおと》に聚《いは》み憂《うれ》ふと雖も、実《まこと》に天皇の頼《みたまのふゆ》に、更《また》其の国を造《な》せり」といふ。〈汶洲王は、蓋鹵王《かふろわう》の母の弟《はらから》なり。…〉

「久麻那利」は熊津で今の忠清南道公州であり、「汶洲王」は蓋鹵王の子（右分註では蓋鹵王の母の弟）で、文周王とも見える。都を漢城（ソウル）から南の熊津に遷し、倭国の主導的援助で百済は復興し得たと記している。一方『三国史記』百済本紀では、「文周王が新羅の援軍一万人を率いて帰国した時には、すでに高句麗軍は退却していたが、蓋鹵王が死去していたので（諒闇《りょうあん》に拘わらず）直ぐに即位した」と記し、百済再建における倭国の援助はまったく記していない。この差異は、両史書の主体者に違いによると考えられる。

ところが、文周王（汶洲王）の治世は安定せず、『三国史記』百済本紀はその四年（478／これを三年の誤記とみる立場もある）九月、王が城を出て狩猟に出かけた際に、兵官佐平《へいかんさへい》（兵官は兵馬の事を掌り、佐平は百済官位十六品の第一位）の解仇《かいきゅう》に殺害されたとある。文周王のあとは子の三斤王《さんこん》（文斤王《もんこん》）が十三歳で王位を継承し、苦しめられていた解仇の反乱を鎮圧したが、その三年（479）十一月に亡くなったと伝える。

これに関わる雄略天皇紀二十三年（479）条には、次のようにある。

夏四月に、百済の文斤王《もんこんわう》、薨《みう》せぬ。天王《すめらみこと》、昆支王《こんきわう》の五《いつとり》の子の中に、第二末多王《またわう》の、幼年《わか》くして聡明《さと》きを以て、勅《みことのり》して内裏《おほうち》に喚《め》す。親《みづか》ら頭面《かうべ》を撫《な》でて、誡《いましむる》勅《みこと》慇懃《ねむごろ》にして、其の国に王《こきし》とならしむ。仍《よ》りて兵器《つはもの》を賜ひ、并《あは》せて筑紫国の軍士《いくさ》五百人《いほたり》を遣《つかは》して、国に衛《まも》り送らしむ。是を東城王《とうせいわう》とす。
是歳、百済の調賦《みつきもの》、常《つね》の例《あと》より益《まさ》れり。筑紫の安致臣《あちのおみ》・馬飼臣等、船師《ふないくさ》を率《ひき》ゐて高麗を撃つ。

要するに、ヤマト王権に入質していた末多王が雄略天皇から武器を贈られ、五百人の軍勢に護られ再建間もない百済に帰国し、即位したのが東城王である。是歳条の「筑紫安致臣・馬飼臣等、船師を率ゐて高麗を撃つ」という記事は、短く孤立的だがそれだけに作偽性は乏しく、ほぼ事実を伝えてたものとみられる。この筑紫の安致臣・馬飼臣らが、末多王とともに渡海した筑紫国の軍士五百人の主力部隊であろうか。それとも、彼らの派遣は、即位直後の東城王がヤマト王権に援助を要請した結果であろうか。いずれとも解されるが、当時の百済国境付近には未だ高句麗兵が駐留しており、彼らと一戦を交えたことも考えられる。それが右にいう「高麗を撃つ」という記事の具体的内容であろう。

おそらく、『紀』編者の手元には、記事の典拠となる原史料が存在したのであろう。「筑紫安致臣・馬飼臣」の臣は姓ではなく、鉄剣銘文の乎獲居臣の場合と類同の使用である。船師（水軍）を率いていることから、朝鮮半島西岸の制海権を奪取していた高句麗の水軍との海戦を目的とするむきもあるが〈鈴木英夫〉、その地域の制海権が高句麗の掌中にあったか否か、記事からは判断できない。また、朝鮮半島に渡るには船を利用するしか手段がないことから、筑紫安致臣が水軍を主力としていたとは断定できない。

それよりも、細かな考証は前著に譲るが、馬飼臣とともに派遣された筑紫の安致臣が、馬匹《ばひつ》（馬飼）集団である倭淹知造《やまとのあむちのみやつこ》氏の同族であることに注目される〈平林章仁j／l〉。九州では高句麗との一戦に備えて一時的に軍国体制が敷かれており、筑紫安致臣と馬飼臣は河内馬飼《かわちのうまかい》や倭馬《やまとのうま》飼《かい》と同様、ヤマト王権により「筑紫馬飼」に編成されていた集団と考えられる。対戦相手が騎馬文化で知られた高句麗であるから、騎馬戦を想定して彼ら馬匹集団が派遣されたと解される。

筑紫安致臣と馬飼臣は、末多王の百済帰国、東城王として即位時の警護、再建直後の百済の高句麗軍侵攻からの防禦、などの任務を帯びて派遣されたと考えられる。倭王には宋から認められなかったが、これは倭王の百済への軍政権行使と解することもできよう。

ちなみに、韓国全羅《ぜんら》南道《なんどう》の栄山江《えいさんこう》流域を中心に、五世紀末から六世紀初頭の前方後円墳が14基も分布することが注目されている。その被葬者として、北部九州の豪族との関係、とくに右の筑紫国の軍士五百人、筑紫の安致臣・馬飼臣らに象徴される動きとの関連が指摘されている〈朴天秀／亀田修一〉。王都を漢城から熊津に南遷しての百済再建、さらに全羅南道地域への進出策などとも関わり興味深いが、その被葬者像について具体的に論じる段階にはない。

再建後の百済がなお不安定な状況にあり、倭国がその再建と安定化に尽力したという主張が記されている。倭国には、南下する高句麗と対峙する上で、百済の再建と安定化は必須の要件であったが、昇明元年・二年と宋への連年の遣使は、こうした混乱の最中《さなか》に行なわれたものであり〈廣瀬憲雄〉、慌てふためく倭国王権の様子が目に浮かぶ。ところが、倭王の中国南朝への遣使朝貢はこれが最後であり、開皇二十年の遣隋使派遣まで倭国と中国の正式国交は中断するが、そのことの原因解明も南朝外交の本質を考えるうえで重要な課題である。

上表文が語る地域統治の実態

倭王武が南朝・宋との交渉を断絶した理由を考察する前に、上表文から読み解くことが出来る地域統合について考えよう。その際の課題はまず、「昔自り祖禰、躬ら甲冑を擐き、山川を跋渉して寧所に遑あらず。東は毛人を征すること五十五国、西は衆夷を服すること六十六国、渡りて海北を平ぐること九十五国。」とあることとの、史実性の追究と実態の復原である。

要するに、東の毛人は東北地方の蝦夷、西の衆夷は熊襲をさし、先述した埼玉稲荷山古墳鉄剣銘文や熊本江田船山古墳大刀銘文の存在と相俟って、ヤマト王権の王たちが自ら武力で列島の統一を進めてきたことを指していると解されて来た〈鈴木靖民d〉。

一方、この部分は倭王が官爵を獲得するための修辞、文飾であり、事実ではないと捉える主張もある〈熊谷公男〉。上表文という性格から誇大な表現、虚偽の文飾も皆無ではなかろうが、第一部第二章で記したように、雄略天皇はヤマトタケルのことを強く意識していた。雄略朝におけるヤマトタケル伝承の内容を復原する術はないが、馬の使用が見えないことから馬匹文化が普及する以前に、熊襲・蝦夷征討に赴いた王族英雄物語として成立していたと推考される〈平林章仁ｏ〉。雄略天皇が、偉大な祖先として崇敬する王族の英雄物語で上表文冒頭を飾ることは、あり得ないことではない。当該部分は、当時のヤマト王権支配層の王権形成過程についての、歴史観が表明されていると理解される。

次に、毛人55国・衆夷66国を合わせれば121国となることに関わり、国造を指していると目される『隋書』倭国伝に推古朝には「軍尼《くに》一百二十あり、なお中国の牧宰《ぼくさい》（国守）のごとし。」とあることや、『先代旧事本紀』国造本紀に載る国造１３５と近い数であるのは偶然ではなく、国造制の施行が六世紀以降であっても五世紀後半にはそれに近い地域統治の実態が存在したことを示しているという理解がある〈井上光貞d／鈴木英夫／吉村武彦e〉。一定の史実が含まれていると解するこの立場では、埼玉稲荷山古墳と熊本江田船山古墳は東の毛人と西の衆夷に対峙する前線的地域に存在する、と位置づけて主張の傍証とする。

六世紀以降の支配の実態が五世紀後半にはすでに存在したとする理解であるが、疑問がないわけでもない。上表文には毛人・衆夷の１２１国の外に、祖先が平らげたという海北95国がある。これが朝鮮半島南部地域を指しているとみることに異論はないが、倭国による海北95国の統治実態をどのように理解するのかという問題がある。『後漢書』韓伝で馬韓は54国、『魏志』韓伝では55国、『晋書』馬韓伝は56国、弁韓と辰韓はそれぞれ12国であるから、倭国と関係の深い韓の諸国を合わせると78から80国となるが、海北95国に及ばないだけでなく国造が任命された地域でもない。海北地域に対する倭王の軍事的支配権の承認要請が、刀剣に刻まれた「治天下」観念の形成に関連することは推考できるが〈吉村武彦a〉、その内実は内・外両地域で違っていた。「渡平海北九十五国」などには誇張が含まれている可能性もあり、上表文の当該部分から後の国造制に繋がる地域統合の進展を復原することには躊躇される。

いま一つの問題は、五世紀の王統が武烈《ぶれつ》天皇で途絶え、５０７年に応神天皇五世孫の男大《おほ》迹《ど》王（『釈日本紀』所引「上宮記」一云は乎富等大公王）を越前《えちぜん》の三国《みくに》（福井県坂井市／『記』は近淡海国〈滋賀県〉）から迎えて、継体天皇として即位したとあることである。すなわち、武烈天皇以前と継体天皇以降のヤマト王権の構成と支配の実態には、かなりの段差が存在したとみなければならない。おそらく、五世紀のヤマト王権による国内支配は点と線で繋げたもので、一円的領域支配や広範な直接的人民支配は未だ達成されていなかったとみられる。

それは継体天皇系王統の政権が部・屯倉・国造制を施行して以降のことと考えられるが、これらを倭国が中国遣使を断絶して冊封体制から離脱したことにともない、中国的序列規制が倭国内で有効性を喪失した結果と解する主張もある〈河内春人a〉。しかし、中国遣使の断絶と新施策の施行には四半世紀を超える時間差が認められ、その間に王統の交替が存在する。これは、冊封体制からの離脱により中国皇帝の権威に依拠した秩序を喪失したことへの、単なる補塡のためだけに編みだされた施策ではなく、新たな政権による意図的な地方支配体制と捉えられるべきである〈平林章仁j〉。

中国南朝への遣使中断の理由

倭王武の遣使は478年が最後であり、南斉の建元元年（479）に鎮東大将軍（『南斉書』倭国伝）、梁の天監元年（502）には征東将軍（『梁書』武帝紀）に進めたとあるが、いずれも新王朝樹立にともなう儀礼的、形式的なもので、倭王の遣使はなかった〈坂元義種d〉。ここで中国との交渉を断絶した理由について史書は何も記さないが、雄略天皇の歴史的評価にも関わることから、推測を交えて可能性を示しておこう。その場合、高句麗と対抗するための朝鮮半島南部における軍政権の国際的承認という遣使の目的と照応し、矛盾しないことが求められるが、実際の歴史は理論通りに展開しないのも常である。

そこで、まずは主な先行説を内容別に紹介し、後に私見を述べよう。

朝鮮半島への軍事行動の負担が重くて倭国の国勢後退を招き、南朝遣使が困難となったと解する説がある〈鬼頭清明〉。『三国史記』新羅本紀で倭からの侵攻記事が六世紀に空白となるのも同じ理由によるもので、傍証になるという。海外での軍事行動に多くの費用を要したことは考えられるが、「使持節都督倭新羅任那加羅秦韓慕韓六国諸軍事」の官爵を除正された倭王済や武には、軍需物資の現地調達が可能であった。また、ヤマト王権の財政構造や実働部隊である豪族たちの出費状況も明瞭ではなく、海外での軍事行動で倭国が著しく国勢を後退させたことは証明されていない。

次も国内にその原因を求める立場であり、それは倭国の主体的意図による宋の冊封体制から離脱、中国への従属的立場から自立であり、独自な国政の形成をめざして断絶したのであると説く〈武田幸男a／坂元義種a／吉田孝b／上田正昭e／河内春人b〉。しかし、遣使を中断した雄略朝末期に新たな国政が創設された史料上の徴証は存在しない。

他方、479年に宋が滅んで南斉に、502年には南斉が滅んで梁に替わるように、南朝の政情が短期間に変化して東アジア世界での権威を喪失した。それで倭王武の遣使は所期の効果を得られず、また国内情勢や国家意識も変化して遣使の熱意が冷却したと、内外の複合的な要因を想定する考えもある〈西嶋定生a／江畑武〉。

あるいは、五世紀後半以降に新羅が高句麗から離反し百済に接近するなど、朝鮮半島情勢の変化を重視する立場もある〈鈴木英夫／廣瀬憲雄〉。『三国史記』新羅本紀には倭関係記事が54例あり、始祖赫居世《かくきょせい》王から炤知《しょうち》王二十二年（500）までに50例が集中する。その後、約一世紀半に亘る関連記事の空白期があり、原史料の残存状態の影響も想定されるが〈木村誠a〉、これは倭国と新羅の関係変化を示唆しており、高句麗が新羅から退いたことで両国の対立が緩和され、南朝遣使の必要性が減少したと考えることも出来よう。

さらには、中国北朝の北魏《ほくぎ》が勢力を拡大したことで、倭国の南朝遣使が困難になったという見方もある。倭国の南朝遣使は、朝鮮半島西海岸―中国山東半島―長江南部の経路で行なわれたが、南朝の影響下にあった山東半島地域を北魏が４６９年に完全に制圧し、４８０年代初頭には勢力圏が淮南《わいなん》（安徽《あんき》省）にまで達したことで、倭国は南朝遣使の経路を確保できなくなったという〈川本芳昭／田中史生ｃｂ〉。しかし、百済はその後も南朝へ遣使朝貢を継続しているから、全く不可能になったとは考えられない。

このように、倭国の南朝遣使への中断については、内外の様々な要因が考えられているものの、決定的状況にあるとは思われない。

まず推察可能なことは、雄略天皇自身に関わる原因である。雄略天皇紀二十三年（４７９）八月丙子条によれば、この日に病気が原因で死去したという。倭王武が宋に上表遣使した翌年であり、さらに先述した星川皇子事件の勃発が伝えられるから、しばらくの間は遣使が困難であったとみられる。ただし、雄略天皇記分註に天皇は「己巳」（４８９）に死去したとあること、雄略天皇紀の紀年に実際と若干のずれがみられることなどから、これは限定付きの想定である。

それでもなお、これまでの遣使状況から推し量るならば、あとを継承した子の清寧天皇とその政権に遣使の意思があったならば、南朝遣使は継続されたであろう。このことは、ヤマト王権自身が南朝遣使を断絶すると決定したことを思わせる。

次は、ヤマト王権内部の政治的な理由による断絶である。雄略天皇のあとを継承した子の清寧天皇について、『記』は「皇后無く、亦御子も無かりき」、『紀』でも子がなく、その五年正月己丑条に前触れもなく「宮に崩りましぬ。時に年若干。」と簡略に記される、異様な一代であった。この清寧天皇歿後の国内の情況について、やや煩雑であるが王位継承を中心に『記』・『紀』から素描してみよう。

清寧天皇の歿後にヤマト王権は王位断絶の危機に陥ったが、履中天皇と葛城葦田宿禰の娘黒媛との間に生まれた飯豊《いいどよ》皇女（市辺押磐《いちのへのおしは》皇子の妹／ただし顕宗天皇紀分註所引「譜第」には市辺押磐皇子の子）が即位せずに、葛城の忍海《おしぬみの》高木角刺《たかぎのつのさし》宮（葛城市忍海）で一時的にヤマト王権の政務を執行した。さらに、即位前の雄略天皇に殺害された市辺押磐皇子の子で、難を避けて隠棲していた億計《おけ》（嶋郎《しまのいらつこ》／意祁《おけ》）・弘計《おけ》（来目稚子《くめのわくご》／袁祁《おけ》）王兄弟が、山部連《やまべのむらじ》氏の先祖である伊予来目部小楯《いよのくめべのおだて》に播磨国赤石郡の縮見屯倉首《しじみのみやけのおびと》 忍海部造《おしぬみべのみやつこ》 細目《ほそめ》のもとで見出され、迎えられて二十三代顕宗・二十四代仁賢天皇として即位した、と伝えられる。

ちなみに、顕宗・仁賢天皇の母は、葛城葦田宿禰の子である蟻 臣《ありのおみ》の娘荑媛《はえひめ》である。つまり、顕宗・仁賢天皇の弟兄は、父方の祖母・母ともに葛城氏の女性であり、彼らは母系においては葛城氏系の天皇と位置づけられる。なお、顕宗天皇は、允恭天皇の曾孫の難波小野《なにわのおの》王を皇后としたが子はいなかったという。

一方、仁賢天皇は、雄略天皇の娘の春日大娘《かすがのおおいらつめ》 皇女（母は和珥臣深目《わにのおみふかめ》の娘の童女君《おみなぎみ》）を皇后として小泊瀬稚鷦鷯《おはつせのわかさざき》皇子や手白香《たしらか》皇女ら七名の子を、さらに和珥臣日爪《ひつめ》の娘の糠君娘《あらきみのいらつめ》は春日山田皇女を儲けたと伝えられる。いずれも、春日和珥氏系の后妃であるとことに留意される。

ここで注目されることは、顕宗・仁賢両天皇は二世王（天皇の孫王）ということであり、これ

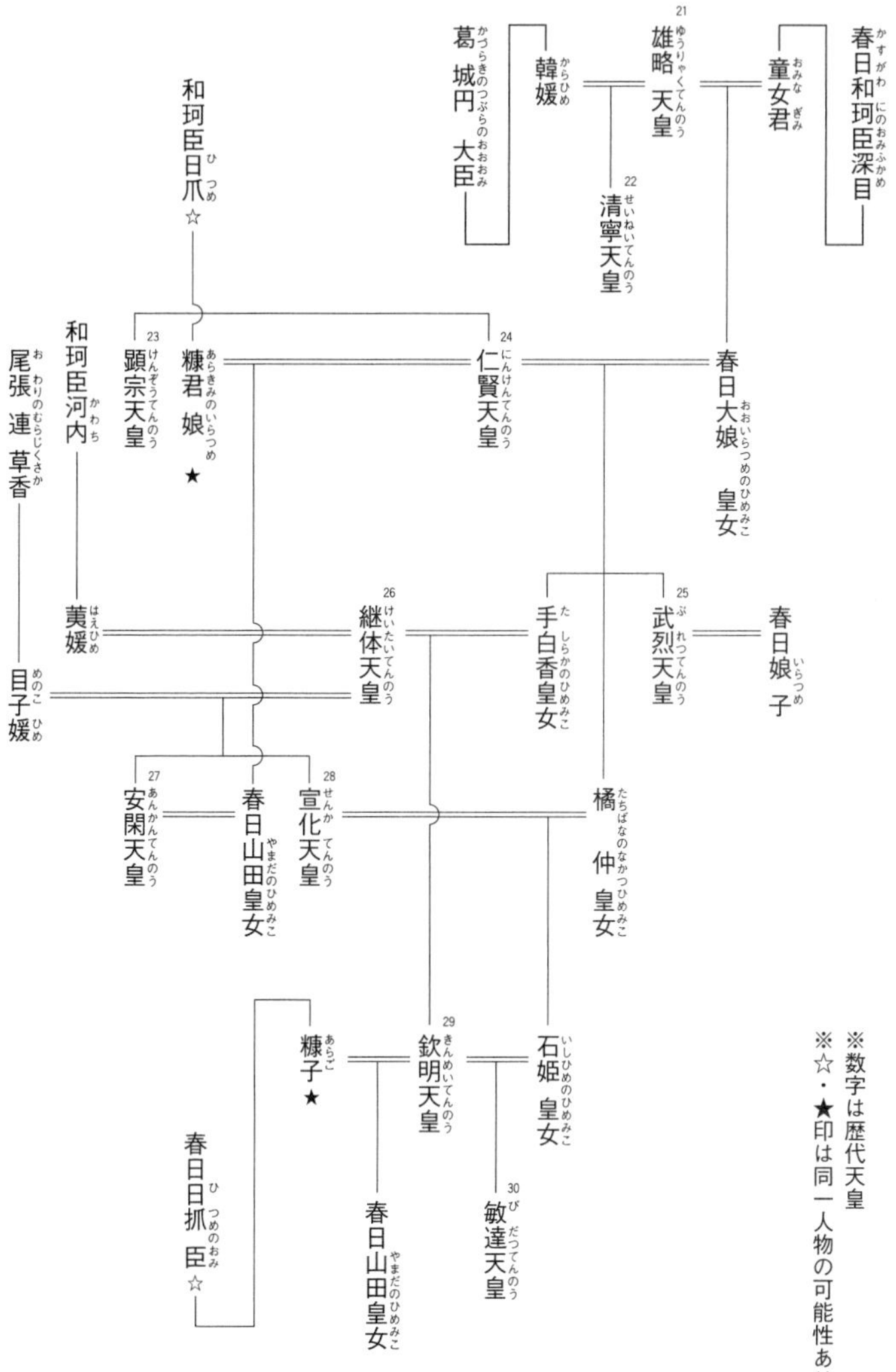

系図3 天皇と春日和珥氏の略系図

※数字は歴代天皇

※☆・★印は同一人物の可能性あり

以前の二世王の即位は十四代仲哀天皇（景行天皇の孫、ヤマトタケルの子）のみであって、二代続けての二世王弟兄の即位は当時としては相当に異常な事態であったとみなくてはならない。

仁賢天皇の歿後は小泊瀬稚鷦鷯皇子が武烈天皇として即位するが、『紀』は天皇が悪逆暴政の限りを尽くし、皇后に立てた春日娘子《かすがのいらつめ》には子がなく、彼女の父の名も詳らかでないと記す。『記』でも、后妃の存在すら記さない簡略な記載で終わっている。実はここで遂に五世紀の王統が断絶したのであり、やむなく応神天皇の五世孫という男大迹《おおど》王を継体天皇として迎えたことで、ヤマト王権の崩壊は防がれたというが、実質的には傍系王族に王統が交替したのである。

ただし、その皇后には仁賢天皇の娘の手白香皇女を迎えることで、五世紀の王統の血脈が女系で継承された。次の安閑《あんかん》天皇も、同じ仁賢天皇の娘の春日山田皇女を皇后にしたと伝え、女系において前代の王統に繋がろうとする意識が窺われる。五世紀の王統は男系では断絶するが、女系では継承されているのであり、それは春日和珥氏系の女性たちにより担われていた。ここで王家の姻族も、葛城氏から春日和珥氏に交替している。

この間、実年にして二〇年余りだが、飯豊皇女の執政や顕宗・仁賢天皇即位などの記事が説話的で内容には疑問点もある。また王家の男子が実際に絶無だったとは考えられず、その所伝には王統交替にともなう特別な事情が推察されるが〈平林章仁ｊ〉、ヤマト王権と王家の内部が安定を欠いた状態にあったことは間違いない。こうしたことから、雄略天皇の死後にヤマト王権は混乱に陥り、南朝と交渉するゆとりが失われていたという説もある〈鈴木靖民ｄ〉。

以上は国内の情勢に原因を求める立場であるが、関連する百済・新羅との関係や、遣使先である中国・南朝側の事情も検討しなければならない。そうした立場からの研究は先に紹介したが、再建された百済は477年に文周王（在位3年）から三斤王（在位3年）から東城王に交替し、政情は未だ不安定なままであった。これは479年には三斤王に、479年には雄略天皇殁後の倭国の状況に似ているが、中国・南朝も479年に宋が南斉、502年には南斉が梁に替わるように、五世紀末頃は倭・百済・南朝ともに政情は安定を欠き、遣使への影響も想定できる。ただし、『三国史記』百済本紀によれば、そうした状況下においても百済・東城王は、南斉にたびたび遣使朝貢しており、その意思があれば南朝遣使は継続された。

倭国の中国・南朝への遣使朝貢の目的が、高句麗に対抗するために朝鮮半島南部での軍政権の国際的承認の獲得にあったならば、高句麗が南下して倭国勢力が後退するほどに冊封関係の継続、強化を求めて行くが、実際はそれとは反対の動きである。南朝との冊封関係が期待通りに実効力をもたらしたならば、国内政情に問題があったとしても、遣使が終わることはあり得ない。そうしたことから、その実効性が認められないことが支配層に理解されて、南朝遣使を断絶したと解する立場もある〈江畑武〉。妥当な考えであり、倭国が南朝遣使が断絶した主たる理由は、南朝や百済・新羅にあるのではなく、倭国側に存在したと捉えなければならない。

それは倭国の自主的な政治的判断とみられるが、その後の王統交替は王権秩序の機能不全を示唆する。それを決断した理由には、そこに至る王権内部の深刻な混乱に加えて、南朝遣使が朝鮮半島での活動に期待したほどの効果をもたらさなかったという認識の共有など、複合的な要因が考えられる。

要するに、倭国が南朝遣使を断絶した主な理由は、王権秩序の混乱と南朝遣使の実効性への懐疑の複合にあった。

ヤマト王権の政治組織は変革されたか　―府官制論と関わって―

こうして倭国は南朝遣使を断絶したが、遣使朝貢と関わり、残された課題が今一つある。それは、倭王が南朝・宋から除正されたことの、国内政治への影響の有無の検討である。

中国では皇帝から将軍に除正されると、将軍府（将軍の官庁）を開くことが認められていた。将軍府の幕僚《ばくりょう》を府官《ふかん》というが、その主要官職としては、長史《ちょうし》・司馬《しば》・参軍《さんぐん》があった。長史は大将軍府の府官であり、元嘉二十八年（451）に倭王済が安東大将軍に除正されるまで、倭王は長史を置くことはできなかった。しかし、元嘉十五年（438）に倭王珍が安東大将軍を自称しているから、非公認ながら長史を置いていた可能性はある。また倭王武の「開府儀同三司」の自称は、誇大な主張、要請であろうが多少の実態が存在したとも思われる。

それぞれの職務は、長史は府の政務の総務、司馬は府事を総理して軍事計画に参与、参軍は軍事に参与したと見られているが、必ずしも統属関係にあるわけではない。『宋書』倭国伝に、元嘉二年（425）に倭王讃が司馬《しば》曹達《そうたつ》を宋に派遣したと見えるが、曹達という名前からみて渡来系の人物であろう。倭王讃への将軍号除正のことは見えないが、司馬を称しているから、すでに府官の仕組みを導入していたと捉える説がある〈山尾幸久b／鈴木靖民c〉。また、府には参軍に管轄された曹という小官司が存在したが、江田船山古墳大刀銘文にみえる「典曹」を、府官の曹と関連させて解釈する立場もある〈河内春人a〉。

さらに、『宋書』倭国伝によれば、438年に倭王珍が倭隋ら十三人に平西・征虜・冠軍・輔国将軍号の除正を宋に求めて許されている。451年には倭王済が要請した二十三人にも、軍郡が除正されている。478年には倭王武が仮授した「その余」への除正を要請しているように、宋から将軍に冊封された倭王は、王族・臣僚に対して将軍号などを仮授し、宋の皇帝から除正されるよう推薦している。

これにより、王権を構成する倭王膝下の王族・豪族首長の臣僚化、支配秩序の形成が促され、倭王を中心とした君臣関係として表われる身分秩序が創出、拡充されて倭王権力の強化に連動したという理解もある〈鈴木靖民c／d〉。

右にしたがえば、南朝へ遣使朝貢して冊封体制に組み込まれ、倭王が除正されたことで、ヤマト王権の政治体制は随分と組織化が進んだことになるが、これに対しては異論もある。例えば、元嘉二年（425）に倭王讃が派遣した司馬曹達は渡来系の人物であり、府官には渡来系人物が就いた。府官制はあくまでも渡来系集団がもたらした統治技術を取り込もうとする倭王との君臣関係の形式であり、府官制を敷いたことでヤマト王権に官僚制が出現したかのように過大評価すべきではないという主張がある〈河内春人a〉。

また、臣下に除正された将軍号と倭王のそれとの格差が僅少であるから、臣下へ除正を要請したことで倭王の権力が強化されたとは言えず、外交では府官制が、内政では人制が機能しており、外交の内政組織化への影響は大きくはなかったと解する説もある〈廣瀬憲雄〉。

外交の軽重を考える

関連史料が僅少で府官制についての評価判断は容易でないが、『記』・『紀』の中に何らかの手がかりはないであろうか。『宋書』より二百年ほども後に成立した『記』・『紀』は、正確さにおいて劣ることは確かであり、遺漏なくすべてを載録しているとも思われないが、百済からの七支刀贈与のような外交上の大事は載録されているから、古代の外交観を概観するうえで参照に値しよう。ただし、『記』には当該時期の渡来伝承は載録されているが、海外への派遣記事は見えない。そこで、『紀』の応神天皇紀から武烈天皇紀までの、朝鮮半島と中国に派遣された人物を一覧し、その分析から考察の手掛かりを探ることにする。なお、派遣のことは見えないが、関連記事に登場する人物も派遣されたと推定されるので、〈 〉で記した。また、⇓は派遣国を示し、（ ）は筆者が施した註記である。

①応神天皇紀三年是歳条：紀角宿禰《きのつののすくね》・羽田矢代《はたのやしろ》宿禰・（蘇我）石川宿禰・（平群《へぐり》）木菟《つく》宿禰⇓百済。（孝元天皇記の建内《たけしうち》宿禰後裔系譜に見える人物）
②応神天皇紀十四年是歳条：葛城襲津彦⇓加羅。
③応神天皇紀十六年八月条：平群木菟宿禰・的戸田《いくはとだ》宿禰⇓加羅・新羅国境。
④応神天皇紀三十七年二月戊午朔条：阿知使主《あちのおみ》・都加使主《つかのおみ》（倭漢直《やまとのあやのあたい》の祖と子）⇓呉《くれ》。
⑤仁徳天皇紀十七年九月条：的臣祖砥田《とだ》宿禰・小泊瀬造祖賢遺臣《おはつせのみやつこのおやさかのこりのおみ》⇓新羅。
⑥仁徳天皇紀四十一年三月条：紀角宿禰・〈葛城襲津彦〉⇓百済。
⑦雄略天皇紀七年是歳条：吉備上道臣田狭・弟君（田狭の子）・吉備海部直赤尾《あまのあたいあかお》・西漢《かわちのあやの》才伎歓因知利《てひとかんいんちり》⇓任那・新羅・百済。
⑧雄略天皇紀八年二月条：身狭村主青《むさのすぐりあお》・檜隈民使博徳《ひのくまのたみのつかいはかとこ》⇓呉国。〈膳臣斑鳩《かしわでのおみいかるが》・吉備臣小梨《おなし》・難波吉士赤目子《なにわのきしあかめこ》⇓任那・新羅〉

⑨雄略天皇紀九年三月条：紀小弓《きのおゆみ》宿禰・蘇我韓子《からこ》宿禰・大伴談連《おおとものかたりのむらじ》・（角臣《つののおみ》）小鹿火《おかひ》宿禰・紀岡前《おかざきの》　来目《くめ》連・（五月）紀大《お》磐《いわ》宿禰⇒新羅。
⑩雄略天皇紀十二年四月丙子朔条：身狭村主青・檜隈民使博徳⇒呉。
⑪雄略天皇紀二十三年是歳条：筑紫安致《あち》臣・馬飼臣⇒高麗。
⑫顕宗天皇紀三年二月丁巳朔条：阿閉臣事代《あへのおみことしろ》⇒任那。〈是歳条：紀生磐《おいわ》宿禰⇒高麗に交通して三韓の王になろうとして百済と戦う。後に帰国〉
⑬仁賢天皇紀六年九月己酉朔条：日《ひ》鷹《たか》吉士⇒高麗。

右を概観すれば、百済・新羅・加羅・任那などに派遣された人物には、ヤマト王権を構成した有力豪族を中心とし、配下の中小豪族や渡来系人物が随従していることが知られる。また、高句麗に対しては有力豪族は見えず、外交交渉というよりは戦闘を予想したような人選である。一方、中国南朝を指すと目される呉国に派遣されている阿知使主・都加使主、身狭村主青・檜隈民使博徳らは、第一部第六章で記したように渡来系の倭漢氏である。外交交渉の相手や目的の違いにより、それに応じた人選の行われていたことが知られる。

とくに中国南朝には、朝鮮半島とは明らかに異なる人たちが派遣されていることに注目される。阿知使主・都加使主、身狭村主青・檜隈民使博徳らの一族は、ヤマト王権が南朝・宋との交渉を見据えて招聘した中国外交に長けた集団であった可能性も考慮される。もちろん彼らは、南朝・宋に赴いて外交交渉を行なったわけで、その特性からみて楽浪郡や帯方郡に出自の本源が求められる、外交や書記に長じた人々であったとみられる。

要するに、ヤマト王権の南朝・宋との交渉は、天皇直属の顧問官、外交・書記を得手とする渡来系の倭漢氏らに担われていたとみられる。これは、王権を構成する有力豪族がこぞって派遣されている、朝鮮半島交渉とは明らかに異なる外交実態である。朝鮮半島交渉は、ヤマト王権成員全体の直接的権益に関わる問題であったことから、武力を率いた有力豪族らも派遣され、実力行使に及ぶことも少なくなかった。一方、そのことの国際的承認を求めた南朝・宋との外交は、天皇直属の渡来系外交顧問官が担っていたのであり、有力豪族らが直接それに従事することはなかったのである。雄略天皇紀二年十月是月条が「大《はなは》だ悪《あ》しくましまず天皇なり」という評価記事に続き、「唯愛寵《ただめぐ》みたまふ所は、史部《ふみひと》の身狭村主青・檜隈民使博徳等のみなり。」と記しているのは、まさにこのことを語っている。

ヤマト王権内における個々の施策の軽重を分析することは史料が限られるなか容易でないが、有力豪族らが直接的利害関係のある地に自ら赴いている姿が見えてくる。ところが有力豪族には、南朝・宋への遣使は謂わば二次的な外交であり、今日の研究者が思うほどには重みを感じていなかった可能性もある。天皇直属の渡来系顧問官に主導された外交は、政権内部の限られた人物の意思や方針に依拠したものであって、比較的容易に変更され得る軽さを内包していたのではないかと考えられる。

これらのことは、南朝遣使にともなう府官制導入により、ヤマト王権の政治体制の組織化が進展したとする積極的な評価についても、見直しが必要なことを示している。

第四部

雄略朝王権専制化画期説の検討

雄略朝王権専制化画期説の主張

雄略朝をヤマト王権が専制化した画期と位置づける説は、宋への遣使朝貢による国内政治体制への影響論とは別に、国内の史料に基づいて提示されたのが最初である。

それは岸俊男氏の「画期としての雄略朝―稲荷山鉄剣銘付考―」という論文であり、副題からも明らかなように稲荷山古墳鉄剣銘文の解読が執筆の契機であった。それは1984年に発表され〈岸俊男教授退官記念会〉、1988年に論文集に再録された〈岸俊男c〉。この論文は稲荷山古墳鉄剣銘文の解釈が多方面から提示されたことと相俟って、古代史の研究者に大きな影響を与えるとともに、多くの支持を得た。のち、若干の異論も提出されたが、今日なお定説に近い位置を占めていることからも、その研究史上の重い位置が知られよう。

ここでは、この雄略朝画期説と、それを承けて唱えられている雄略朝王権専制化画期説について検討を進め、雄略天皇とその時代を古代史上に位置づけることを目指すが、まずは岸氏説の要旨を紹介しよう。私見によれば、それは以下の五つの点に要約される。

(I)『万葉集』巻一の巻頭歌が雄略天皇御製歌であるが、巻一・巻二の選定は元明朝以前である。天平十年代に選定された巻九の巻頭歌も雄略天皇御製歌であり、雄略天皇御製歌で巻頭を飾る意識が天平の中頃にも強く存在した。『万葉集』成立過程を通じて雄略天皇が強く意識され、古代の代表的な天皇として意識されていたことを示している。

(Ⅱ)『日本霊異記』上巻の巻頭話が、雄略朝の小子部栖軽の物語であることは、平安時代初期にも『万葉集』の場合と同じ意識が、人々の間に存在したことを示している。

(Ⅲ)「瑞江浦嶋子《みづのえのうらしまのこ》」(水江浦嶼子)の説話が、雄略天皇紀二十二年七月条と『丹後国風土記』逸文(『釈日本紀』所引)で、雄略朝のことと記されているのも同様である。

(Ⅳ)雄略天皇紀九年七月壬辰条の田《た》辺史《なべのふひと》伯孫《はくそん》の説話、『新撰姓氏録』左京皇別下の上毛野朝臣条の所伝、雄略天皇紀十五年条の秦造酒の記事と『新撰姓氏録』左京諸蕃上の太秦公宿禰条など、雄略朝に時代を設定する伝承が多く存在する。『記』・『紀』の一言主神顕現の説話や『続日本紀』天平宝字八年(764)十一月庚子条の雄略天皇の葛城山での狩猟なども、人々が雄略朝に関心が深かった証左である。

(Ⅴ)『続日本紀』養老元年(717)三月癸卯条の左大臣石上《いそのかみ》朝臣麻呂の薨伝に、雄略朝の物部目大連《めのおおむらじ》の後とあり、同書で雄略朝に言及するのはこの一例のみである。隔絶して雄略朝から始まるという歴史意識の存在を示している。また『日本書紀』各巻の特徴として、大臣・大連の任命記事が雄略天皇紀から崇峻天皇紀まで類同化した表記であり、一区分として類別化されている。加えて『日本書紀』各巻の文章上の特徴から類別化する研究においても、雄略天皇紀とそれ以前に顕著な差の存在が指摘されているが、その編纂において雄略朝が一つの画期になっている。

(Ⅵ)『日本書紀』の紀年が、神武天皇紀から安康天皇紀までは、唐の李《り》淳風《じゅんぷう》が造り麟徳《りんとく》二年(天智四/665)から施行された儀《ぎ》鳳暦《ほうれき》で推算され、雄略天皇紀から持統天皇紀までの暦日は、宋の何承天《かしょうてん》が造り元嘉《げんか》二十二年（４４５）から施行された元嘉暦を用いている。これはその編纂区分論の成果と一致、雄略朝が画期と意識された推論とも整合し、傍証となる。これは単なる偶然ではなく、十分な背景が実際に存在したから、雄略朝が画期的な時代と意識されていたと捉えるのが妥当である。

博引旁証《はくいんぼうしょう》を尽くし堅固に組みたてられた岸氏説が多くに支持されるのも頷けるが、岸氏自身は雄略朝が王権専制化の画期であるとは述べていない。「しからば雄略朝がいかなる点で実際に歴史的に画期的な時代であったか」の解明が次の課題であるとして、その結論を控えられていることは留意される。

雄略朝王権専制化画期説の検討

岸氏説は古代史の研究者に大きな影響を与え、後に専制化画期説が展開されるが、岸氏の指摘の中には雄略朝を画期とする歴史観と関係がないと思われるものも混在している。例えば、(II)の『日本霊異記』の小子部栖軽物語の元話である雄略天皇紀六年三月丁亥条〜七年七月丙子条の少子部連蜾蠃関連伝承、(IV)の雄略天皇紀十五年条の秦酒公・『新撰姓氏録』左京諸蕃上の太秦公宿禰条・一言主神顕現伝承などは第一部第三・四章、同じく『続日本紀』天平宝字八年十一月庚子条は同第五章、(V)の物部目大連も第一部第六章でやや詳しく取り上げた。これらはいずれも雄略朝の出来事が説話化した所伝であり、ことさらに雄略朝画期説の論拠とはできない。多様な所伝が掲載されていて内容が豊かであるという点で、雄略天皇紀は五世紀代の各天皇紀より抜き出ているけれども、そのことが歴史観や画期説に直結するわけではない。例えば、『日本霊異記』が小子部栖軽物語を上巻の巻頭に配置したのは、上巻第二、三、四縁と同じく異能の力を主題とする物語に対する景戒の関心によると考えられる。それを雄略、欽明、敏達、推古朝の順に載録しただけであり、ことさらに雄略朝を歴史的画期と位置づける意識の結果ではない。(Ⅲ)の「瑞江浦嶋子」説話は神仙譚であるが〈大久間喜一郎・乾克己〉、それが雄略朝のことと伝えられるのは、第一部第三章で述べたように雄略朝を神仙的世界に描こうとしている『紀』の編纂態度と無関係とは考えられず、政治的画期の傍証にはできない。

このように岸氏の雄略朝画期説もある程度割り引いて捉えなければならないが、それにも況《ま》して軽視できないのは、右の岸氏説を承けて、雄略朝はヤマト王権の政治体制が大きく変革されて、天皇権力が専制化した画期であるという主張が、少なからず唱えられていることである。そこで主な先行説を、以下に列記しよう。

井上光貞氏は、右を踏まえて倭王興までの倭国の王権は葛城氏との連合政権だが、倭王武以後の王権は軍事的専制王権として自己を確立したと評価するが〈井上光貞ｄ〉、新たな論拠の提示はない。

南朝遣使を重視する鈴木靖民氏は、宋の冊封体制にはいることで、倭王は内外の軍事指揮権と外交権の二大権能を独占し実体化した。雄略朝には、府官制秩序を中枢にすえて、国家の諸要素である官位・官職成立の前提となる多元的位階構造が豪族層に漸次進行し、倭王権力それ自体が専制化に向かう重要な画期であったと主張する〈鈴木靖民ａ／ｄ〉。

南朝遣使、府官制導入により国内の政治体制が組織化されたという理解に見直しが必要なことは先述したが、説かれるように司馬曹達が府官であったならばその導入は倭王讃・元嘉二年〈425〉以来のことであるから、ことさらに雄略朝を特別視する理由とはならない。

一方、鎌田元一氏は、内政の視点から雄略朝は後に部制として展開するトモ制の整備、伴造を王権の直接的基盤と組織した宮廷機構が整備され、王権専制化が進展した画期であると説く〈鎌田元一b〉。五世紀代のトモ制が六世紀以降の部制に平滑に移行したと解する立場からの主張であるが、部制では王権の権限がトモ配下の人民にまで及ぶようになった点において、前代の体制からの質的な変転が認められる〈鈴木靖民c／吉村武彦c／溝口優樹／堀川徹b〉。部制はトモ制の単純な拡大とは考えられないことから、トモ制の整備を専制化画期説の論拠とはできない。

私見によれば最も詳細に雄略朝王権専制化画期説を唱えたのが、山尾幸久氏である〈山尾幸久b〉。山尾氏はまず、王権専制化画期説の論拠として次の雄略朝の事象六点を掲げる。

①王権を構成する巨大氏族〈和邇・葛城・吉備上道〉の族長の地位に大きな変化が起こり、近畿と周辺の新興、中小部族の族長が権力中枢へ直接参加するようになった。
②ヤマト王権で女性最高司祭者が廃止され、最高守護神の祭場は三輪山の麓から伊勢渡会《わたらい》に移されて、王権の聖俗二元構造を統合した王が出現した。
③大伴・膳・佐伯・紀・平群・巨勢などの、原初的な臣僚集団が形成された。
④伴造氏族の奉仕本縁で、雄略朝を始原と伝えるものが多く、宮廷組織の整備が窺われる。
⑤大王直属の警察・行刑《ぎょうけい》の専業集団である、物部集団が設置された。

以上を総括して、雄略天皇こそは最初の宮廷君主というべき存在であり、四世紀後半以来のヤマト王権の完成期であるとともに、六世紀半ばの欽明朝以後の君主体制への移行期の始まりであると主張する。

さらに、画期をもたらした歴史的要因として、左の三点を示す。

A五世紀の渡来系手工業集団が組織化されて王権独自の権力基盤となり、宮廷組織の改革を先導した。

Bその端緒は高句麗広開土王の時代にあったが、五世紀において活発化した対外活動、とくに南朝遣使は王権の対外的通交や軍事的統率の権能を著しく強めた。

C百済の一時的滅亡と復興への支援など、五世紀後半の特殊な状況は王権整備の原動力になった。

しかしながら、右の各主張については、疑問点も少なくない。①では葛城氏と吉備上道氏は雄略天皇に敗れて弱体化するわけだから、王家の姻族として重みを増す和珥（春日和珥）氏と同様に扱うのは適切ではない。

②は稚足姫《わかたらしひめ》皇女の伊勢斎宮《さいぐう》を論拠とするが、天照大神の伊勢遷座は大きな課題であるからここでの論及は控えるが、雄略天皇より以前のヤマト王権が女性最高司祭者と世俗王による聖俗二元構造だったことは未証明であり、論拠にはできない。

③で原初的な臣僚集団とされる平群氏や蘇我氏は、すでに雄略朝よりも以前から史上に登場

するが、これをどう評価するか述べていない。私見では、平群氏や蘇我氏は五世紀の葛城氏政権の構成員であるから〈平林章仁g〉、その臣僚化はすでに仁徳朝には達成されていたと考えられる。

また⑤の、物部が王権の刑罰執行に従事したことは事実であるが、それを統率した物部連氏も含め警察・行刑の専業集団とみなすことについては疑問がある〈平林章仁m〉。
①・④とA・Bは相互に関連する部分もあるが、朝鮮半島系集団の大規模な渡来は四世紀末・五世紀初頭以来のことであり、南朝遣使も五世紀を通じてのことであったから、雄略朝だけに結びつく事柄ではない。
このように、詳細に分析すれば、雄略朝王権専制化画期説に関する論拠の多くが、必ずしも有効ではないことが理解される。

これらとは別に、考古学の立場からも雄略朝王権専制化画期説が唱えられている。白石太一郎氏は、各地に巨大な前方後円墳が造営された時代は、畿内の大和や河内の大首長を中心に各地の首長達が政治連合を形成した首長連合の時代と捉えられるが、五世紀後半を境に畿内の前方後円墳と各地のそれとの間の規模の格差が拡大し、もはや首長連合の時代と言えなくなる。古墳時代の政治史における最大の画期がこの時代に求められるが、これが雄略天皇の時代に相当することは疑いないと主張する〈白石太一郎c／d／e〉。

雄略天皇陵に関する問題点は後述するが、地方古墳の規模が縮小するだけでなく、天皇陵と目される古墳の規模も、一時期遅れて縮小することでは、辿る道は同じである。古墳の規模縮小について、政治権力の大小・強弱のみに相関させた理解の妥当性については、墓という宗教性を軽視している点において疑問もある。五世紀後半から六世紀前半にかけて古墳規模が縮小することは全国的な大勢であり、地方古墳の規模縮小を雄略朝王権専制化画期説の論拠となし得るか、理論的な整備と更なる分析が必要と考えられる。

雄略朝王権専制化画期説に対する異論

岸氏の雄略朝画期説を承けて、様々に雄略朝王権専制化画期説が唱えられてきたが、異論がないわけではない。次に、主な批判を列記しよう。

まず、山田英雄氏は、『記』歌謡には夷振《ひなぶり》などの歌曲名が多く記され、雄略天皇記の「志《し》都《づ》歌《うた》」が最後の歌曲名であるから、『記』歌謡の世界では雄略朝は一つの区切りである。この点は『万葉集』巻一が冒頭に雄略天皇の歌をあげた理由にはなるが、雄略天皇の歌の位置を余り強調することは妥当ではない、と述べている〈山田英雄〉。

刀剣銘文に見える大王が正式の国王号ではなく、雄略朝専制化画期説の論拠にできないことは先述したが、吉村武彦氏はそのことに加えて次のように批判を展開する。

大化の改新以前の王位継承は、前王の歿後に群臣により新王が推挙され、新王により新たに群臣が任命された。こうした一代限りの王と群臣が人格的かつ身分的に結合している段階の君臣関係では、新王の即位は直接的な人格的結合の更新であるから、即位後に新しい王権が構築される仕組みになっていた。譲位の制度がなく終身位の王制下では、王位は継承されるが、新しい権力構造はそのままでは継承されずに再構成される仕組みであった。倭国において「王と王たらしめている構造・制度」は、次代に王位が継承されるだけであり、新王権は改めて構成された。雄略朝は六世紀の専制王権化の歴史的前段階として評価するのが正しい、と説いている〈吉村武彦d〉。

王位継承時にこうした方法が採られていたのは、古代の天皇が政治上の王者であるだけでなく天神地祇を祭る祭祀王でもあり、世俗と非世俗を含む全秩序を体現する存在と観念されていたからである〈平林章仁h／i〉。新天皇の即位は国の全秩序の更新と観念されたために、新天皇の即位毎に改めて群臣に職位が任命されて王権が再構成されたのである。このことは、古墳における首長権継承儀礼説にも否定的に影響するが、なお後述しよう。

さらに吉村氏は、元嘉暦の使用や「人制」という社会的職能機構の進展は事実だが、伴造制、部民制、国造制などは未成立であり、そのように評価できる社会的な変革はみられず、王権の画期とすることは無理であると述べる〈吉村武彦e〉。

鬼頭清明氏も、総括的な視点から次のように批判している。

雄略朝を王権が一大転換期に直面した時期としては認めるが、何らかの制度の出発点とは考えられない。雄略朝を画期とする見方が八世紀に存在したことは認めるが、雄略朝そのものが王権の画期として、ある時代の出発点であるかどうかは別の問題である。雄略天皇は南朝に遣使した最後の倭王であり、その後の清寧・顕宗・仁賢・武烈各天皇の治世は短く、王位継承において武烈天皇と継体天皇の間に断絶があるなど、雄略朝はある時代の終末に相当しても、新しい時代の出発点を想起することはできないと説く〈鬼頭清明〉。

もっともな見解と思われるが、「雄略朝を画期とする考え方が八世紀に存在したこと」についても、先述したように再検証では必ずしも確かなことではなかった。

このように、雄略朝画期説・王権専制化画期説には疑問点が多く、左袒することに躊躇される。残された検討対象は雄略天皇陵の問題であるが、その前に前方後円墳では王や豪族首長の霊あるいは首長権を継承する儀礼が営まれたとする主張について触れておこう。
この説は、前方後円墳の築造目的や鉄剣銘文の八代の系譜の理解とも関わるだけでなく、天皇の即位儀礼も前方後円墳で執り行なわれたという主張にもつながるから、ことは重大である。

前方後円墳での首長霊・首長権継承儀礼説の検討

三世紀半ば過ぎから定型化と大規模化を歩んだ前方後円墳は、わが国の古代国家形成過程を考える指標と目されてきたけれども、特異な墳形や大規模化についての宗教思想的意味、歴史的背景などは、必ずしも明解になっているとは思われない。そうしたなか、古墳への埋葬とともに首長霊あるいは首長権を継承する儀礼が営まれたという説明が考古学の立場から提示された。それまでは古墳での喪葬儀礼が分明でなかったこともあり、この考えは広く支持を得ているようであるが、鉄剣銘文の八代の系譜の解釈や王権専制化画期説とも関わることから、ここで検討しておこう。

古墳に樹立された人物埴輪を素材に、水野正好氏は古墳における首長霊継承儀礼説を主張した。水野氏は、人物埴輪の世界は政治的宗教的構造を反映したもので、亡くなった天皇から天皇霊を継承し、新天皇として復活即位する儀式を表現している。葬られた族長の霊を、新たな族長が古墳上で引き継ぐ祭式が埴輪祭式である。人物埴輪が使用されない四世紀代には、人物が参加するかたちでこの祭式がなされていた可能性が強いと述べる〈水野正好〉。最も詳細な論を展開したのは、次の近藤義郎氏らである。

前方後円墳を代表とする古墳が示すものは、一定の型式をそなえた首長霊を祀る祭祀行為である。それは、首長を霊威をもつ存在として鎮め祀ることが集団にとり必要と感じられたからであり、集団がそれを体現する次代の後継者あるいはその候補者が引き継ぐための祭式であった。亡き首長を祖霊に加え、祖霊の霊威がふたたび集団に回帰することを願う、祖霊祭祀の場であった。集団には祖霊こそが、その霊威を継承した亡き首長の霊こそが何よりも大切なものであり、祖霊祭祀は神祇祭祀にも通じると観念された。古墳祭祀は、祖霊の霊威継承の儀式を借りた首長の権威発揚の場として、重大な政治的闘いの場であったと主張する〈近藤義郎／春成秀爾〉。

水野氏や近藤氏らの説では、首長霊の継承・首長霊の祭祀が主張の前提として存在するが、わが国古代には実在した「人」を神として祭祀した痕跡は認められない。また首長霊を含め人間霊に対する祭儀は、奈良時代後半の怨霊信仰・御霊祭祀以降のことである。さらに、個人の霊魂は存在すると信じられていたようだが、首長霊という没個性的で次代に継承される霊魂の存在が観念されていた徴証は存在しないことから、これらの説には従えない。これらの説に従えば、新しい首長、王者は前方後円墳の墳頂でその位を継承したことになるが、墓上での即位儀礼など、もはや論外のことであろう〈岡田精司a〉。

それでもなお、右を承けて田中琢氏は次のように述べている。

亡き首長の霊威・霊力、さらに代々の祖霊から霊威と霊力を継承する祭祀が前方後円墳で挙行されていた。その前方部は霊威と霊力の継承のための重要な斎場であり、本来そこは埋葬してはいけない場所であった。各種の埴輪は、霊威と霊力の継承祭祀に使用する装置や祭具を模したものであったと主張する〈田中琢〉。

さらに、鬼頭清明氏は政治史の観点からその説を評価して、次のように記している。

前方後円墳には、葬送儀礼と首長権継承儀礼の共通した場が設定された。首長権継承の場である前方後円墳が近畿地方に発生したことは、その地域の政治的支配権の継承にヤマト王権が関与し、公認したことを意味している。前方後円墳に埋葬された地域の首長は、いわば擬制的に王家と同族の扱いをうけたことになったと説く〈鬼頭清明〉。

右の田中氏らの、前方後円墳前方部における首長霊継承儀礼説については、物証の裏づけを欠いた想像論で事実誤認を抱えているとする批判に〈下垣仁志〉、加えるものはない。

また、鬼頭氏説では、葬送儀礼と首長権継承儀礼がなぜ、どのように結びつくのか明確ではなく、かつ地域の首長権継承儀礼の実態も分明ではないという問題点が横たわっている。古代日本において埋葬儀礼の場が首長権継承儀礼の場でもあった事例を知らないが、埼玉稲荷山古墳もそうであったように、前方後円墳の墳頂に複数の埋葬施設が営まれている場合が少なくないが、それをどのように説明するのだろうか、疑問を禁じ得ない。

ちなみに、先王の死と喪葬は新王の即位に連結することから、中国でも後漢以降は先帝の「柩《きゅう》前《ぜん》即位」が行われた〈金子修一〉。ただし、これは帝位継承の安定化を図るため、『尚書』（五経の一つ、『書経』とも）顧命《こめい》篇に範をとったものであり〈新田元規〉、先帝の霊を継承しようというものではない。

前方後円墳における首長霊継承儀礼説の主張には、そもそも前提となる古代の霊魂観についての考察が欠けていることが問題であり、その視点から今少し具体的に記しておこう。

まず顕宗天皇記が、雄略天皇に市辺之忍歯王を殺害されたことの報復として、子である仁賢・顕宗天皇が雄略天皇陵を破壊することに関わり、次のように記していることが参考になる。

天皇、深く其の父王を殺したまひし大長谷天皇《おほはつせ》を怨みたまひて、其の霊《みたま》に報《むく》いむと欲《おも》ほしき。故、其の大長谷天皇の御陵を毀《こぼ》たむと欲ほして、……

事実関係は確認できないが、雄略天皇（大長谷天皇）の霊魂は埋葬後も屍に留まると信じられたから、その破壊が報復になり得るという記載が残されたのである。ここから、雄略天皇の霊魂は、埋葬される際に子の清寧天皇に継承されたのではなく、墓中の屍に留まっていると観念されていたことが知られる。

周知の伊奘諾尊《いざなぎのみこと》が亡くなった妻の伊奘冉尊《いざなみのみこと》を尋ねる黄泉国《よみのくに》訪問物語も、これと同類であり、屍に死者（女神）の霊魂が留まると観念されていたから、こうした神話が成り立つのである。その死者の霊魂は、生き残った誰かに継承されていくものではない。

このことは、令制前の王位継承と君臣関係からも支持される。先にも触れたことだが、君臣関係は一代限りのものであり、代替わりにともなう再任の場合も、改めてその任命、職位の確認が行なわれていた〈吉村武彦b〉。こうした方法が採られていた歴史的な理由は、天皇がヤマト王権の世俗・非世俗を含めた全秩序を体現する存在と観念されていたことにある〈平林章仁h／i〉。天皇の死と代替わりにより、国の政治や宗教など全ての秩序が更新されると観念されていたのである。天皇が体現する秩序は一代限りであったから、代替わりにともない更新されると信じられていたのであるが、もし新天皇や新首長が前代の霊を継承することで成り立つと観念されていたならば、代替わりにともなう再任の場合には改めて職位任命を行なう必要はなかった。新天皇の即位はヤマト王権における全秩序の更新でもあったが、そのことは首長を戴く地域社会と豪族においても大きく違わなかったであろう。天皇位や首長位の継承儀礼は、三種の神器《じんぎ》のような位を象徴する聖器を継受する儀式として催されるのが一般であり、地位継承儀礼が墓地で埋葬時に営まれることは考えられない。

また、左のように、王家の女性を主体として埋葬した古墳の築造伝承も少なくない。

- 倭《やまと》迹迹《とと》日《ひ》百襲《ももそ》姫命《ひめのみこと》：崇神天皇紀十年条「箸墓《はしはか》」。
- 垂仁天皇皇后の日《ひ》葉《ば》酢《す》媛命《ひめのみこと》：垂仁天皇紀三十二年七月己卯条、垂仁天皇記「狭《さ》木《き》之《の》寺間《てらま》陵」。
- 神功皇后：神功皇后紀摂政六十九年十月条「狭《さ》城盾列《きのたたなみ》陵」、仲哀天皇記「狭城楯列陵」。
- 仁徳天皇皇后の磐之《いわの》媛命《ひめのみこと》：仁徳天皇紀三十七年十一月乙酉条「乃《な》羅《ら》山《やま》」。
- 飯豊青尊《いいどよのあおのみこと》：顕宗天皇即位前期「葛城埴口丘《はにくちのおか》陵」。

前方後円墳被葬者の性別確定は容易ではないが、これらの所伝は女性を中心的被葬者とした前方後円墳が少なからず築造されていたことを示唆している。首長霊・首長権継承儀礼説では、このことをどのように説明し、かつ歴史的に評価するのだろうか。

また、問題の大型前方後円墳の築造には相当な時間が必要であったろうが、それが生前の築造（寿陵・寿墓、仁徳天皇紀六十年十月条）か、それとも死後の築造かによって条件が異なってくる。後者ならば、首長権が継承されるまでにかなりの時間が必要となる。また、横穴式石室が採用されて以降は、その儀礼はどうなったのであろうか、これらの疑問もわいてくる。

このような古代社会の実際から乖離した説が唱えられるのは、古墳に関する基本的な疑問が未解明であることも影響していると思われる。

それについて、これまでは古墳は政治的記念物であり「墳形と規模の二重の原理によって被葬者の系譜と序列を表示する身分制のシステム」であるとする前方後円墳体制論や〈都出比呂志a／b〉、擬制的血縁関係にもとづく特異な首長連合を表象していると解するなどの〈白石太一郎a〉、古墳の政治的性格を重視した説明が行なわれて来た。

しかし、古墳が政治的記念物であるという仮説は、いまだ証明されていない。そもそも古墳は、宗教的営為を表象する墓であり、墳形や規模拡大を含め築造の目的については、当時の霊魂観や他界観など宗教的視点からの考察も必要と考えられる。その墳形や規模が政治的関係を表わしていると解するならば、宗教的造営物である墓が政治性を表象する構築物に変質したことについて、論理的な説明が必要であろう。例えば、古墳の規模拡大の理由について、政治権力や経済力の大きさに比例、それを誇示していると主張するならば、なぜ死亡後に被葬者の政治権力や経済力を誇示する必要が存在したのか、反対に規模縮小は政治権力や経済力の減退を示しているのかなどについて、諸人の納得できる説明が求められている。

筆者も前方後円墳がヤマト王権との関係を示す象徴的構築物であり、その築造が擬制的血縁関係を示していると考えることに異論はないが、そこに政治性のみを読み取ることには違和感を覚える。前方後円墳の築造からは、他界観念と喪葬儀礼の共有化による擬制的王権共同体の形成を解析することは可能であると考えるが、この点においてはそこから政治性の表出を読み取ることはできるものの、あくまでもその思想的基底は前方後円墳に表象される宗教的性格に存在したと解するべきだと考えられる。その宗教性とは、ヤマト王権が本源的に宗教的論理に基づいて構成された擬制的王権共同体であったことの基盤であり、王権共同体の基底に存在した神話と歴史、および他界観念と喪葬儀礼などの共有化にあった〈平林章仁h〉。

雄略天皇陵をめぐる問題

さて、前方後円墳問題に寄り道したのは、偏《ひとえ》に雄略天皇陵について考えるためであった。その雄略天皇陵について、雄略天皇記は、

　天皇の御年、壹佰貳拾肆歳。〈己巳年八月九日に崩りましぬ。〉御陵は河内の多治比《たぢひ》の高《たか》鸇《わし》に在り。

と記し、清寧天皇紀元年十月辛丑条も、

　大泊瀬天皇を丹比高鷲原陵《たじひのたかわしはらのみささぎ》に葬《はぶ》りまつる。時に、隼人、昼夜陵の側《ほとり》に哀号《おら》ぶ。食を与《たま》へども喫《くら》はず。七日にして死ぬ。有司《つかさ》、墓を陵の北に造りて、礼《ことわり》を以て葬す。是年、太歳庚申。

と伝える。雄略天皇が124歳まで生きたという『記』の所伝は信じ難いが、分註の「己巳年」は489年に、『紀』が葬送年と記す「庚申」は480年にあたる。死去はその前年だから、『紀』・

『紀』で歿年に10年の差があり、いずれとも決しがたい。『延喜諸陵式』には、雄略天皇陵は河内国丹比郡に在り、兆域《ちょういき》は東西・南北各三町で、陵を管理する陵戸《りょうこ》は四烟と記している。

雄略天皇の歿年確定は困難だが、480〜489年頃に河内国丹比郡「タカワシ」(高鸇／高鷲原)に葬られたことは、ほぼ間違いない。問題は、雄略天皇陵を河内国丹比郡「タカワシ」のいずれの古墳に比定するかということである。

初代の神武天皇や信憑性の定まらない闕史《けっし》八代の諸陵は措くも、十代崇神《すじん》天皇から571年に歿した二十九代欽明《きんめい》天皇までの陵が前方後円墳であったとみることに、異論はない。そうした中で、唯一例外である可能性の存在するのが、この雄略天皇陵であるから事は重大である。ちなみに、三十代敏達《びたつ》天皇陵(河内磯長中尾陵《しながのなかお》／大阪府太子町の太子西山古墳、全長113m)も前方後円墳であるが、これは先に亡くなった母で欽明天皇の皇后石姫《いしひめ》墓への合葬《がっそう》であるから対象外である。それ以降は、方墳や八角形墳となり、天皇陵として前方後円墳が築かれることはない。

大規模な王墓・天皇陵の築造について、具体的に知られる史料は僅少である。定型化した前方後円墳の嚆矢《こうし》とされる三輪山西麓の箸墓古墳(全長約280m／桜井市箸中)は、崇神天皇紀十年条には七代孝霊《こうれい》天皇の皇女、倭迹迹日百襲姫命が葬られたとある。彼女が三輪山に宿り籠る大物主神《おおものぬし》の妻となったが、後に離別して亡くなり築かれたものという。

則ち箸《はし》に陰《ほと》をつ撞きて薨《かむさ》りましぬ。乃《すなは》ち大市に葬りまつる。故《かれ》、時人、其の墓を号《なづ》けて、箸墓と謂ふ。是の墓は、日は人作り、夜は神作る。故、大坂山の石を運びて造る。則ち山より墓に至るまでに、人民相踵《おほみたからあひつ》ぎて、手逓伝《たごし》にして運ぶ。時人歌《うたよみ》して曰はく、

大坂に　継ぎ登れる　石群《いしむら》を　手逓伝に越さば　越しかてむかも

それは多くの人員を動員して築造され、必要な石は大阪府柏原《かしわら》市芝山《しばやま》から奈良盆地を横断し、直線で約20km近くも手渡しで運ばれたという。

また、仁徳天皇紀六十七年十月条は、仁徳天皇陵の築造にまつわる次の出来事を伝えている。

甲申（五日）に、河内の石津原《いしつのはら》に幸《いでま》して、陵《みささぎのところ》地を定めたまふ。丁酉（十八日）に、始めて陵を築《つ》く。是の日に、鹿有りて、忽《たちまち》に野の中より起《おこ》りて、走りて役民《えたみ》の中に入りて仆《たふ》れ死ぬ。時に其の忽に死ぬことを異《あや》びて、其の痍《きず》を探《もと》む。即ち百舌鳥《もず》、耳より出《いで》て飛び去《さ》りぬ。因《よ》りて耳の中を視《み》るに、悉《ことごとく》に咋《く》ひ割《か》き剥《は》げり。故《かれ》、其の処《ところ》を号《なづ》けて、百舌鳥耳原と曰ふは、其れ是の縁《ことのもと》なり。

物語は百舌鳥耳原の地名起源で結ばれているが、内容は河内の石津原（和泉国大鳥郡石津郷／大阪府堺市石津町辺り）に、仁徳天皇が自分の百舌鳥野陵（『記』は毛受《もず》之耳原陵、『延喜諸陵式』は百舌鳥耳原中陵）を築造した際の出来事である。これが、今日仁徳天皇陵に治定《じじょう》されている最大の前方後円墳大仙《だいせん》古墳（堺市大仙町）のことであるか否かは定かでないが、なんとも不思議な内容である。この所伝については、以前に次のように読み解いた。

耳を咋《く》い割《さ》かれた鹿（耳割け鹿）は、神に選ばれたことを示す切込みの入れられた神聖な鹿を意味し、ここでは石津原の土地の霊（地主神）を象徴した。百舌鳥は縄張りを強く主張する鳥であるが、倒れた耳割け鹿の耳から飛翔した百舌鳥は、その霊、すなわち土地の霊（地主神）と観念された。

すなわち、これは耳割け鹿と百舌鳥を用いた、仁徳天皇陵を築造する石津原の地霊（地主神）を退去させる呪術的な儀礼を伝えたもので、王権内で王陵築造や喪葬儀礼のことを担った土師《はじ》氏（前身集団）により執り行なわれた。これにより、石津原から地霊が退去して築陵の安全が確保され、それに替わり被葬者がその土地の霊的な主になると観念されたのである〈平林章仁b〉。

ここで重要なことは、仁徳天皇陵が生前に築造（完成は不詳）した寿陵《じゅりょう》と伝えられることである。これを敷衍すれば、古代天皇陵の形や築陵地の選定は、天皇自身が行なっていた可能性がある。後の例であるが、推古天皇紀三十六年（６２８）九月条には、推古天皇は「厚葬《こうそう》は人民に負担を強いるので薄葬《はくそう》にし、夭逝《ようせい》した竹田《たけだ》皇子陵に合葬する」よう遺詔していたので、その通りにしたとある。ちなみに、「竹田皇子陵」は、奈良県橿原市にあり２基の横穴式石室が築かれていた植山《うえやま》古墳（約40ｍ×約27ｍの長方形墳）と目されている〈大阪府立近つ飛鳥博物館ａ〉。

ただし、推古天皇記は「御陵は大野岡上に在《あ》りしを、後に科長《しなが》大陵に遷しき」と記し、『延喜諸陵式』にも河内国石川郡の「磯長《しなが》山田陵」とあるように、後に大阪府南河内郡太子町の山田高塚古墳（東西66ｍ×南北58ｍの長方墳）に改葬された。これが、推古天皇の希望であったか否か定かではない。

天皇陵築造における天皇自身の意思について述べてきたのは、今日治定されている雄略天皇陵が前方後円墳ではないという特異性が問題となるからである。

その所在地の河内国丹比郡「タカワシ」の正確な比定は難しいが、今日は大阪府羽曳野《はびきの》市島泉《しまいずみ》（旧高鷲村）の島泉丸山古墳（径75mの円墳、幅20mの周壕が廻る）に治定されている。旧高鷲村は明治二十二年（1889）の成立で新しいが、羽曳野市島泉二丁目には高鷲山明教寺《みょうきょうじ》があるとともに、ここは奈良時代の高鷲寺跡でもあるから（日本歴史地名大系『大阪府の地名』Ⅱ）、羽曳野市島泉一帯に丹比郡「タカワシ」を求めることは妥当である。松下見林は『前王廟陵記《ぜんおうびょうりょうき》』（元禄九年／1696）で雄略天皇陵を嶋泉村の丸山にあてており、その比定の古いことが知られる。

なお、現在治定される雄略天皇陵は、江戸時代末から明治時代初めにかけて島泉丸山古墳の東200mほどにある平塚古墳（一辺50mの方墳）を前方部のように変形、合成したもので、一見すれば前方後円墳のように見える。本来、平塚古墳は雄略天皇陵には含まれず、それは島泉丸山古墳だけであり、この時期の天皇陵古墳には円墳が存在しないことから、これは相当に特異な事例となる。ここから、今日の治定が正しいか否か、正しいとすれば前方後円墳でないことをどのように評価するのか、一方そうでないなら真の雄略天皇陵はどの古墳にあてるべきか、等々の問題が派生する。

まず、この比定を疑問視する立場からは、島泉丸山古墳から直線で西南西約1,5㎞に位置する巨大な前方後円墳である、河内大塚山古墳（全長335m。羽曳野市恵我之荘《えがのしょう》～松原市西大塚〈旧高鷲村大塚〉）に求める説がある〈吉田東伍〉。この古墳は現在、大塚陵墓参考地として宮内庁の管理下にある。

しかし、河内大塚山古墳には、前方部先端が広がる六世紀以降に現われる墳形の特徴が見られること、後円部の形態から埋葬施設が横穴式石室である可能性が高いこと、六世紀以降に操業する堺市余部日置荘《あまべひきしょう》遺跡で生産された埴輪が用いられている可能性があることなどから、六世紀前半頃の古墳と位置づけられている〈藤井寺市教育委員会／大阪府立近つ飛鳥博物館〉。すなわち、雄略天皇陵とするには時期が新しいということで、河内大塚山古墳にあてる説は今日、否定的に捉えられている。なお、この古墳の前方部変形は、かつてここに東大塚村が存在したことに原因するとも考えられるが、周辺の大規模な前方後円墳を見まわしても、これほど削平、破壊して村落を営んだ例は知られない。先述した仁賢天皇による雄略天皇陵の破壊伝承とも関わり、留意される点である。

他方、島泉丸山古墳から直線で南東約1,3㎞に位置し、雄略天皇の歿年に近い五世紀後半から末頃に築造された前方後円墳で、藤井寺市藤井寺にある岡ミサンザイ古墳〈全長２４２ｍ、現在は十四代仲哀《ちゅうあい》天皇陵に治定〉に雄略天皇陵をあてる説もある〈白石太一郎ｂ／ｅ〉。四世紀代の存在と目される仲哀天皇と岡ミサンザイ古墳は年代観が整合せず、岡ミサンザイ古墳が雄略天皇の歿年に近い大規模な前方後円墳であることに惹かれる。しかし、雄略天皇陵とするには、この古墳が丹比郡境には近いけれども、かつての河内国志紀郡に存在するという問題がある。『記』・『紀』・『延喜諸陵式』がそろって雄略天皇陵の所在地を丹比郡と伝えていることを、覆すだけの有力な史料は知られない。

このように、決め手を欠いた状況にあることから、雄略天皇陵は島泉丸山古墳に求めざるを得ないとみなす立場もある〈和田萃ａ〉。

雄略天皇陵から雄略天皇像を考える

もし雄略天皇陵が現在の治定の通り島泉丸山古墳でよいとすれば、それが円墳であることの説明が求められる。その際、次の二つの説明が可能と思われる。

その一つは、顕宗天皇記に、父の市辺之忍歯王が雄略天皇に殺害された復讐に、仁賢天皇が雄略天皇陵の一部を破壊したと伝えられることに関わる。これによるなら、雄略天皇陵は一部が破壊されたことになるが、その際に遺骸が埋葬された後円部は残されたけれども前方部は消滅したと解することも可能である。この場合、島泉丸山古墳を後円部とした前方後円墳を復原すれば、墳丘全長150m余りになろう。ただし、顕宗天皇紀二年八月己未朔条には、顕宗天皇の提案に対して仁賢天皇は「天皇陵の破壊は人の道に背くと諫めたので中止した」とある。また、地形図を見てもこの古墳に前方部が付いていたような地割の痕跡は読み取れない。二つの仮定を重ねたこの考えは、否定されよう。なお、陸地測量部の明治二十年（1887）「仮製地形図」は、島泉丸山古墳の南東100mほどにある小丘を「雄略帝陵」と記している。

その二つは、天皇陵には生前に築造される寿陵があったことから、雄略天皇も生前に陵形を選択し、自ら円墳と決めて築造していたのではないかと考えることもできる。ちなみに、『河内志』を著わす並河《なびかわ》誠所が、享保十五年（1730）に島泉村の雄略天皇陵北側の「隼人墓」に墓石を建てているが（日本歴史地名大系『大阪府の地名』Ⅱ）、『河内志』はそこが雄略天皇に殉じた隼人を埋葬した場所だと記している。天皇陵を図示した江戸時代末頃の『聖蹟図志《せいせきずし》』にも、嶋泉村の雄略天皇陵北側に「隼人ツカ」が描かれているが〈遠藤鎮雄〉、「隼人ツカ」は近世の雄略天皇陵探索とともに清寧天皇紀元年十月辛丑条を知った後に求められた可能性が高く、雄略天皇陵比定の有力な傍証にはならない。

重要なことは、この時代の人々が円墳の雄略天皇陵について、不信感を懐かずに受容していたということである。そこでもし、雄略天皇が生前に陵形を円墳と決めていたとすれば、その決定の意図と雄略天皇の歴史的評価が課題となる。以下は、右の仮定に立った推論であるが、今後の参考までに記しておこう。

律令制以前のヤマト王権の構成は、天皇を中心に伝統的な臣僚集団と、帰属した各地域の有力豪族らによる連合政権的、擬制的王権共同体としての性格が強く、王の専制的性格の弱いものであった。政府組織は、官司制や官人制、常備軍制が未熟であり、必要な職務は王権から王族や構成員の豪族らに委嘱され、分掌されるという分権的な仕組みであった。王族・豪族らが王権の職務・運営を分掌していたのであり、王権の基本方針は天皇の下に集結した、これら王族・大臣・大連・群臣《まえつきみ》らの有力者が集う場で審議された。このような王権では、天皇には規制が多く、その裁量が専権的でなかったことは、やや後のことだが天皇の仏教信仰受容に関わる王権内部の軋轢からも明瞭である〈平林章仁—j／—l〉。

こうした状況の中で、雄略天皇が自らの意思で円墳の陵を選択すること、前方後円墳を拒否することは大きな冒険であったに違いない。これは、主要構成員が前方後円墳を築造するという王権の墳墓形態規制、すなわち他界観念と喪葬儀礼の共有化による擬制的王権共同体からの離脱表明と位置づけることができる。多くの競争相手を蹴落として王位を手中にした雄略天皇には、その位に纏わりついて離れない擬制的王権共同体の規制を断ち切ることが即位当初からの目標であり、円墳陵の築造は規制から超越した王者になろうとする意思表示であった、と評価できる。

しかしながら、この方針が王権の施策全体に及ぼされたならば、擬制的王権共同体の解体に繋がることは必定であるから、次代に継続されることはなかった。

繰り返すが、右はあくまでも島泉丸山古墳を雄略天皇陵と仮定した上での推論に過ぎない。真の雄略天皇陵が河内大塚山古墳あるいは岡ミサンザイ古墳ならば、その意味は消滅する。

雄略天皇陵をめぐる諸問題の解明は、目下のところは次代に委ねるより術はない。

結語にかえて

雄略天皇は旧体制を打破・新体制を確立できたか

『記』・『紀』の伝える雄略天皇、稲荷山古墳鉄剣銘文における獲加多支鹵大王、『宋書』倭国伝に記された倭王武の、三つの史料に基づき周辺の問題も含めて縷々述べてきた。そこで描出した雄略朝に関わる部分の要旨を総合して、雄略天皇とその時代の復原を試みてみよう。

①雄略天皇が日下宮王家の眉輪王、葛城円大臣、兄の八釣白彦皇子と坂合黒彦皇子、石上市辺宮王家の市辺押磐皇子・御馬皇子らを滅ぼして即位したことは、「ワカタケル」・「倭王武」の名に違わない振る舞いであった。雄略天皇が、オオタケルと位置づけられる倭建命（日本武尊）を強く意識していたことも頷けよう。また『記』において、雄略天皇は、倭建命および仁徳天皇とともに「日の御子」と称えられ、特別な存在として位置づけられている。このことも、武力で旧来の勢力を打倒した雄略天皇像に照応している。

②雄略天皇が葛城山の狩猟に際して顕現した新神、一言主神と親和的、友好的な関係であ

ったことは、一言主神を奉斎した秦氏系集団と同様な関係であったことを物語る。これを神祇政策面から見れば、秦氏系集団が奉斎する一言主神の祭祀を雄略天皇が承認したことを意味するとともに、神祇問題に対する雄略天皇の専権的決定と位置づけられる。そのことに連動し、秦氏への論功行賞として、かつては葛城氏、後には諸豪族の管理下に置かれていた秦氏系諸工人集団を、秦氏本宗への集結を命じ王権の管掌下に置いたことは、六世紀以降の王権による人民支配の先駆的動きとして評価できる。

③それとは反対に、葛城山の狩猟で突出した怒猪は、雄略天皇に対する非友好的な動きを示した集団の存在を暗示している。それに対する処罰が、葛城賀茂氏と彼らが奉斎する高鴨神の土左放逐であった。これは新神一言主神の祭祀承認に象徴される出来事と表裏の関係にあったが、いずれも旧来の王権の内部規制にとらわれない、神祇問題に対する雄略天皇の専権的行為と位置づけられる。葛城地域では葛城円大臣が滅ぼされた後の雄略朝においても、雄略天皇の示威行動にともない大きな変動が継続していたのであるが、これにより葛城賀茂氏は勢威と権威を削がれて失墜し、残された賀茂氏の中には大挙して山背に遷居した集団もあった。

④山背葛野地域に移動した賀茂氏は、各地の賀茂氏同族が参集する賀茂祭を通じて、賀茂氏本宗的地位を獲得していった。しかし、それを快く思わない賀茂氏同族や賀茂氏の始祖神祭祀をめぐり、賀茂祭の場では武器を帯して闘乱が繰り広げられたため、八世紀前葉には朝廷から禁制が敷かれることになった。賀茂御祖神社（下鴨神社）を分立させたことで賀茂祭の混乱は収まり、山背賀茂氏の地位も定まったが、葛城賀茂氏はほぼ三百

年前の雄略朝に土左に放逐されていた高鴨神を葛城に復祠することで、それに対抗しようとした。それには、聖武天皇の外祖母賀茂朝臣比売（藤原不比等室）の存在も影響している。

⑤雄略天皇紀に采女関連記事が集中することは、采女に象徴される天皇と豪族の関係が増加したことを思わせる。すなわち、雄略天皇と帰順した豪族首長の人格的君臣関係の拡大が推察されるが、これは武力で旧来の勢力を打倒した①の雄略天皇像と同じ側面でもあり、天皇の権限強化への志向が現れているが、そのことを制度化した状況は未だ現れていない。

⑥埼玉稲荷山古墳鉄剣銘文や熊本江田船山古墳大刀銘文に見える「大王」号は、臣下の立場にある人物が「獲加多支鹵」の偉大なことを称えて「大王」と刻んだものであった。これは次代君主に継承される性格の正式称号ではなく、ここに見える「大王」号を過大に評価することは慎まなければならない。同様に、これも王宮に侍した渡来系史官の手になると考えられるが、独自の支配世界を表現する「治天下」も、抽象的で形式的な慣用句として用いられたとみられる。その背景にどのような「天下」観が形成されていたのかは分明でないが、「治天下」はこれらの刀剣銘文を初見として後世まで天皇表記に用いられて、「大王」号とは異なる道を歩んだ。

⑦五世紀のヤマト王権の外交としては、「倭の五王」による中国・南朝への遣使が重く扱われてきた。しかし、『紀』の外交関連記事の分析からは、有力豪族らが直接的利害関係のある朝鮮半島南部に自ら赴いていたのに対して、南朝・宋へは天皇直属の渡来系の

外交顧問官が派遣されていた。国際的地位において高句麗に対抗することを目指した南朝遣使は、政権内部の限られた人物の意思や方針に依拠したものであり、比較的容易に変更され得る軽さを内包していた。南朝遣使の効果が期待したほどではないと認識され、東アジア情勢の変化も影響して中断が決定されたと考えられる。これらのことは、南朝遣使にともない府官制を導入してヤマト王権の政治体制の組織化が進展したとする評価に、再考が必要なことを示唆している。また、南朝遣使の中断決定が雄略朝になされたものならば、専権的外交政策として評価出来るが、その時期が分明ではないから、この面からの雄略朝の政策評価は控えなければならない。

最後に、雄略天皇像についてであるが、不確定な雄略天皇陵のことは分析対象から除外しなければならない。雄略天皇が擬制的王権共同体の規制から離脱して、旧体制の打破を目ざしていたことは、右記の①から③までのことで読み取れよう。しかし、⑤～⑦はそのことに肯定的でない一面を示しており、雄略天皇歿後から清寧・顕宗・仁賢・武烈天皇までの、ヤマト王権の著しい政情不安を合わせ考えれば、雄略朝を王権専制化の画期と位置づけることには躊躇される。

問題は、雄略天皇の意図がどれだけ達成されたかということである。おそらく、雄略天皇は旧来の制度を一部で打破したけれども、新たな体制の確立までには至らず未完のままに終わったのではないかと考えられる。雄略天皇は、五世紀のヤマト王権・王統で強く光を放った、最後の王者であったと位置づけられる。雄略天皇紀が「有徳天皇」・「大悪天皇」と相反する評価を記しているのも、矛盾を抱えた実態を理解した上でのことであったと思われる。

南下政策を採る高句麗に対抗して朝鮮半島における倭国の権益の維持を目指した雄略天皇は、国内における権力の強化、伸長を強く企図したことは事実であるが、その内実は画期というよりは王権が大きく変質する歴史的な過渡期であったと評価できよう〈鬼頭清明／篠川賢c〉。五世紀の仁徳天皇系王統に替わり、王権側から要請されて応神天皇五世孫の男大迹王が５０７年に継体天皇として即位する契機を少し早くに準備したのは、ほかでもない雄略天皇であったと言える。継体天皇は王統系譜の上では、前後にも類例を見ない特別な人物であったが、そのことからも当時のヤマト王権が抱えていた問題の深刻さを読み取ることができる。継体天皇の即位は、ヤマト王権全ての秩序一新による王権の再建であり、ここにこそ革新的な画期が認められる。継体天皇即位の歴史的意義については以前に論じたが、〈平林章仁j／l／m〉、残された課題はヤマト王権の発祥をめぐる諸問題の考察である。

【参考文献】

青木和夫a・他校注　新日本古典文学大系『続日本紀』一、岩波書店、一九八九年。

青木和夫b・他校注　新日本古典文学大系『続日本紀』二、岩波書店、一九九〇年。

青木紀元『日本神話の基礎的研究』風間書房、一九七〇年。

秋本吉郎校注　日本古典文学大系『風土記』岩波書店、一九五八年。

浅井虎夫（所京子校訂）『新訂女官通解』講談社、一九八五年、初版は一九〇六年。

阿部眞司『大物主神伝承論』翰林書房、一九九九年。

網野善彦『増補　無縁・公界・楽』平凡社、一九八七年。

池内宏『日本上代史の一研究』中央公論美術出版、一九七〇年。

石上英一「大蔵省成立史考」『日本古代の社会と経済』上、吉川弘文館、一九七八年。

石田英一郎『桃太郎の母』講談社、一九六六年。

石原道博編訳『新訂魏志倭人伝他三篇―中国正史日本伝（1）―』岩波書店、一九八五年。

磯貝正義『郡司及び采女制度の研究』吉川弘文館、一九七八年。

市毛勲a『朱の考古学』雄山閣、一九七五年。

市毛勲b『朱丹の世界』ニューサイエンス社、二〇一六年。

市原市教育委員会・財団法人市原市文化財センター『「王賜」銘鉄剣概報　千葉県市原市稲荷台1号墳出土』吉川弘文館、一九八八年。

井上光貞a「帝紀からみた葛城氏」『日本古代国家の研究』岩波書店、一九六五年。

井上光貞b「カモ県主の研究」『日本古代国家の研究』岩波書店、一九六五年。

井上光貞c『日本古代思想史の研究』岩波書店、一九八二年。

井上光貞d『井上光貞著作集』五、岩波書店、一九八六年。

植垣節也校注　新編日本古典文学全集『風土記』小学館、一九九七年。

上田正昭a『日本神話』岩波書店、一九七〇年。

上田正昭b「神祇信仰の展開」『古代の日本』一、角川書店、一九七一年。

上田正昭c「渡来の神」松前健編　講座日本の古代信仰『神々の誕生』学生社、一九七九年。

上田正昭d「銘文研究二〇年と古代史」金井塚良一編『稲荷山古墳の鉄剣を見直す』学生社、二〇〇一年。

上田正昭e「倭の五王とその時代」『百舌鳥・古市大古墳群展』大阪府立近つ飛鳥博物館、二〇〇九年。

江畑武「四～六世紀の朝鮮三国と日本」『古代日本と朝鮮』学生社、一九七四年。

遠藤鎮雄訳編『史料天皇陵』新人物往来社、一九七四年。

大久間喜一郎・乾克己編『上代説話事典』雄山閣、一九九三年。

大阪市文化財協会編『難波宮跡の研究』九、一九九二年。

大阪府立近つ飛鳥博物館編a『ふたつの飛鳥の終末期古墳』二〇一〇年。

大阪府立近つ飛鳥博物館編b『百舌鳥・古市の陵墓古墳』二〇一一年。

大阪府立近つ飛鳥博物館編c『ワカタケル大王の時代』二〇一五年。

大橋信彌a『日本古代の王権と氏族』吉川弘文館、一九九六年。

大橋信彌b「継体・欽明朝の「内乱」」『古代を考える　継体・欽明朝と仏教伝来』吉川弘文館、一九九九年。

大庭脩「五世紀の東アジアと国際情勢」『仁徳陵古墳―築造の時代』大阪府立近つ飛鳥博物館、一九九六年。

岡田精司a『古代王権の祭祀と神話』塙書房、一九七〇年。

岡田精司b「風土記の神社二題」『日本古代論集』笠間書院、一九八〇年。

岡田精司c「奈良時代の賀茂神社」『古代祭祀の歴史と文学』塙書房、一九九七年。

岡田精司d「古墳上の葬送儀礼説について」『国立歴史民俗博物館研究報告』八〇、一九九九年。

小川良祐「埼玉稲荷山古墳の新情報」『ワカタケル大王とその時代—埼玉古墳群』山川出版社、二〇〇三年。

折口信夫「宮廷儀礼の民俗学的研究」『折口信夫全集』十六、中央公論社、一九五六年。

葛城市歴史博物館編『葛城古寺探訪—二上・葛城・金剛山麓の古代寺院—』二〇一六年。

加藤謙吉a「応神王朝の衰亡」『古代を考える　雄略天皇とその時代』吉川弘文館、一九八八年。

加藤謙吉b『秦氏とその民—渡来氏族の実像—』白水社、一九九八年。

加藤謙吉c『大和政権とフミヒト制』吉川弘文館、二〇〇二年。

加藤謙吉d『ワニ氏の研究』雄山閣、二〇一三年。

門脇禎二a『采女』中央公論社、一九六五年。

門脇禎二b『葛城と古代国家』教育社、一九八四年。

門脇禎二・狩野久・葛原克人編『古代を考える　吉備』吉川弘文館、二〇〇五年。

金井清一a「葛城・岡田・葛野のカモについて」『古事記・日本書紀論集』続群書類従完成会、一九八九年。

金井清一b「山城国風土記逸文の賀茂伝説について」『上代文学』七九、一九九七年。

金子修一『古代中国と皇帝祭祀』汲古書院、二〇〇一年。

狩野久a「稲荷山鉄剣銘をどう読むか」『ワカタケル大王とその時代—埼玉古墳群』山川出版社、二〇〇三年。

狩野久b『発掘文字が語る古代王権と列島社会』吉川弘文館、二〇一〇年。

鎌田元一a『律令公民制の研究』塙書房、二〇〇一年。

鎌田元一b『律令国家史の研究』塙書房、二〇〇八年。

亀田修一「遺跡・遺物にみる倭と東アジア」『日本の対外関係』1、吉川弘文館、二〇一〇年。

川口勝康a「瑞刃刀と大王号の成立」『古代史論叢』上、吉川弘文館、一九七八年。

川口勝康b「大王の出現」『日本の社会史』3、岩波書店、一九八七年。

川口勝康c「刀剣の賜与とその銘文」『岩波講座日本通史』2、岩波書店、一九九三年。

川﨑晃「倭王武の上表文」『日本の対外関係』1、吉川弘文館、二〇一〇年。

川尻秋生「飛鳥・白鳳文化」『岩波講座日本歴史』二、岩波書店、二〇一四年。

川本芳昭「四、五世紀の中国と朝鮮・日本」『新版　古代の日本』二、角川書店、一九九二年。

神田秀夫「鴨と高鴨と岡田の鴨」『民族の古伝』神田秀夫論稿集第四、明治書院、一九八四年。

岸俊男ａ『日本古代政治史研究』塙書房、一九六六年。

岸俊男ｂ『遺跡・遺物と古代史学』吉川弘文館、一九八〇年。

岸俊男ｃ『日本古代文物の研究』塙書房、一九八八年。

岸俊男教授退官記念会編『日本政治社会史研究』上、塙書房、一九八四年。

喜田貞吉「継体天皇以下三天皇皇位継承に関する疑問」『論集　日本文化の起源』二、平凡社、一九七一年。

北郷美保「顕宗・仁賢即位伝承雑考」『日本古代史論考』吉川弘文館、一九八〇年。

鬼頭清明「六世紀までの日本列島」『岩波講座日本通史』2、岩波書店、一九九三年。

木下礼仁『日本書紀と古代朝鮮』塙書房、一九九三年。

木村誠ａ「朝鮮三国と倭」『古代を考える　日本と朝鮮』吉川弘文館、二〇〇五年。

木村誠ｂ「朝鮮三国の興亡」『日本の対外関係』1、吉川弘文館、二〇一〇年。

金廷鶴『任那と日本』日本の歴史別巻1、小学館、一九七七年。

倉塚曄子『巫女の文化』平凡社、一九九四年。

倉野憲司「賀茂系神話と三輪系神話との關聯」『古典と上代精神』至文堂、一九四二年。

黒澤幸三『日本古代の伝承文学の研究』塙書房、一九七六年。

黒田達也「眉輪王の変とその系譜関係をめぐって」『日本古代国家の展開』上巻、思文閣出版、一九九五年。

熊谷公男『日本の歴史』03、大王から天皇へ、講談社、二〇〇一年。

熊倉浩靖『上野三碑を読む』雄山閣、二〇一六年。

河内春人ａ「倭の五王と中国外交」『日本の対外関係』1、吉川弘文館、二〇一〇年。

河内春人ｂ『日本古代君主号の研究』八木書店、二〇一五年。

高知県編集『高知県史』古代中世編、一九七一年。

高知市史編纂委員会編『高知市史』上巻、一九五八年。

神野志隆光『古事記の世界観』吉川弘文館、二〇〇八年。

小島憲之・他校注訳　新編日本古典文学全集『日本書紀』一、小学館、一九九四年。

御所市教育委員会『鴨都波1号墳調査概報』学生社、二〇〇一年。

近藤義郎・河本清編『吉備の考古学』福武書店、一九八七年。

近藤義郎『前方後円墳の時代』岩波書店、一九八三年。

小林敏男「一一五文字の銘文が語る古代東国とヤマト王権」『稲荷山古墳の鉄剣を見直す』学生社、二〇〇一年。

埼玉県教育委員会『稲荷山古墳出土鉄剣金象嵌銘概報』一九七九年。

佐伯有清a『新撰姓氏録の研究』考證篇第四、吉川弘文館、一九八二年。

佐伯有清b『新撰姓氏録の研究』考證篇第五、吉川弘文館、一九八三年。

佐伯有清c『新撰姓氏録の研究』考證篇第六、吉川弘文館、一九八三年。

佐伯有清d『日本古代氏族の研究』吉川弘文館、一九八五年。

佐伯有清e『日本の古代国家と東アジア』雄山閣、一九八六年。

佐伯有清f「雄略朝の歴史的位置」『古代を考える　雄略天皇とその時代』吉川弘文館、一九八八年。

佐伯有清g『古代東アジア金石文論考』吉川弘文館、一九九五年。

坂本太郎a・他校注 日本古典文学大系『日本書紀』上、岩波書店、一九六七年。

坂本太郎b「史筆の曲直」『古事記と日本書紀』坂本太郎著作集二、吉川弘文館、一九八八年。

坂元義種a「倭の五王の爵号問題—武の自称称号を中心に—」『ゼミナール日本古代史』下、光文社、一九八〇年。

坂元義種b「『宋書』倭国伝の史料的性格—とくに武の上表文をめぐって—」『ゼミナール日本古代史』下、

光文社、一九八〇年。

坂元義種c『倭の五王―空白の五世紀―』教育社、一九八一年。

坂元義種d「東アジアの国際関係」『岩波講座日本通史』2、岩波書店、一九九三年。

鷺森浩幸「名代日下部の成立と展開」『市大日本史』三、二〇〇〇年。

佐藤長門a「倭王権の転成」『日本の時代史』2、吉川弘文館、二〇〇二年。

佐藤長門b「有銘刀剣の下賜・顕彰」『文字と古代日本』1、吉川弘文館、二〇〇四年。

佐藤長門c『日本古代王権の構造と展開』吉川弘文館、二〇〇九年。

志田諄一『古代氏族の性格と伝承』雄山閣、一九七一年。

篠川賢a「鉄刀銘の世界」『古代を考える　雄略天皇とその時代』吉川弘文館、一九八八年。

篠川賢b『日本古代国造制の研究』吉川弘文館、一九九六年。

篠川賢c『大王と地方豪族』山川出版社、二〇〇一年。

篠川賢d「日本列島の西と東」『日本の対外関係』1、吉川弘文館、二〇一〇年。

下垣仁志『古墳時代の王権構造』吉川弘文館、二〇一一年。

下出積與『神仙思想』吉川弘文館、一九六八年。

白石太一郎a「弥生・古墳文化論」『岩波講座日本通史』2、岩波書店、一九九三年。

白石太一郎b『古墳とヤマト政権』文藝春秋、一九九九年。

白石太一郎c「倭国の形成と展開」『列島の古代史』8、岩波書店、二〇〇六年。

白石太一郎d『古墳からみた倭国の形成と展開』敬文社、二〇一三年
白石太一郎e「考古学からみたワカタケル大王とその時代」『ワカタケル大王の時代』大阪府立近つ飛鳥博物館、二〇一五年。

白川静『中国古代の民俗』講談社、一九八〇年。

末松保和『任那興亡史』吉川弘文館、一九七一年増訂版。

菅野雅雄「下巻記載の「亦名」」『古事記系譜の研究』桜楓社、一九七〇年。

鈴木英夫『古代の倭国と朝鮮諸国』青木書店、一九九六年。

鈴木正信「人制研究の現状と課題」『国造制・部民制の研究』八木書店、二〇一七年。

鈴木靖民a「武（雄略）の王権と東アジア」『古代を考える　雄略天皇とその時代』吉川弘文館、一九八八年。

鈴木靖民b「好太王碑の倭の記事と倭の主体」『好太王碑と集安の壁画古墳』木耳社、一九八八年。

鈴木靖民c「倭国と東アジア」『日本の時代史』2、吉川弘文館、二〇〇二年。

鈴木靖民d『倭国史の展開と東アジア』岩波書店、二〇一二年。

積山洋・南秀雄「ふたつの大倉庫群」『クラと古代王権』ミネルヴァ書房、一九九一年。

高取町教育委員会『市尾遺跡第3次発掘調査記者発表資料』二〇一九年。

高橋明裕「氏族伝承と古代王権‐三輪山伝承をめぐって‐」『歴史評論』六一一、校倉書房、二〇〇一年。

武田幸男a「序説　五～六世紀東アジア史の一視点」『東アジア世界における日本古代史講座』4、学生社、一九八〇年。

武田幸男b「好太王の時代」『好太王碑と集安の壁画古墳』木耳社、一九八八年。

武田祐吉譯註『古事記』角川書店、一九五六年。

辰巳和弘『聖樹と古代大和の王宮』中央公論新社、二〇〇九年。

田中卓a「五世紀の大和王権をめぐって」『日本国家の成立と諸氏族』田中卓著作集2、国書刊行会、一九八六年。

田中卓b「大化前代の枚岡」『日本国家の成立と諸氏族』田中卓著作集2、国書刊行会、一九八六年。

田中卓c「葛木のカモと山代のカモ」『神道史研究』四七‐一、一九九九年。

田中俊明「加耶をめぐる国際環境」『新版　古代の日本』二、角川書店、一九九二年。

田中史生a「武の上表文」『文字と古代日本』2、吉川弘文館、二〇〇五年。

田中史生b「飛鳥寺建立と渡来工人、僧侶たち」『古代東アジアの仏教と王権』勉誠出版、二〇一〇年。

田中史生c「倭の五王と列島支配」『岩波講座日本歴史』一、岩波書店、二〇一三年。

田中琢「倭の奴国から女王国へ」『岩波講座日本通史』2、岩波書店、一九九三年。

塚口義信a『ヤマト王権の謎をとく』学生社、一九九三年。

塚口義信b「古代日本における聖婚と服属」『古文化談叢』六六、二〇一一年。

塚口義信c「『古事記』における雄略天皇像をめぐって」『日本書紀研究』三十、塙書房、二〇一四年。

津田左右吉『日本古典の研究』下、岩波書店、一九五〇年。

土橋寛「葛城の神々」『日本古代の呪祷と説話』塙書房、一九八九年。

都出比呂志a「前方後円墳の誕生」『古代を考える　古墳』吉川弘文館、一九八九年。

都出比呂志b『王陵の考古学』岩波書店、二〇〇〇年。

東京国立博物館編『江田船山古墳出土国宝銀象嵌大刀』吉川弘文館、一九九三年。

藤堂明保・竹田晃・影山輝國訳注『倭国伝』講談社、二〇一〇年。

東野治之『日本古代金石文の研究』岩波書店、二〇〇四年。

東方書店編『シンポジウム好太王碑』東方書店、一九八五年。

遠山一郎『天皇神話の形成と万葉集』塙書房、一九九八年。

戸谷高明『古代文学の天と日』新典社、一九八九年。

直木孝次郎a『日本古代国家の構造』青木書店、一九五八年。

直木孝次郎b「賀茂神社と神祇官」『続日本紀研究』六‐一、一九五九年。

直木孝次郎c『日本古代の氏族と天皇』塙書房、一九六四年。

直木孝次郎d『飛鳥奈良時代の研究』塙書房、一九七五年。

直木孝次郎e「応神天皇の誕生」『日本歴史』六六四、二〇〇三年。

直木孝次郎f「葛城氏とヤマト政権と天皇」『古代河内政権の研究』塙書房、二〇〇五年。

直木孝次郎・小笠原好彦編著『クラと古代王権』ミネルヴァ書房、一九九一年。

中村修也『秦氏とカモ氏』臨川書店、一九九四年。

並木宏衛・伊藤典久「葛城一言主神社の歴史と信仰」『葛城山の祭りと伝承』桜楓社、一九九二年。

奈良国立文化財研究所飛鳥資料館a『飛鳥・白鳳の在銘金銅仏』一九七六年。

奈良国立文化財研究所飛鳥資料館b『日本古代の墓誌』一九七七年。

奈良県立橿原考古学研究所『南郷遺跡群』Ⅰ～Ⅴ、一九九六年～二〇〇三年。

奈良県立橿原考古学研究所附属博物館編a『葛城の古墳と古代寺院』一九八一年。

奈良県立橿原考古学研究所附属博物館編b『大和を掘る』一四、一九九四年。

奈良県立橿原考古学研究所附属博物館編c『古代葛城の王』一九九五年。

奈良県立橿原考古学研究所附属博物館編d『葛城氏の実像』二〇〇六年。

新納泉「古墳時代の社会統合」『日本の時代史』2、吉川弘文館、二〇〇二年。

西川宏『吉備の国』学生社、一九七五年。

西嶋定生a「四～六世紀の東アジアと日本」『ゼミナール日本古代史』下、光文社、一九八〇年。

西嶋定生b『中国古代国家と東アジア世界』東京大学出版会、一九八三年。

西嶋定生c「好太王碑文辛卯年条の読み方について」『シンポジウム好太王碑』東方書店、一九八五年。

西宮秀紀「葛木鴨（神社）の名称について」『律令国家と神祇祭祀制度の研究』塙書房、二〇〇四年。

新田元規「蘇軾の「吉服即位非礼」説とその周辺―『尚書』顧命篇の解釈と即位儀礼をめぐって」『人文社会文化研究』二三、徳島大学総合科学部、二〇一五年。

仁藤敦史a「継体天皇」『日出ずる国の誕生』清文堂、二〇〇九年。

仁藤敦史b『古代王権と支配構造』吉川弘文館、二〇一二年。

二宮正彦「土左大神考」『日本書紀研究』十七、塙書房、一九九〇年。

萩原千鶴「『古事記』の雄略天皇像」『日本古代の神話と文学』塙書房、一九九八年。

橋本進吉『古代国語の音韻について』岩波書店、一九八〇年。

濱田耕策「「七支刀」銘文の判読と古代東アジアの歴史像」『古代朝鮮資料研究』吉川弘文館、二〇一三年。

林屋辰三郎『古代國家の解體』東京大学出版会、一九五五年。

日野昭『日本古代氏族伝承の研究』永田文昌堂、一九七一年。

平野邦雄a『大化前代社会組織の研究』吉川弘文館、一九六九年。

平野邦雄b『大化前代政治過程の研究』吉川弘文館、一九八五年。

平野邦雄c「ヤマト王権の成立と地域国家」『新版古代の日本』一、角川書店、一九九三年。

平林章仁a「国造制の成立について」『龍谷史壇』八三、一九八三年。

平林章仁b『鹿と鳥の文化史』白水社、一九九二年。

平林章仁c『蘇我氏の実像と葛城氏』白水社、一九九六年。

平林章仁d『三輪山の古代史』白水社、二〇〇〇年。

平林章仁e『七世紀の古代史』白水社、二〇〇二年。

平林章仁f『神々と肉食の古代史』吉川弘文館、二〇〇七年。

平林章仁g『謎の古代豪族葛城氏』祥伝社、二〇一三年。

平林章仁h『「日の御子」の古代史』塙書房、二〇一五年。

平林章仁i『天皇はいつから天皇になったか?』祥伝社、二〇一五年。

平林章仁j『蘇我氏の研究』雄山閣、二〇一六年。

平林章仁k「兄妹相姦のおそれ」『塚口義信博士古稀記念日本古代学論叢』和泉書院、二〇一六年。

平林章仁l『蘇我氏と馬飼集団の謎』祥伝社、二〇一七年。

平林章仁m『物部氏と石上神宮の古代史―ヤマト王権・天皇・神祇祭祀・仏教―』和泉書院、二〇一九年。

平林章仁n「三嶋溝咋の神話と関連氏族」『日本書紀研究』三三、塙書房、二〇二〇年。

平林章仁o「『神武天皇伝承と大和の古代史』、別稿予定。

廣瀬憲雄『古代日本外交史』講談社、二〇一四年。

深津行徳「金石文の語るもの」『東アジア世界の成立』1、吉川弘文館、二〇一〇年。

藤井寺市教育委員会『新版古市古墳群』一九九三年。

藤田経世編『校刊美術史料』寺院編上巻、中央公論美術出版、一九七二年。

聞一多『中国神話』平凡社、一九八九年。

朴天秀『加耶と倭』講談社、二〇〇七年。

穂積陳重『忌み名の研究』講談社、一九九二年。

堀川徹a「国造制の成立に関する基礎的考察」『国造制の研究―史料編・論考編―』八木書店、二〇一三年。

堀川徹b「人制から部民制へ」『国造制・部民制の研究』八木書店、二〇一七年。

本位田菊士「継体・欽明朝前後の政治過程」『日本古代国家形成過程の研究』名著出版、一九七八年。

前川明久「氏姓制への道」佐伯有清編『古代を考える　雄略天皇とその時代』吉川弘文館、一九八八年。

前田晴人「応神天皇虚構論」『古代王権と難波・河内の豪族』清文堂出版、二〇〇〇年。

前之園亮一『「王賜」銘鉄剣と五世紀の日本』岩田書院、二〇一三年。

松前健「序説」『神々の誕生』講座日本の古代信仰、第二巻、学生社、一九七九年。

松田壽男『丹生の研究―歴史地理学から見た日本の水銀―』早稲田大学出版部、一九七〇年。

松村武雄『日本神話の研究』四、培風館、一九五八年。

丸山顕徳「古代賀茂氏の神話」『古代文学と琉球説話』三弥井書店、二〇〇五年。

三品彰英a『建国神話の諸問題』三品彰英論文集二、平凡社、一九七一年。

三品彰英b『神話と文化史』三品彰英論文集三、平凡社、一九七一年。

三品彰英c『日本書紀朝鮮関係記事考證』上、天山舎、二〇〇二年。

水野正好「埴輪芸能論」『古代の日本』2、角川書店、一九七一年。

溝口睦子『日本古代氏族系譜の成立』学校法人学習院、一九八二年。

溝口優樹『日本古代の地域と社会統合』吉川弘文館、二〇一五年。

三谷栄一「大物主神の性格」『日本神話の基盤』塙書房、一九七四年。

湊哲夫「吉備の首長の「反乱」」『古代を考える　吉備』吉川弘文館、二〇〇五年。

目加田誠訳註、中国古典文学大系『詩経』、平凡社、一九六九年。

本居宣長『古事記傳』二十三之巻、本居宣長全集十一、筑摩書房、一九六九年。

毛利正守「「宇都志意美」考」『万葉』七四、一九七〇年。

森公章「土左国の成り立ち」『高知県の歴史』山川出版社、二〇〇一年。

森田悌『古代の武蔵　稲荷山古墳の時代とその後』吉川弘文館、一九八八年。

守屋俊彦「大国主神の神話について」『記紀神話論考』雄山閣、一九七八年。

八木毅「薬師仏像造像記」『古京遺文注釈』桜楓社、一九八九年。

矢野建一「律令国家と村落祭祀」『律令制祭祀論考』塙書房、一九九一年。

山尾幸久a『日本古代王権形成史論』岩波書店、一九八三年。

山尾幸久b『古代の日朝関係』塙書房、一九八九年。

山田英雄「万葉集の雄略天皇から始まることについて」『万葉集覚書』岩波書店、一九九九年。

横田健一a『日本古代の精神』講談社、一九六九年。

横田健一b『飛鳥の神がみ』吉川弘文館、一九九二年。

吉井巌「応神天皇の周辺」『天皇の系譜と神話』塙書房、一九六七年。

義江明子a『日本古代系譜様式論』吉川弘文館、二〇〇〇年。

義江明子b「神話・系譜と歴史」『列島の古代史』6、岩波書店、二〇〇六年。

義江明子c『古代王権論』岩波書店、二〇一一年。

吉田晶a『日本古代国家形成史論』東京大学出版会、一九七三年。

吉田晶b『吉備古代史の展開』塙書房、一九九五年。

吉田一彦『仏教伝来の研究』吉川弘文館、二〇一二年。

吉田孝a「酒折宮の説話の背景」『甲斐の地域史的展開』雄山閣、一九八二年。

吉田孝b『日本の誕生』岩波書店、一九九七年。

吉村武彦a「倭国と大和王権」『岩波講座日本通史』2、岩波書店、一九九三年。

吉村武彦b『日本古代の社会と国家』岩波書店、一九九六年。

吉村武彦c「倭国と東アジア」『日本の時代史』2、吉川弘文館、二〇〇二年。

吉村武彦d「ヤマト王権と律令国家の形成」『列島の古代史』8、岩波書店、二〇〇六年。

吉村武彦e『ヤマト王権』岩波書店、二〇一〇年。

吉田東伍『大日本地名辞書』上巻、冨山房、一九〇七年。

読売テレビ放送編『好太王碑と集安の壁画古墳』木耳社、一九八八年。

李永植『加耶諸国と任那日本府』吉川弘文館、一九九三年。

和歌山県史編さん委員会『和歌山県史考古資料』、一九八三年。

和田萃a『大系日本の歴史』2古墳の時代、小学館、一九八八年。

和田萃b「薬狩と本草集注」『日本古代の儀礼と祭祀・信仰』中、塙書房、一九九五年。

和田萃c「葛城の神々」『日本古代の儀礼と祭祀・信仰』下、塙書房、一九九五年。

渡里恒信「葛城カモの神の成り立ちとその推移」『日本古代の歴史空間』清文堂、二〇一九年。

あとがき

冒頭にも記したが、戦前あるいは戦後の社会を風靡した特定の歴史観に基づいて史料を解釈し、それに合わないからと加除するような方法を、私は採らない。史料には真摯に向き合うように心がけているが、通説とは異なる考えに至ることも少なくない。

雄略朝ごろから、『記』・『紀』における記事量が増加するだけでなく、『宋書』倭国伝や埼玉稲荷山古墳・熊本江田船山古墳出土刀剣銘文など同時代史料が存在し、より豊かな歴史像を描出することが可能である。ただ、各史料は多くの問題点を含むだけでなく、三者がそれぞれに整合的であるわけでもない。それだけその作業が困難であるということであるが、私的な歴史観に合わせた無理な史料解釈を忌避するため、ここでは三者の史料を整合させて総合的な雄略天皇像を描くことは敢えて行なわず、それぞれ別個の視点から論述した。結果、雄略天皇の関する理解の百貨店を呈しているのではと、忸怩たるものがある。

倭王武の上表文は半世紀以上も前の私の卒業論文の主題でもあったが、そのころから倭の五王に関する先学の優れた研究が陸続と発表されたこともあり、私からは遠のいていた。埼玉稲荷山古墳出土鉄剣の銘文は百年に一度の大発見と評されたように、古代史の研究者に大きな衝撃を与えた。岸俊男氏が１９８４年に「画期としての雄略朝―稲荷山鉄剣銘付考―」を発表されたのも頷けるが、それを承けて研究者から雄略朝王権専制化画期説が唱えられ、通説的位置を占めるに至った。

しかし当時の私は、それには少し違和感を覚えた。それは私がワープロやパソコンなど電子機器を使用する以前のことで、四十歳代の始めだったと思うが、それに関わる私見を認《したた》めようと考えて、先行研究や思いついたことなどを手書きで記録していた。その後、ほかの仕事などで忙しくなり、雄略天皇の問題はそのままになっていた。２０１７年3月に定年退職して自宅を整理していた際に、その時の手書きのメモ類が埃の中から出てきたが、もう使うことはないと考えて廃棄した。

今回、故あって雄略天皇についての一書を編むことになったが、その当時の微かな記憶をたどりながら、改めて関連史料の収集から始め、左の近年の私見を加えて、どうにか末尾に至ることが出来た。その結論を一言で記すならば、雄略天皇は旧体制は打破したが、新体制を構築するには至らなかったということである。『紀』が「大悪」・「有徳」という正反対の評価記事を併記しているのは、雄略天皇がこうした歴史的矛盾の肥大化した時期の存在であったことを物語っている。

ちなみに、小書で論じた「タケル」・「一言主神」・「高鴨神」・「采女」・「山背賀茂社」などの問題については、左の近年の小稿でも私見を認めている。論旨に変更はないが、ここでは構成や表現などは大幅に改変している。

・『「日の御子」の古代史』第三章第二節「「日の御子」タケル」、塙書房、二〇一五年。
・「葛城の一言主神と関連氏族」『龍谷大学考古学論叢』Ⅲ、二〇二〇年。
・「葛城の高鴨神と関連氏族」木本好信編『古代史論聚』岩田書院、二〇二〇年。
・『物部氏と石上神宮の古代史』第四章、和泉書院、二〇一九年。
・「山背賀茂社の祭祀と賀茂氏」『龍谷日本史研究』四三、二〇二〇年。

本書では、事実関係の解明に基づいた古代史像の復原を目的としているために、やや煩瑣な考証を重ねることとなった。古代史に関心のある方々に、できるだけ広く御手に取って頂きたく、平易な表現に努めた。それでもなお、読みづらいところが一部で残ったことは、本書が目指したところからやむを得ないことであり、ご理解をお願い申し上げる。つまり、論拠となる史料を示すことなく、自分の考えだけを書き連ねることは容易いが、それでは虚構を積み上げただけで実のない蜃気楼に等しい存在となる。本書により、五世紀史への関心が高まり、研究が活発化する契機となれば、幸いである。

なお、質《たち》の悪い疫病が蔓延するなか、小著の出版を引き受けて頂いた志学社に、記して感謝の意を表します。

二〇二一年四月吉日　　平林章仁

志学社選書

001

吉川忠夫

侯景の乱始末記

南朝貴族社会の命運

激動の中国南北朝時代を
独創的に描出した名著、ここに再誕──。

南朝梁の武帝のながきにわたる治世の末に起こり、江南貴族社会を極度の荒廃に陥れることとなった侯景の乱を活写した「南風競わず」。東魏に使いしたまま長年江南に帰還するを得ず、陳朝の勃興に至る南朝の黄昏に立ち会う生涯を送った一貴族を描く「徐陵」。そして、西魏・北周・隋の三代にわたり、北朝の傀儡政権として存続した後梁王朝を論じる「後梁春秋」。これら原本収録の三篇に加え、侯景の乱を遡ること一世紀余、劉宋の治世下で惹起した『後漢書』編著・范曄の「解すべからざる」謀反の背景に迫った「史家范曄の謀反」をあらたに採録。

本体：1,800円＋税　判型：四六判　ISBN：978-4-909868-00-8

志学社選書

003

大形 徹

不老不死

仙人の誕生と神仙術

人々はなぜ、“不滅の肉体”を求めたのか。

古代中国において、「死」は終わりではなく「再生のはじまり」でもあった。肉体が滅びても、「魂（精神）」は「鬼」となり、「死後の世界」で生き続けると考えられた。しかし、肉体が滅びてしまえば、この世では暮らせない。それに対し、“不滅の肉体”を持ち、いつまでもこの世に永らえるのが「不老不死の仙人」である。本書では、肉体の保存に対するこだわりから説き起こし、仙人の誕生、“不滅の肉体”を求めて狂奔する皇帝と跋扈する方士、そして、修行メニューである「服薬」「辟穀」「導引」「行気」「房中」についても詳述し、古代中国の死生観を鮮やかに解き明かす。復刊にあたり、書き下ろしで「霊芝再考」を収録。

本体：2,000円+税　判型：四六判　ISBN：978-4-909868-02-2

志学社選書

004

木本好信

藤原仲麻呂政権の基礎的考察

真の「専権貴族」、藤原仲麻呂は何を目指したのか――。

天平宝字八年(764)九月、孝謙上皇によって御璽と駅鈴を奪取された藤原仲麻呂(恵美押勝)は失脚・滅亡し、ここに仲麻呂政権は終焉を迎える。最終的には皇権者との対立によって滅び去ったが、そのことはとりもなおさず、仲麻呂政権が「天皇専権」と相容れないものであったこと――つまり、真の意味で「貴族専権」であったことを示唆する。それでは、仲麻呂が目指した「貴族専権」国家とは、具体的にはいかなるものであったのだろうか。本書では、①仲麻呂と孝謙上皇、淳仁天皇、②仲麻呂と光明皇后、③仲麻呂と官人、④仲麻呂の民政、⑤仲麻呂と仏教、⑥仲麻呂と神祇の各視点から仲麻呂政権の特質を明らかにし、奈良朝における「天皇専権」と「貴族専権」のせめぎ合いの実相に迫る。復刊にあたり、史料の釈読を一部改めたほか、補註、旧版刊行後の研究動向を書き下ろしで収録。

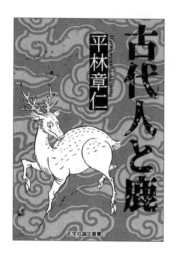

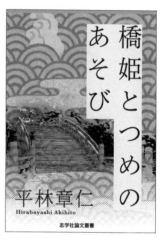

平林章仁

（ひらばやし　あきひと）

1948年、奈良県五條市生まれ。1971年、龍谷大学文学部史学科卒業。以降、奈良県内で教諭として教壇に立つかたわら、研究活動を行う。1992年に初の単著『鹿と鳥の文化史』（白水社）を刊行、以降コンスタントに著書を上梓する。2002年、「古代日本の王家と氏族の研究」によって皇學館大学（学長・大庭脩）より博士（文学）号。この間、龍谷大学・堺女子短期大学・京都造形芸術大学非常勤講師、龍谷大学仏教文化研究所客員研究員、奈良県王寺町史編纂委員等を経て、2008年に龍谷大学文学部史学科教授となり、2017年に定年退職するまで勤務した。専門は日本古代史。単著に『鹿と鳥の文化史』、『橋と遊びの文化史』、『蘇我氏の実像と葛城氏』、『七夕と相撲の古代史』、『三輪山の古代史』、『七世紀の古代史』（以上白水社）、『神々と肉食の古代史』（吉川弘文館）、『謎の古代豪族葛城氏』、『天皇はいつから天皇になったか？』、『蘇我氏と馬飼集団の謎』（以上、祥伝社新書）、『蘇我氏の研究』（雄山閣）、『「日の御子」の古代史』（塙書房）、『物部氏と石上神宮の古代史』（和泉書院）がある。

本書は志学社選書のために書き下ろされた。

志学社選書

005

雄《ゆう》略《りゃく》天《てん》皇《のう》の古《こ》代《だい》史《し》

二〇二一年六月三〇日　初版第一刷発行

著者名　平林《ひらばやし》章仁《あきひと》　©Akihito Hirabayashi

発行者　平林《ひらばやし》緑萠《もえぎ》・山田《やまだ》崇仁《たかひと》

発行　合同会社 志学社

〒272－0032 千葉県市川市大洲4－9－2

電話　047－321－4577

https://shigakusha.jp/

編集　志学社選書編集部

編集担当　平林緑萠

装幀　川名《かわな》潤《じゅん》

印刷所　モリモト印刷株式会社

定価はカバーに表記しております。

Printed in Japan　ISBN978-4-909868-04-6　C0321

お問い合わせ　info@shigakusha.jp